齊白石全集

第二卷:繪畫

齊白石

凡例

一　《齊白石全集》分雕刻、繪畫、篆刻、書法、詩文五部分，共十卷。

二　本卷爲中期繪畫。收入一九一九年至一九二七年繪畫作品三二八件，作品按年代順序排列。

三　本卷内容分爲三部分：一概述，二圖版，三著録、注釋。

目録

目録

齊白石的衰年變法 ………… 郎紹君 2

繪畫(一九一九年－一九二七年)

一 山水・春 (四條屏之一) 一九一九年 1
二 山水・夏 (四條屏之二) 一九一九年 2
三 山水・秋 (四條屏之三) 一九一九年 3
四 山水・冬 (四條屏之四) 一九一九年 4
五 荔枝圖 一九一九年 ……………… 5
六 墨花草蟲(扇面) 一九一九年 ……… 6
七 山水人物 一九一九年 …………… 7
八 不倒翁 一九一九年 ……………… 8
九 梅花圖 一九一九年 ……………… 9
十 雁來紅螃蟹 一九一九年 ……… 10
十一 洞庭君山 一九一九年 ……… 11
十二 秋聲(蔬果花鳥條屏之一) 一九一九年 12
十三 甘貧(蔬果花鳥條屏之二) 一九一九年 13
十四 清白(蔬果花鳥條屏之三) 一九一九年 14
十五 不如歸去(蔬果花鳥條屏之四)
一九一九年 ……………………… 15
十六 廉直(蔬果花鳥條屏之五) 一九一九年 16
十七 吉祥聲(蔬果花鳥條屏之六)
一九一九年 ……………………… 17
十八 鵪鶉 一九一九年 …………… 18
十九 松樹母鷄 約一九一九年 ……… 19
二〇 秋梨細腰蜂 約一九一九年 ……… 20
二一 芙蓉游鴨 一九二〇年 ……… 21
二二 墨牡丹 一九二〇年 ………… 22
二三 水草・蝦 一九二〇年 ……… 23
二四 墨荷 約一九二〇年 ………… 24
二五 紫藤螃蟹 約一九二〇年 ………… 25
二六 紡織娘 一九二〇年 …………… 26
二七 鳶尾蝴蝶(草蟲册頁之一)
一九二〇年 ……………………… 27
二八 芙蓉蜜蜂(草蟲册頁之二)
一九二〇年 ……………………… 28
二九 蕉葉秋蟬(草蟲册頁之三)
一九二〇年 ……………………… 29
三〇 秋葉孤蝗(草蟲册頁之四)
一九二〇年 ……………………… 30
三一 春(山水四條屏之一) 一九二〇年 31
三二 夏(山水四條屏之二) 一九二〇年 32
三三 秋(山水四條屏之三) 一九二〇年 33
三四 冬(山水四條屏之四) 一九二〇年 34
三五 墨梅 一九二〇年 ……………… 35
三六 凌霄鵪鶉 一九二〇年 ………… 36
三七 竪石小鳥 一九二〇年 ………… 37
三八 菊花 一九二〇年 ……………… 38
三九 竹 一九二〇年 ……………… 39
四〇 水仙(花卉畫稿之一) 一九二〇年 40
四一 萬年青・吉祥草 (花卉畫稿之二)
一九二〇年 ……………………… 41
四二 桃花(花卉畫稿之三) 一九二〇年 42
四三 臘梅山茶(花卉畫稿之四)
一九二〇年 ……………………… 43
四四 梅花 一九二〇年 ……………… 44
四五 菊鳥圖 一九二〇年 …………… 45
四六 扁豆 一九二〇年 ……………… 46
四七 石榴 一九二〇年 ……………… 47
四八 茄子(瓜果册頁之一) 一九二〇年 48
四九 芋頭(瓜果册頁之二) 一九二〇年 49
五〇 枇杷(花果四條屏之一)
約一九二〇年 …………………… 50
五一 菊花(花果四條屏之二)
約一九二〇年 …………………… 51

五二　葫蘆(花果四條屏之三)
約一九二〇年 ························ 52
五三　石榴(花果四條屏之四)
約一九二〇年 ························ 53
五四　牡丹小鳥　約一九二〇年 ··········· 54
五五　桐葉蟋蟀　約一九二〇年 ··········· 55
五六　野藤遊蜂　約一九二〇年 ··········· 56
五七　蟋蟀豆角　約一九二〇年 ··········· 57
五八　蔬香圖　一九二一年 ··············· 58
五九　螞蚱貝葉(廣豳風圖册之一)
一九二一年 ························ 59
六〇　螳螂紅蓼(廣豳風圖册之二)
一九二一年 ························ 60
六一　蜻蜓荷花(廣豳風圖册之三)
一九二一年 ························ 61
六二　墨蝶荷瓣(廣豳風圖册之四)
一九二一年 ························ 62
六三　竈螞鹹蛋芫荽(廣豳風圖册之五)
一九二一年 ························ 63
六四　雙蜂扁豆(廣豳風圖册之六)
一九二一年 ························ 64
六五　甲蟲穀穗(廣豳風圖册之七)
一九二一年 ························ 65
六六　蜂(扇面)　一九二一年 ··············· 66
六七　山水(册頁之一)　一九二一年 ········ 67
六八　山水(册頁之二)　一九二一年 ········ 68
六九　山水(册頁之三)　一九二一年 ········ 69
七〇　山水(册頁之四)　一九二一年 ········ 70
七一　山水(册頁之五)　一九二一年 ········ 71
七二　山水(册頁之六)　一九二一年 ········ 72
七三　山水(册頁之七)　一九二一年 ········ 73
七四　山水(册頁之八)　一九二一年 ········ 74
七五　山水(册頁之九)　一九二一年 ········ 75
七六　山水(册頁之十)　一九二一年 ········ 76
七七　山水(册頁之十一)　一九二一年 ······· 77
七八　山水(册頁之十二)　一九二一年 ······ 78
七九　寶缸荷花圖　一九二一年 ·········· 79
八〇　茶花小鳥　一九二一年 ············ 80
八一　七鷄圖　一九二一年 ·············· 81
八二　山村平遠圖　一九二一年 ·········· 82
八三　蓮蓬翠鳥　一九二一年 ············ 83
八四　水牛　一九二一年 ················ 84
八五　平野結廬　一九二二年 ············ 85
八六　紅杏烟雨　一九二二年 ············ 86
八七　草堂烟雨　一九二二年 ············ 87
八八　山水(四條屏之一)　一九二二年 ······ 88
八九　山水(四條屏之二)　一九二二年 ······ 89
九〇　山水(四條屏之三)　一九二二年 ······ 90
九一　山水(四條屏之四)　一九二二年 ······ 91
九二　山水　一九二二年 ················ 92
九三　山水　一九二二年 ················ 93
九四　絲瓜　一九二二年 ················ 94
九五　牡丹雙蝶圖　一九二二年 ·········· 95
九六　桃源圖　一九二二年 ·············· 96
九七　鷹石圖　一九二二年 ·············· 97
九八　葡萄蝗蟲　一九二二年 ············ 98
九九　芙蓉鴛鴦　一九二二年 ············ 99
一〇〇　竹林白屋(山水條屏之一)
一九二二年 ························ 100
一〇一　入室松風(山水條屏之二)
一九二二年 ························ 101
一〇二　青山紅樹(山水條屏之三)
一九二二年 ························ 102
一〇三　米氏雲山(山水條屏之四)
一九二二年 ························ 103
一〇四　簍蟹圖　一九二二年 ············ 104
一〇五　茨菇雙鴨　一九二二年 ·········· 105
一〇六　仿石濤山水册題記　一九二二年 106
一〇七　仿石濤山水(册頁之一)
一九二二年 ························ 107

一〇八　仿石濤山水(册頁之二)
一九二二年 ………………………… 108
一〇九　仿石濤山水(册頁之三)
一九二二年 ………………………… 109
一一〇　仿石濤山水(册頁之四)
一九二二年 ………………………… 110
一一一　仿石濤山水(册頁之五)
一九二二年 ………………………… 111
一一二　仿石濤山水(册頁之六)
一九二二年 ………………………… 112
一一三　仿石濤山水(册頁之七)
一九二二年 ………………………… 113
一一四　仿石濤山水(册頁之八)
一九二二年 ………………………… 114
一一五　萬竹山居圖　一九二二年 ……… 115
一一六　叢菊幽香　一九二二年 ………… 116
一一七　蘆葦昆蟲　一九二二年 ………… 117
一一八　湖石海棠　一九二二年 ………… 118
一一九　蟹草圖　一九二二年 …………… 119
一二〇　山水　一九二二年 ……………… 120
一二一　不倒翁　一九二二年 …………… 121
一二二　牽牛花　一九二二年 …………… 122
一二三　刺藤圖　一九二二年 …………… 123
一二四　山水　約一九二二年 …………… 124
一二五　山水　約一九二二年 …………… 125
一二六　山水　約一九二二年 …………… 126
一二七　關公騎馬圖
約一九二一年—一九二二年 ……… 127
一二八　宋岳武穆像
約一九二一年—一九二二年 ……… 128
一二九　漢關壯繆像
約一九二一年—一九二二年 ……… 129
一三〇　杏花　約一九二二年 …………… 130
一三一　秋葉螞蚱　約一九二二年 ……… 131
一三二　葫蘆青蠅　約一九二二年 ……… 132
一三三　晚霞　約一九二二年 …………… 133
一三四　柳樹　一九二三年 ……………… 134
一三五　貝葉秋蟬圖　一九二三年 ……… 135
一三六　萬户人家(扇面)　一九二三年 136
一三七　栗樹　一九二三年 ……………… 137
一三八　花卉　一九二三年 ……………… 138
一三九　秋荷圖　一九二三年 …………… 139
一四〇　藤蘿　一九二三年 ……………… 140
一四一　菊石圖　一九二三年 …………… 141
一四二　不倒翁　約二十年代初期 ……… 142
一四三　懸崖小屋　約二十年代初期 …… 143
一四四　葫蘆蝗蟲　約二十年代初期 …… 144
一四五　草・蟲　約二十年代初期 ……… 1 45
一四六　鐘馗讀書圖　約二十年代初期 … 146
一四七　蝴蝶雁來紅　約二十年代初期 … 147
一四八　南瓜　約二十年代初期 ………… 148
一四九　雀　約二十年代初期 …………… 149
一五〇　枇杷　約二十年代初期 ………… 150
一五一　棕樹公鷄　約二十年代初期 …… 151
一五二　水仙　約二十年代初期 ………… 152
一五三　水草游蝦　約二十年代初期 …… 153
一五四　海棠　約二十年代初期 ………… 154
一五五　棕樹母鷄　約二十年代初期 …… 155
一五六　葡萄　約二十年代初期 ………… 156
一五七　荷花　約二十年代初期 ………… 157
一五八　荷花　約二十年代初期 ………… 158
一五九　荷花蓮蓬　約二十年代初期 …… 159
一六〇　荷花　約二十年代初期 ………… 160
一六一　白菜　約二十年代初期 ………… 161
一六二　絲瓜　約二十年代初期 ………… 162
一六三　笋　約二十年代初期 …………… 163
一六四　白玉蘭　約二十年代初期 ……… 164
一六五　蘆雁　約二十年代初期 ………… 165
一六六　荔枝天牛　約二十年代初期 …… 166
一六七　風竹山鷄　約二十年代初期 …… 167

一六八　山水　約二十年代初期　…………　168
一六九　山水　約二十年代初期　…………　169
一七〇　荷花鴛鴦圖　一九二四年　………　170
一七一　蘭花　約二十年代初期　…………　171
一七二　梅花蝴蝶(花鳥蟲魚册頁之一)
一九二四年　………………………　172
一七三　葫蘆蟋蟀(花鳥蟲魚册頁之二)
一九二四年　………………………　173
一七四　群魚戲水(花鳥蟲魚册頁之三)
一九二四年　………………………　174
一七五　桑葉蠶蟲(花鳥蟲魚册頁之四)
一九二四年　………………………　175
一七六　水草螃蟹(花鳥蟲魚册頁之五)
一九二四年　………………………　176
一七七　蝶花飛蜂(花鳥蟲魚册頁之六)
一九二四年　………………………　177
一七八　竹林鷄雛(花鳥蟲魚册頁之七)
一九二四年　………………………　178
一七九　藤枝小鳥(花鳥蟲魚册頁之八)
一九二四年　………………………　179
一八〇　絲瓜蜜蜂(花鳥蟲魚册頁之九)
一九二四年　………………………　180
一八一　秋葉蝗蟲(花鳥蟲魚册頁之十)
一九二四年　………………………　181
一八二　剪刀草游鴨(花鳥蟲魚册頁之十一)
一九二四年　………………………　182
一八三　蘆草游蝦(花鳥蟲魚册頁之十二)
一九二四年　………………………　183
一八四　桂林山　一九二四年　…………　184
一八五　巨石鳥魚屏(四條屏之一)
一九二四年　………………………　185
一八六　巨石鳥魚屏(四條屏之二)
一九二四年　………………………　186
一八七　巨石鳥魚屏(四條屏之三)
一九二四年　………………………　187
一八八　巨石鳥魚屏(四條屏之四)
一九二四年　………………………　188
一八九　紫藤　一九二四年　……………　189
一九〇　佛手昆蟲　一九二四年　………　190
一九一　菊花螃蟹　一九二四年　………　191
一九二　延壽(花卉草蟲四條屏之一)
一九二四年　………………………　192
一九三　晚色猶佳(花卉草蟲四條屏之二)
一九二四年　………………………　193
一九四　居高聲遠(花卉草蟲四條屏之三)
一九二四年　………………………　194
一九五　色潔香清(花卉草蟲四條屏之四)
一九二四年　………………………　195
一九六　天牛(草蟲册頁之一)　一九二四年　196
一九七　蜜蜂(草蟲册頁之二)　一九二四年　197
一九八　青蛾(草蟲册頁之三)　一九二四年　198
一九九　蟋蟀(草蟲册頁之四)　一九二四年　199
二〇〇　蝗蟲(草蟲册頁之五)　一九二四年　200
二〇一　甲蟲(草蟲册頁之六)　一九二四年　201
二〇二　天牛(草蟲册頁之七)　一九二四年　202
二〇三　蜂(草蟲册頁之八)　一九二四年　203
二〇四　蝗蟲(草蟲册頁之九)　一九二四年　204
二〇五　甲蟲(草蟲册頁之十)　一九二四年　205
二〇六　白蕉書屋　一九二四年　………　206
二〇七　老少年　一九二四年　…………　207
二〇八　芋葉公鷄(花鳥四條屏之一)
一九二四年　………………………　208
二〇九　梅花鷹石(花鳥四條屏之二)
一九二四年　………………………　209
二一〇　菊石八哥(花鳥四條屏之三)
一九二四年　………………………　210
二一一　荷花鴛鴦(花鳥四條屏之四)
一九二四年　………………………　211
二一二　桑葉蠶蟲(草蟲册頁之一)
一九二四年　………………………　212

二一三　蝴蝶青蛾（草蟲册頁之二）
一九二四年 ………………………… 213
二一四　蘭花碧蛾（草蟲册頁之三）
一九二四年 ………………………… 214
二一五　秋葉蜻蜓（草蟲册頁之四）
一九二四年 ………………………… 215
二一六　叢草蚱蜢（草蟲册頁之五）
一九二四年 ………………………… 216
二一七　稻葉螞蚱（草蟲册頁之六）
一九二四年 ………………………… 217
二一八　菊花螞蚱（草蟲册頁之七）
一九二四年 ………………………… 218
二一九　芋頭蟋蟀（草蟲册頁之八）
一九二四年 ………………………… 219
二二〇　杏花蜂蟲（草蟲册頁之九）
一九二四年 ………………………… 220
二二一　葫蘆蠅蟲（草蟲册頁之十）
一九二四年 ………………………… 221
二二二　菊花螳螂（草蟲册頁之十一）
一九二四年 ………………………… 222
二二三　皂莢秋蟬（草蟲册頁之十二）
一九二四年 ………………………… 223
二二四　黄蜂（草蟲册頁之一）　一九二四年 224
二二五　蜜蜂（草蟲册頁之二）　一九二四年 225
二二六　秋蛾（草蟲册頁之三）　一九二四年 226
二二七　螞蚱（草蟲册頁之四）　一九二四年 227
二二八　蟈蟈（草蟲册頁之五）　一九二四年 228
二二九　綠蛾（草蟲册頁之六）　一九二四年 229
二三〇　黄蛾（草蟲册頁之七）　一九二四年 230
二三一　青蛾（草蟲册頁之八）　一九二四年 231
二三二　向日葵　一九二四年 ………… 232
二三三　紫藤　一九二四年 …………… 233
二三四　萬松山居圖　一九二四年 ……… 234
二三五　江上千帆圖　約一九二四年 …… 235
二三六　山水　約一九二四年 ………… 236
二三七　垂藤雛鷄　約一九二四年 ……… 237
二三八　多荔圖　一九二五年 ………… 238
二三九　鱗橋烟柳圖　一九二五年 ……… 239
二四〇　雨後山光圖　一九二五年 ……… 240
二四一　松樹青山　一九二五年 ……… 241
二四二　螃蟹圖（扇面）　一九二五年 …… 242
二四三　蘭花（扇面）　一九二五年 …… 243
二四四　蘭石圖　一九二五年 ………… 244
二四五　孤帆圖　一九二五年 ………… 245
二四六　鳳仙花　一九二五年 ………… 246
二四七　達摩像　一九二五年 ………… 247
二四八　蘭石圖　一九二五年 ………… 248
二四九　老少清白圖　一九二五年 ……… 249
二五〇　松居圖（扇面）　一九二五年 …… 250
二五一　栗樹　一九二五年 ………… 251
二五二　其奈魚何　一九二五年 ……… 252
二五三　蕉屋圖　一九二五年 ………… 253
二五四　棕樹小鷄　一九二五年 ……… 254
二五五　松鷹　一九二五年 ………… 255
二五六　老少年　一九二五年 ………… 256
二五七　好山依屋圖　一九二五年 ……… 257
二五八　芭蕉書屋圖　約一九二五年 …… 258
二五九　綠天野屋圖　一九二五年 ……… 259
二六〇　荷塘水榭（山水十二條屏之一）
一九二五年 ………………………… 260
二六一　不倒翁　一九二五年 ………… 261
二六二　茶花天牛（扇面）　一九二六年 262
二六三　魚龍不見蝦蟹多　一九二六年 263
二六四　蛙戲圖　一九二六年 ………… 264
二六五　梅蝶圖　一九二六年 ………… 265
二六六　西城三怪圖　一九二六年 ……… 266
二六七　臨沈周岱廟圖　一九二六年 …… 267
二六八　松山畫屋圖　一九二六年 ……… 268
二六九　大富貴亦壽考　一九二六年 …… 269
二七〇　芋魁圖　一九二六年 ………… 270

二七一　不倒翁　一九二六年　……………　271
二七二　晴波揚帆　約二十年代中期　……　272
二七三　風柳圖　約二十年代中期　………　273
二七四　天竹　約二十年代中期　…………　274
二七五　芋葉游蝦　約二十年代中期　……　275
二七六　山水(四條屏之一)　約二十年代中期　276
二七七　山水(四條屏之二)　約二十年代中期　277
二七八　山水(四條屏之三)　約二十年代中期　278
二七九　山水(四條屏之四)　約二十年代中期　279
二八〇　羅漢(册頁之一)　約二十年代中期　280
二八一　羅漢(册頁之二)　約二十年代中期　281
二八二　羅漢(册頁之三)　約二十年代中期　282
二八三　羅漢(册頁之四)　約二十年代中期　283
二八四　拈花佛　約二十年代中期　………　284
二八五　佛　約二十年代中期　……………　285
二八六　三友圖　約二十年代中期　………　286
二八七　山茶花　約二十年代中期　………　287
二八八　蘆蟹雛鷄　約二十年代中期　……　288
二八九　釣蝦　約二十年代中期　…………　289
二九〇　南瓜　約二十年代中期　…………　290
二九一　荷花螃蟹　約二十年代中期　……　291
二九二　荷花　約二十年代中期　…………　292
二九三　月季　約二十年代中期　…………　293
二九四　竹　約二十年代中期　……………　294
二九五　鵪鶉稻穗　約二十年代中期　……　295
二九六　荔枝　約二十年代中期　…………　296
二九七　蘆雁圖　約二十年代中期　………　297
二九八　葫蘆雙鳥　約二十年代中期　……　298
二九九　梅花　約二十年代中期　…………　299
三〇〇　鐵拐李　一九二七年　……………　300
三〇一　鐵拐李　一九二七年　……………　301
三〇二　鐵拐李　一九二七年　……………　302
三〇三　蒼松圖　一九二七年　……………　303
三〇四　竹霞洞(自臨借山圖册之四)
一九二七年　…………………………　304
三〇五　祝融峰(自臨借山圖册之六)
一九二七年　…………………………　305
三〇六　洞庭君山(自臨借山圖册之七)
一九二七年　…………………………　306
三〇七　華岳三峰(自臨借山圖册之九)
一九二七年　…………………………　307
三〇八　雁塔坡(自臨借山圖册之十一)
一九二七年　…………………………　308
三〇九　柳園口(自臨借山圖册之十二)
一九二七年　…………………………　309
三一〇　小姑山(自臨借山圖册之十六)
一九二七年　…………………………　310
三一一　獨秀山(自臨借山圖册之十八)
一九二七年　…………………………　311
三一二　菊花雛鷄　一九二七年　………　312
三一三　八哥　一九二七年　……………　313
三一四　發財圖　一九二七年　…………　314
三一五　寄斯庵製竹圖　一九二七年　……　315
三一六　風竹圖　一九二七年　…………　316
三一七　秋蟬(扇面)　一九二七年　………　317
三一八　柴筢　一九二七年　……………　318
三一九　柴筢　一九二七年　……………　319
三二〇　群蝦圖　一九二七年　…………　320
三二一　紫藤八哥　一九二七年　………　321
三二二　齊以德像　一九二七年　………　322
三二三　漁翁　約一九二七年　…………　323
三二四　紅柿　約一九二七年　…………　324
三二五　天竹　約一九二七年　…………　325
三二六　菊花　約一九二七年　…………　326
三二七　蝴蝶蘭　約一九二七年　………　327
三二八　搔背圖　約一九二七年　………　328

著録・注釋

繪畫　……………………………………　2

CONTENTS

Qi Baishi's Senescence Reform .... Lang Shaojun 2

PAINTINGS (1919—1927)

1 Landscape: Spring (Tetradic Scrolls, I) 1919 1
2 Landscape: Summer (Tetradic Scrolls, II) 1919 2
3 Landscape: Autumn (Tetradic Scrolls, III) 1919 3
4 Landscape: Winter (Tetradic Scrolls, IV) 1919 4
5 Lychee 1919 5
6 Ink Flower Grass Insect (Fan Cover) 1919 6
7 Landscape Figure 7
8 Tumbler 1919 8
9 Plum Blossom 1919 9
10 Amaranth Crab 10
11 Junshan Mountain on Dongting Lake 1919 11
12 Sound of Autumn (Vegetable – Fruit – Flower – Bird Scrolls, I) 1919 12
13 Honest Poverty (Vegetable – Fruit – Flower – Bird Scrolls, II) 1919 13
14 Innocence (Vegetable – Fruit – Flower – Bird Scrolls, III) 1919 14
15 Cuckoo (Vegetable – Fruit – Flower – Bird Scrolls, IV) 1919 15
16 Uprightness (Vegetable – Fruit – Flower – Bird Scrolls, V) 1919 16
17 Lucky Sound (Vegetable – Fruit – Flower – Bird Scrolls, VI) 1919 17
18 Quail 1919 18
19 Pine Hen c. 1919 19
20 Autumn Pear Wasp c. 1920 20
21 Cottonrose Swimming Duck 1920 21
22 Ink Peony 1920 22
23 Aquatic Grass Shrimp 1920 23
24 Ink Lotus c. 1920 24
25 Wistaria Crab c. 1920 25
26 Katydid 1920 26
27 Iris Butterfly (Grass – Insect Sheets, I) 1920 27
28 Cottonrose Bee (Grass – Insect Sheets, II) 1920 28
29 Plantain – Leaf Autumn Cicada (Grass – Insect Sheets, III) 1920 29
30 Autumn – Leaf Solitary Locust (Grass – Insect Sheets, IV) 1920 30
31 Landscape: Spring (Tetradic Landscape Scrolls, I) 1920 31
32 Landscape: Summer (Tetradic Landscape Scrolls, II) 1920 32
33 Landscape: Autumn (Tetradic Landscape Scrolls, III) 1920 33
34 Landscape: Winter (Tetradic Landscape Scrolls, IV) 1920 34
35 Ink Plum 1920 36
36 Creeper Quail 1920 36
37 Rock Bird 1920 37
38 Chrysanthemum 1920 38
39 Bamboo 1920 39
40 Narcissus (Flower – Plant Sketches, I) 1920 40
41 Rohdea Japonica, Reineckia Carnea (Flower – Plant Sketches, II) 1920 41
42 Peach Blossom (Flower – Plant Sketches, III)1920 42
43 Wintersweet Camellia (Flower – Plant Sketches, IV) 1920 43
44 Plum 1920 44
45 Chrysanthemum Bird 1920 45
46 Hyacinth Bean 1920 46
47 Pomegranate 1920 47
48 Aubergine (Melon – Fruit Sheets, I) 1920 48
49 Taro (Melon – Fruit Sheets, II) 1920 49
50 Loquat (Tetradic Flower – Fruit Scrolls, I) c. 1920 50
51 Chrysanthemum (Tetradic Flower – Fruit Scrolls, II) c. 1920 51
52 Gourd (Tetradic Flower – Fruit Scrolls, III) c. 1920 52
53 Pomegranate (Tetradic Flower – Fruit Scrolls, IV) c. 1920 53
54 Peony Bird c. 1920 54
55 Parasol – Leaf Cricket c. 1920 55

56 Wistaria With Flying Bees c. 1920 ········ 56
57 Cricket Bean c. 1920 ························ 57
58 Vegetable Garden 1921 ····················· 58
59 Locust Pattra – Leaf
(Guangbinfeng Sheets, I) 1921 ··········· 59
60 Cockroach Knotweed
(Guangbinfeng Sheets, II) 1921 ········ 60
61 Dragonfly Lotus
(Guangbinfeng Sheets, III) 1921 ········ 61
62 Ink – Butterfly Lotus – Petal
(Guangbinfeng Sheets, IV) 1921 ········ 62
63 Kitchen – Cricket Salt – Egg Corian –
der (Guangbinfeng Sheets, V) 1921 ······ 63
64 Two Bees With Hyacinth Beans
(Guangbinfeng Sheets, VI) 1921 ········ 64
65 Beetle Rice – Ear
(Guangbinfeng Sheets, VII) 1921 ········ 65
66 Bees (Fan Cover) 1921 ····················· 66
67 Landscape (Sheets, I) 1921 ··············· 67
68 Landscape (Sheets, II) 1921 ·············· 68
69 Landscape (Sheets, III) 1921 ············ 69
70 Landscape (Sheets, IV) 1921 ············ 70
71 Landscape (Sheets, V) 1921 ·············· 71
72 Landscape (Sheets, VI) 1921 ············ 72
73 Landscape (Sheets, VII) 1921 ··········· 73
74 Landscape (Sheets, VIII) 1921 ·········· 74
75 Landscape (Sheets, IX) 1921 ············ 75
76 Landscape (Sheets, X) 1921 ·············· 76
77 Landscape (Sheets, XI) 1921 ············ 77
78 Landscape (Sheets, XII) 1921 ··········· 78
79 Vat Lotus 1921 ······························· 79
80 Camellia Bird 1921 ························· 80
81 Seven Roosters 1921 ······················· 81
82 Village Prospect 1921 ····················· 82
83 Lotus – Seedpod Kingfisher 1921 ········ 83
84 Buffalo 1921 ·································· 84
85 Wild Cottage 1922 ·························· 85
86 Red Apricot Mist 1922 ···················· 86
87 Brush House Mist 1922 ··················· 87
88 Landscape (Tetradic Scrolls, I) 1922 ··· 88
89 Landscape (Tetradic Scrolls, II) 1922
·· 89
90 Landscape (Tetradic Scrolls, III) 1922
·· 90
91 Landscape (Tetradic Scrolls, IV) 1922
·· 91
92 Landscape 1922 ····························· 92
93 Landscape 1922 ····························· 93
94 Luffa 1922 ··································· 94
95 Peony with Two Butterflies 1922 ········ 95
96 Peach country 1922 ························ 96
97 Eagle Crag 1922 ···························· 97
98 Grape Locust 1922 ························· 98
99 Cottonrose Mandarin – Duck ············· 99
100 White House Among Bamboos
(Landscape Scrolls, I) 1922 ··········· 100
101 Pine Wind Into Cottages
(Landscape Scrolls, II) 1922 ·········· 101
102 Green Mountain With Red Trees
(Landscape Scrolls, III) 1922 ········ 102
103 Cloudy Mountains of Mi Fei Style
(Landscape Scrolls, IV) 1922 ········ 103
104 Basket Crab 1922 ························ 104
105 Arrowheads With Two Ducks 1922 ··· 105
106 Preface to Imitations of Sheet
Landscapes by Shi Tao 1922 ··········· 106
107 Imitation of Landscape by Shi Tao
(Sheets, I) 1922 ························· 107
108 Imitation of Landscape by Shi Tao
(Sheets, II) 1922 ························ 108
109 Imitation of Landscape by Shi Tao
(Sheets, III) 1922 ······················ 109
110 Imitation of Landscape by Shi Tao
(Sheets, IV) 1922 ······················ 110
111 Imitation of Landscape by Shi Tao
(Sheets, V) 1922 ························ 111
112 Imitation of Landscape by Shi Tao
(Sheets, VI) 1922 ······················ 112
113 Imitation of Landscape by Shi Tao
(Sheets, VII) 1922 ····················· 113
114 Imitation of Landscape by Shi Tao
(Sheets, VIII) 1922 ···················· 114
115 Cottage in Bamboo Mountain 1922 ··· 115
116 Clustering Chrysanthemum Fragrance
1922 ··· 116
117 Reed Insect 1922 ························ 117
118 Lake – Rock Crabapple 1922 ··········· 118
119 Crab Grass 1922 ························· 119
120 Landscape 1922 ·························· 120
121 Tumbler 1922 ····························· 121
122 Morning Glory ···························· 122
123 Thorny Liana 1922 ······················ 123
124 Landscape c. 1922 ······················· 124
125 Landscape c. 1922 ······················· 125
126 Landscape c. 1922 ······················· 126
127 Lord Guan on Horseback c. 1921—1922
·· 127
128 Portrait of Yue Wumu of Song

Dynasty c.1921 – 1922 ········· 128
129 Portrait of Guan Zhuangmou of Han Dynasty c.1921 – 1922 ········· 129
130 Apricot Flower c.1922 ········· 130
131 Autumn – Leaf Locust c.1922 ········· 131
132 Gourd Greenfly c.1922 ········· 132
133 Evening Cloud c.1922 ········· 133
134 Willow 1923 ········· 134
135 Pattra – Leaf Autumn – Cicada 1923 ········· 135
136 Cottages in Clusters (Fan Cover) 1923 ········· 136
137 Chinese Chestnut 1923 ········· 137
138 Flower and Plant 1923 ········· 138
139 Autumn Lotus 1923 ········· 139
140 Chinese Wistaria 1923 ········· 140
141 Chrysanthemum Crag 1923 ········· 141
142 Tumbler c. early 1920s ········· 142
143 Cliff Cottage c. early 1920s ········· 143
144 Gourd Locust c. early 1920s ········· 144
145 Grass Insect c. early 1920s ········· 145
146 Zhong Kui Reading c. early 1920s ··· 146
147 Butterfly Amaranth c. early 1920s ··· 147
148 Squash c. early 1920s ········· 148
149 Sparrow c. early 1920s ········· 149
150 Loquat c. early 1920s ········· 150
151 Palm Rooster c. early 1920s ········· 151
152 Narcissus c. early 1920s ········· 152
153 Aquatic Grass Swimming Shrimp c. early 1920s ········· 153
154 Chinese Flowering Crabapple c. early 1920s ········· 154
155 Palm Hen c. early 1920s ········· 155
156 Grape c. early 1920s ········· 156
157 Lotus c. early 1920s ········· 157
158 Lotus c. early 1920s ········· 158
159 Lotus Seedpod c. early 1920s ········· 159
160 Lotus c. early 1920s ········· 160
161 Chinese Cabbage c. early 1920s ········· 161
162 Luffa c. early 1920s ········· 162
163 Bamboo Shoot c. early 1920s ········· 163
164 Magnolia c. early 1920s ········· 164
165 Reed Goose c. early 1920s ········· 165
166 Lychee Longicorn c. early 1920s ······ 166
167 Pheasants Among Bamboos in Wind c. early 1920s ········· 167
168 Landscape c. early 1920s ········· 168
169 Landscape c. early 1920s ········· 169
170 Lotus With Mandarin Ducks 1924 ······ 170
171 Orchid c. early 1920s ········· 171
172 Plum Butterfly (Flower – Bird – Insect – Fish Sheets, I) 1924 ········· 172
173 Gourd Cricket (Flower – Bird – Insect – Fish Sheets, II) 1924 ········· 173
174 A School of Fish at Play (Flower – Bird – Insect – Fish Sheets, III) 1924 ········· 174
175 Mulberry Silkworm (Flower – Bird – Insect – Fish Sheets, IV) 1924 ········· 175
176 Aquatic Grass Crab (Flower – Bird – Insect – Fish Sheets, V) 1924 ········· 176
177 Iris Flying – Bee (Flower – Bird – Insect – Fish Sheets, VI) 1924 ········· 177
178 Chickens Among Bamboos (Flower – Bird – Insect – Fish Sheets, VII) 1924 ········· 178
179 Wistaria Bird (Flower – Bird – Insect – Fish Sheets, VIII) 1924 ········· 179
180 Luffa Bee (Flower – Bird – Insect – Fish Sheets, IX) 1924 ········· 180
181 Autumn – Leaf Locust (Flower – Bird – Insect – Fish Sheets, X) 1924 ········· 181
182 Scissor – grass Swimming Duck (Flower – Bird – Insect – Fish Sheets, XI) 1924 ········· 182
183 Reed Shrimp (Flower – Bird – Insect – Fish Sheets, XII) 1924 ········· 183
184 Guilin Mountains 1924 ········· 184
185 Rock – Bird – Fish Scroll (Tetradic Scrolls, I) 1924 ········· 185
186 Rock – Bird – Fish Scroll (Tetradic Scrolls, II) 1924 ········· 186
187 Rock – Bird – Fish Scroll (Tetradic Scrolls, III) 1924 ········· 187
188 Rock – Bird – Fish Scroll (Tetradic Scrolls, IV) 1924 ········· 188
189 Wistaria 1924 ········· 189
190 Citrus Insect 1924 ········· 190
191 Chrysanthemum Crab 1924 ········· 191
192 Prolonged Life (Tetradic Flower – Plant – Insect Scrolls, I) 1924 ········· 192
193 Twilight Glory (Tetradic Flower – Plant – Insect Scrolls, II) 1924 ········· 193
194 Height Overflow of Voice (Tetradic Flower – Plant – Insect Scrolls, III) 1924 ········· 194
195 Purity of Colour and Fragrance (Tetradic Flower – Plant – Insect

Scrolls, IV) 1924 195
196 Longicorn
(Grass – Insect Sheets, I) 1924 196
197 Bee (Grass – Insect Sheets, II) 1924
.... 197
198 Green Moth (Grass – Insect Sheets,
III) 1924 198
199 Cricket (Grass – Insect Sheets, IV)
1924 199
200 Locust (Grass – Insect Sheets, V) 1924
.... 200
201 Beetle (Grass – Insect Sheets, VI) 1924
.... 201
202 Longicorn (Grass – Insect Sheets,
VII) 1924 202
203 Wasp (Grass – Insect Sheets, VIII)
1924 203
204 Locust (Grass – Insect Sheets, IX) 1924
.... 204
205 Beetle (Grass – Insect Sheets, X) 1924
.... 205
206 Plantain Study 1924 206
207 Amaranth 1924 207
208 Taro – Leaf Rooster (Tetradic
Flower – Bird Scrolls, I) 1924 208
209 Plum Eagle Crag (Tetradic Flower –
Bird Scrolls, II) 1924 209
210 Chrysanthemum Crag Myna (Tetradic
Flower – Bird Scrolls, III) 1924 210
211 Lotus With Mandarin Ducks (Tetradic
Flower – Bird Scrolls, IV) 1924 211
212 Mulberry Silkworm
(Grass – Insect Sheets, I) 1924 212
213 Butterfly Green Moth
(Grass – Insect Sheets, II) 1924 213
214 Orchid Green Moth
(Grass – Insect Sheets, III) 1924 214
215 Autumn – Leaf Dragonfly
(Grass – Insect Sheets, IV) 1924 215
216 Clustering Grass Grasshopper
(Grass – Insect Sheets, V) 1924 216
217 Rice – Leaf Locust (Grass – Insect
Sheets, VI) 1924 217
218 Chrysanthemum Locust
(Grass – Insect Sheets, VII) 1924 218
219 Taro Cricket
(Grass – Insect Sheets, VIII) 1924 ... 219
220 Apricot – Flower Fly
(Grass – Insect Sheets, IX) 1924 220
221 Gourd Flies (Grass – Insect Sheets, X)
1924 221
222 Chrysanthemum Cockroach
(Grass – Insect Sheets, XI) 1924 222
223 Honey – Locust Autumn Cicada
(Grass – Insect Sheets, XI) 1924 223
224 Wasp (Grass – Insect Sheets, I) 1924
.... 224
225 Bee (Grass – Insect Sheets, II) 1924
.... 225
226 Autumn Moth (Grass – Insect Sheets,
III) 1924 226
227 Locust (Grass – Insect Sheets, IV)
1924 227
228 Katydid (Grass – Insect Sheets, V)
1924 228
229 Blue Moth (Grass – Insect Sheets, VI)
1924 229
230 Yellow Moth
(Grass – Insect Sheets, VII) 1924 230
231 Green Moth
(Grass – Insect Sheets, VIII) 1924 ... 231
232 Sunflower 1924 232
233 Wistaria 1924 233
234 Pine Mountain Cottage 1924 234
235 Sails on River c. 1924 235
236 Landscape c. 1924 236
237 Wistaria Chickens c. 1924 237
238 Lychee in Clusters 1925 238
239 Wood Bridge Willow in Mist 1925 239
240 Mountain View After Rain 1925 240
241 Pine Green Mountain 1925 241
242 Crab (Fan Cover) 1925 242
243 Orchid (Fan Cover) 1925 243
244 Orchid Crag 1925 245
245 Solitary Sail 1925 245
246 Balsam 1925 246
247 Portrait of Bodhidharma 1925 247
248 Orchid Crag 1925 248
249 Amaranth Cabbage 1925 249
250 Pine Cottage (Fan Cover) 1925 250
251 Chinese Chestnut 1925 251
252 What to Do with the Fish 1925 252
253 Plantain Cottage 1925 253
254 Palm Chickens 1925 254
255 Pine Eagle 1925 255
256 Amaranth 1925 256
257 Blissful Mountains Behind Houses 1925
.... 257

258 Plantain Study 1925 ······ 258
259 Wild Cottage in Greenery 1925 ······ 259
260 Lotus Pond Pavilion (One of 12 Landscape Scrolls) 1925 ······ 260
261 Tumbler 1925 ······ 261
262 Camellia Longicorn (Fan Cover) 1926 ······ 262
263 Shrimps and Crabs at Large 1926 ······ 263
264 Frogs at Play 1926 ······ 264
265 Plum Butterfly 1926 ······ 265
266 Three Eccentrics 1926 ······ 266
267 Imitation of Dai Temple by Shen Zhou 1926 ······ 267
268 Pine Mountain Studio 1926 ······ 268
269 Longevity As Well As Prosperity 1926 ······ 269
270 Taro King 1926 ······ 270
271 Tumbler 1926 ······ 271
272 Sail on Sunny Waves c. middle 1920s ······ 272
273 Willow in Wind c. middle 1920s ······ 273
274 Nandina c. middle 1920s ······ 274
275 Taro-Leaf Swimming-Shrimp c. middle 1920s ······ 275
276 Landscape (Tetradic Scrolls, I) c. middle 1920s ······ 276
277 Landscape (Tetradic Scrolls, II) c. middle 1920s ······ 277
278 Landscape (Tetradic Scrolls, III) c. middle 1920s ······ 278
279 Landscape (Tetradic Scrolls, IV) c. middle 1920s ······ 279
280 Arhat (Sheets, I) c. middle 1920s ··· 280
281 Arhat (Sheets, II) c. middle 1920s 281
282 Arhat (Sheets, III) c. middle 1920s 282
283 Arhat (Sheets, IV) c. middle 1920s 283
284 Buddha Fingering a Flower c. middle 1920s ······ 284
285 Buddha c. middle 1920s ······ 285
286 Pine-Bamboo-Plum Company c. middle 1920s ······ 286
287 Camellia c. middle 1920s ······ 287
288 Reed Crabs With Chickens c. middle 1920s ······ 288
289 Shrimp c. middle 1920s ······ 289
290 Squash c. middle 1920s ······ 290
291 Lotus Crab c. middle 1920s ······ 291
292 Lotus c. middle 1920s ······ 292
293 Chinese Rose c. middle 1920s ······ 293
294 Bamboo c. middle 1920s ······ 294
295 Quail Rice-Ear c. middle 1920s ······ 295
296 Lychee c. middle 1920s ······ 296
297 Reed Geese c. middle 1920s ······ 297
298 Gourd With Two Birds c. middle 1920s ······ 298
299 Plum c. middle 1920s ······ 299
300 Tieguai Li 1927 ······ 300
301 Tieguai Li 1927 ······ 301
302 Tieguai Li 1927 ······ 302
303 Green Pine 1927 ······ 303
304 Zhuxia Cave (Jieshan Sheets, IV) 1927 ······ 304
305 Zhurong Peak (Jieshan Sheets, VI) 1927 ······ 305
306 Junshan Mountain on Dongting (Jieshan Sheets, VII) 1927 ······ 306
307 Three Peaks of Huashan Mountain (Jieshan Sheets, IX) 1927 ······ 307
308 Goose-Tower Slope (Jieshan Sheets, XI) 1927 ······ 308
309 Willow Garden Ford (Jieshan Sheets, XII) 1927 ······ 309
310 Maiden Hill (Jieshan Sheets, XVI) 1927 ······ 310
311 Solitary Summit (Jieshan Sheets, XVIII) 1927 ······ 311
312 Chrysanthemum Chickens 1927 ······ 312
313 Myna 1927 ······ 313
314 Fortune Design 1927 ······ 314
315 Bamboo Article Workshop 1927 ······ 315
316 Bamboo in Wind 1927 ······ 316
317 Autumn Cicada (Fan Cover) 1927 ··· 317
318 Bamboo Rake 1927 ······ 318
319 Bamboo Rake 1927 ······ 319
320 School of Shrimps 1927 ······ 320
321 Wistaria Myna 1927 ······ 321
322 Portrait Qi Yide 1927 ······ 322
323 Angler c.1927 ······ 323
324 Red Persimmon c.1927 ······ 324
325 Nandina c. 1927 ······ 325
326 Chrysanthemum c. 1927 ······ 326
327 Iris c.1927 ······ 327
328 Titillation c. 1927 ······ 328

BIBLIOGRAPHY, AND ANNOTATIONS

Paintings ······ 2

齊白石的衰年變法

一九一九年——一九二七年

齊白石的衰年變法

郎紹君

“衰年變法”是齊白石對自己定居北京後，以衰老之年改變畫法、畫風之舉的稱謂。經過變法，他的藝術得到升華，躋身於藝術大家之列。瞭解衰年變法，是瞭解齊白石盛期藝術的關鍵。

“衰年變法”起止於何時，畫家自己和研究界衹有大略説法。白石詩云：“十載關門始變更”，這“十載”指定居北京後的十年。白石自己從一九一七年開始計算定居北京的時間，但一九一七年他在北京衹住了五個月，一九一八全年在家鄉，一九一九年春纔正式定居北京。因此，“十載關門”實際是一九一九到一九二八年。巧合的是，一九一九年發生了“五四運動”，被認爲是一個歷史時期的開端，一九二八年北方軍閥衰敗，民國建都南京，北京改稱“北平”，被認爲是另一個歷史階段即“文化古城”時期的肇始①。

一九一七年，陳師曾到法源寺拜訪齊白石，一席晤談，都有相見恨晚之感，遂成好友。此後，白石常到陳師曾的“槐堂”相聚，一起談畫論印②。陳師曾很欣賞齊白石的《借山圖》，曾爲之題詩曰：

昔於刻印知齊君，今復見畫如篆文。
束紙叢蠶寫行脚，脚底山川生亂雲。
齊君印工而畫拙，皆有妙處難區分。
但恐世人不識畫，能似不能非所聞。
正如論書喜姿媚，無怪退之譏右軍。
畫吾自畫自合古，何必低首求同群。

《白石老人自傳》引完這首詩後説：“他是勸我自創風格，不必求媚世俗，這話正合我意。”同年九月，陳師曾題白石《梅花圖》詩中，再次勸他不必趨步別人③。師曾雖然年齡比白石小，但畫名滿京師，有很高的鑒賞力，他這樣看重剛從湘潭來到北京、沒有任何名聲的齊白石，在使

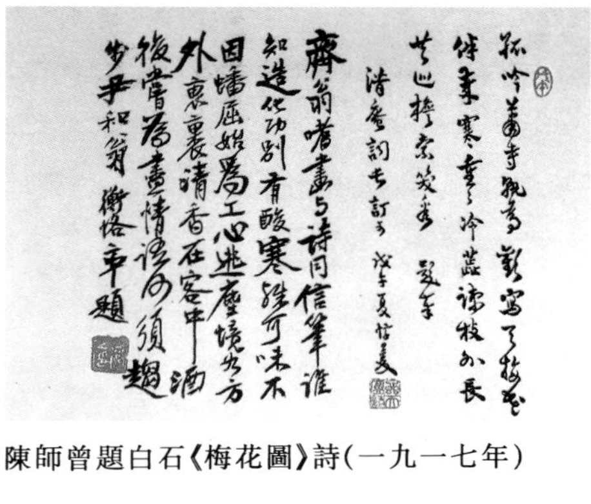

陳師曾題白石《梅花圖》詩（一九一七年）

齊白石感動之餘,也堅定了對自己藝術的信心。但要不要以及如何改變畫風,尚無一定的想法。

一九一九年定居北京後,他產生了變法的要求。一九一九年八月,在同鄉黃鏡人家看到黃癭瓢的《桃園圖》及八開花卉册,受到震驚,因記曰:

此老筆墨放縱,近荒唐。較之,余畫太工緻板刻耳。

獲觀黃癭瓢畫冊,始知余畫猶過於形似,無超凡之趣。决定大變。人欲罵之,余勿聽也;人欲譽之,余勿喜也。

——轉引自齊佛來《我的祖父白石老人》,第四六頁,西北大學出版社,一九八八年,西安。

同年,在一則作畫記中又寫道:

余作畫數十年,未稱己意。從此决定大變,不欲人知,即餓死京華,君等勿憐,乃余或可自問快心時也。

——同前引齊佛來書,第四六頁。

這一年還留下一段日記:

余嘗觀之工作,目前觀之大似,置之壁間,相距數步觀之,即不似矣。故東坡論畫不以形似也。即前朝之畫家,不下數百人之多,癭瓢、青藤、大滌子外,皆形似也,惜余天資不若三公,不能師之。

又在九月二十一日日記中寫道:

青藤、雪个、大滌子之畫,能橫塗竪抹,余心極服之。恨不生前三百年,或求為諸君磨墨理紙,諸君不納,余於門外餓而不去,亦快事也。

——同前引齊佛來書,第四八頁。

由上述議論可知,齊白石變法的最初動機,是要進一步擺脱形似,

齊白石、陳師曾合作《鳥石圖》

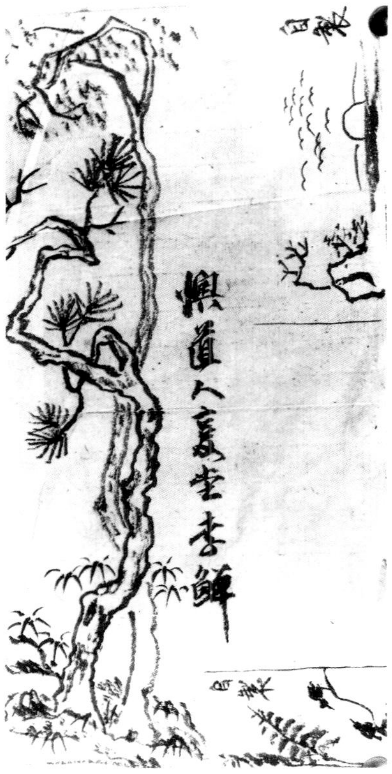

臨李鱓畫樹(約二十年代)

擬畫八大瓶花(約一九二〇年——一九二三年)

求“超凡之趣”。值得注意的是,他提到的幾個“不以形似”的畫家,不包括他已經學了近二十年的八大。徐青藤、石濤、黄癭瓢等,與八大同屬於個性强烈、具有變革精神的畫家,但徐、石、黄偏於恣肆狂放,外張之氣盛;八大則冷逸内斂,狂而有節制。比較起來,白石在個性上更遠於八大。他向徐、黄的靠近,在一定意義上説不自覺地靠近了自己的個性。不過,變法期間齊白石借鑒最多的畫家是吳昌碩。變法之初就與齊白石相識的胡佩衡回憶説:

陳師曾最崇拜吳昌碩,曾得吳昌碩親傳。當時吳昌碩的大寫意畫派很受社會的歡迎,而白石老人學八大山人所創造的簡筆大寫意畫,一般人却不怎麼喜歡。因為八大的畫雖然超脱古拙,并無吳昌碩作品的豐富艷麗有金石趣味。在這種情况下,白石老人就聽信了師曾的勸告,改學吳昌碩。

我記得,白石老人定居北京不久,常常有人請他刻印,很少有人找他畫畫。老人衹靠刻印還不能維持生活,而當時已經有了很多享譽盛名的大寫意畫家,如吳昌碩、王一亭、陳師曾、凌直支、陳半丁、王夢白等。所以,初來北京的白石老人,就更不受歡迎了。在這種環境裏,老人感到自己的藝術不突出,非另立門户纔有出路,便立志獨創畫派,也即他後來自稱的衰年變法。

……記得我常看到他對着吳昌碩的作品,仔細玩味之後,想了畫,畫了想,一稿可畫幾張,畫後并征求朋友們的意見,有時要陳師曾和我説,究竟哪張好,好在哪裏;哪張壞,壞在什麼地方,甚至要講出哪筆好,哪筆壞的道理來……老人這個時期學習吳昌碩的作品與以前的臨摹大有不同,對着原作臨摹的時候很少,一般都是仔細玩味他的筆墨、構圖、色彩等,吸取他的概括力强、重點突出、大膽删減、力求精練的方法。

——《齊白石畫法與欣賞》第二一頁、二二頁,人民美術出版社,一九九二年第二版,北京。

這與白石自傳所述大體相近,但自傳未談學吳昌碩,這是出於忽略,還是另有一種微妙的心理原因呢?“衰年變法”的重心在花鳥畫,我們先看看花鳥畫是如何變化的。

一九一九年的作品,如遼寧省博物館藏《紡織娘》、《鵪鶉》,中國美術館藏《墨牡丹》，美術研究所藏《花卉螃蟹》，廣州美術館藏《梅花圖》，天津人民美術出版社藏《蔬果花鳥六條屏》等，仍然延續着簡、少而冷逸的畫風，大致近於八大、李復堂、徐青藤或金冬心，總體上比以前放縱。其中《蔬果花鳥六條屏》頗似八大（有的直接仿自八大），尚未見吳昌碩畫風的痕迹。中央工藝美術學院藏《荔枝圖》，刻畫一棵大荔枝樹，粗幹、密葉、桔黄色果實，此前與此後都極少見這類構圖，可能是白石由“疏簡”轉向“繁密”的最初嘗試。這年除夕，在爲羅真吾畫《墨牡丹》時題道：

余自三遊京華，畫法大變，即能識畫者多不認為老萍作也。譬之余與真吾弟三年不見，一日逢一髮禿齒沒之人，不聞其聲，幾不認為真翁矣。真翁聞此言，必能知余畫。己未除夕，兄璜老萍記。

——見《齊白石作品集》，董玉龍主編，天津人民美術出版社，一九九〇年，北京。

這段跋表明齊白石自覺“畫法大變”了。一九二〇年，在繼續疏簡縱放風格的同時，有一部分作品趨於“繁密”了。試按時序略加考察：

夏曆春三月，爲馬吉皆畫册頁十二開。内容有藤、竹、蘭、荷鳥、枇杷、蘿蔔、梨、梅等。水墨寫意，風格極簡。册中題：

凡作畫，須先脱盡畫家習氣，自有獨到處。

——題蘭花

朱雪个有此花葉，無此簡少。

——題花卉

昔八大山人有此畫法。

——題杯中花

余畫梅學楊補之，由尹和伯處借勾雙勾本也，友人陳師曾以為工，真勞人，勸其改造。白石。

——題畫梅花

由這些作品和題跋可知，年初他追求的仍是擺脱“畫家習氣”，還不

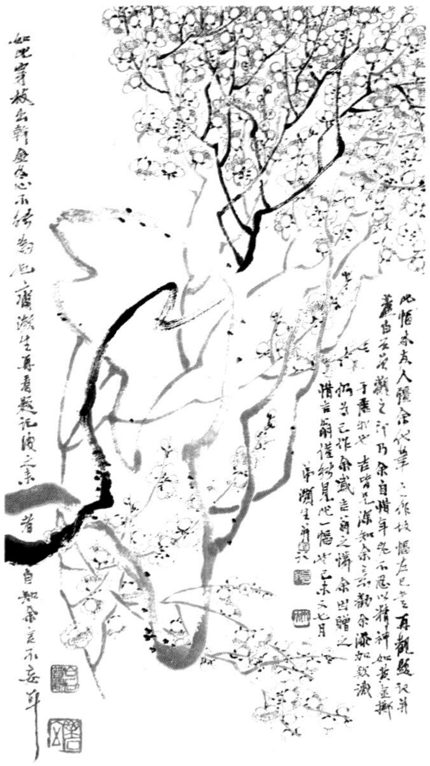
梅花圖

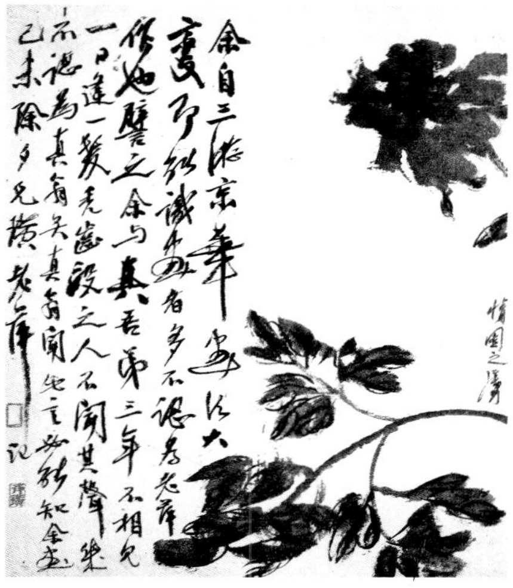
墨牡丹

是獨創性的個人面貌。這套册頁後於一九四五年出版，白石題一小詩并序云：

冷逸如雪个，遊燕不值錢。
此翁無肝膽，輕弃一千年。

予五十歲後之畫，冷逸如雪个，避鄉亂竄於京師，識者寡。友人陳師曾勸其改造，信之，即一弃。今見此册，殊堪自悔。年已八十五矣。乙酉白石。

對八大山人的“一弃”，大約是由此開始的。

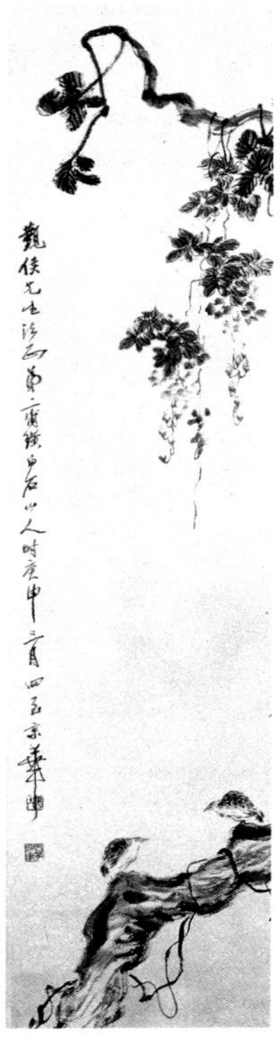
凌霄鶺鴒

同月，作《凌霄鶺鴒》(《楊永德藏齊白石書畫》，中國嘉德一九九五秋季拍賣會圖錄，第三〇三號)，構圖空靈一如八大，鶺鴒亦仿自八大，凌霄花葉則是勾勒點色的小寫意。

菊鳥圖

五月，爲胡鄂公作《花卉四屏》：芙蓉菊花、蠶豆雁來紅、桑椹牡丹、枇杷荔枝。每幅高一八〇厘米，横四八厘米。畫中題跋説：“余平生所畫之畫，最稠密以此四幅爲最”，“得詩一首，惜無空處，不能題上。”④除了稠密外，此屏的另一特點是着色鮮艷，幾乎每幅都用了洋紅或朱紅，筆勢也相對寬厚了。花葉等局部，已見吳昌碩筆法的踪迹。這表明，白石開始擺脱八大，靠近吳昌碩，顯示了由疏簡冷逸轉向繁茂、熱烈的趨勢。

五月二十五日，作粗筆墨竹，三竿兩枝，筆勢强悍、彎曲而緊張，形略似而已。自題曰：“畫此粗竿大葉方第一回，似不與尋常畫家之胸中同一穿插也。”陳師曾題詩有句曰：“非蘆非柳從人説，與可東坡亦咋舌。持此南唐鐵鈎鎖，齊翁力可窺生鐵”(此圖藏中國美術館)。這種粗筆不似之作，合於他心目中的“超凡之趣”。

六月，作《梅花》，題“如兒、移孫共玩”，全爲墨筆，仍延續着金冬心畫法，枝幹筆勢强壯，與上述墨竹相若。同月，作花卉畫稿册頁數十開，是以己意臨他人之作，留作兒孫學畫樣本的(藏中國藝術研究院美術研究所資料庫)。但他已不大情願臨别人的作品，如題跋云：“二日以來爲兒孫輩照人底手之畫臨之，殊無興。”“此幀皆出己意，頗無流俗氣”。這透露出他渴望創造的心情。

九月，應陳師曾之請，爲賑灾作《菊鳥圖》，石上小鳥之姿神，仍似八大山人。畫上自題曰：

好鳥離巢總苦辛，張弓稀處小栖身。
知機却也三緘口，閉目天涯正斷人。

老萍對菊愧銀鬚，不會求官斗米無。
此畫京師人不要，先生三代是農夫。

兩首詩生動地反映出齊白石賣畫受冷遇時的心情。他的變法，也正是在這種境況的壓力下開始的。

十月，作《扁豆》（遼寧省博物館藏）、《藤雀》。前者筆勢飛動，略見青藤遺意；後者畫藤葉翻飛，鳥雀搏風，筆勢奔放而零散，氣足而韵弱；其“滿”的構圖，上承一九一九年所作四條屏。同年夏之《菊花雁來紅》（北京文物公司藏），冬之《石榴》（中國美術館藏）、《螃蟹》（湖南省博物館藏），畫面也很滿——證明他有意改變着冷逸畫風。

一九二一至一九二二年，齊白石三次回湘潭，居湖南約九個月，還在保定夏午詒家小住，識曹錕。作應酬畫較多，有些作品草率欠完整。一九二二年，隨他至京的愛孫秉靈病逝。不久，好友郭葆生亦謝世。家鄉匪盜猖獗，齊白石一趟趟地回湘探親，如同年題《牡丹雙蝶圖》所言：“世間亂離事都非，萬里家園歸復歸。”但畫作不少，仍在困頓中追求着。除了小鳥造型之外，八大冷逸畫風逐漸少見了。中國美術館藏《寶缸荷花圖》、北京文物公司藏《葫蘆》扇面、《荷花》（均作於一九二一年）都是奔放的潑墨大寫意，筆勢迅疾而寬博，略見吴昌碩形迹。但縱放剛健有餘，凝重渾拙不足，構圖亦略散。白石在《荷花》上題道：

大滌子嘗云：此道有彼時不合衆意，而後世鑒賞不已者；有現時轟雷震耳，而後世絕不聞問者。余此幅，當時不求合衆意，後世不欲人聞問，人奈我何！辛酉六月六日白石老人製并記。

以賣畫求生存，就要考慮顧主的趣味和要求，但又要堅持自己的探索，不免有兩難之困。齊白石此時的心境，是寧可“不合衆意”，也要進行創造性的探索。這段題跋，對這種心情透露無遺。

日本須磨藏花卉小册（八開），作於一九二二年，簡筆畫蓮蓬、松子、蝦、葡萄等，融八大之簡、青藤之狂、缶廬之厚爲一。同年在長沙爲胡石安所作《鷹石圖》（湖南省博物館藏）、《芙蓉鴛鴦》（絹地帳檐畫，湘潭齊

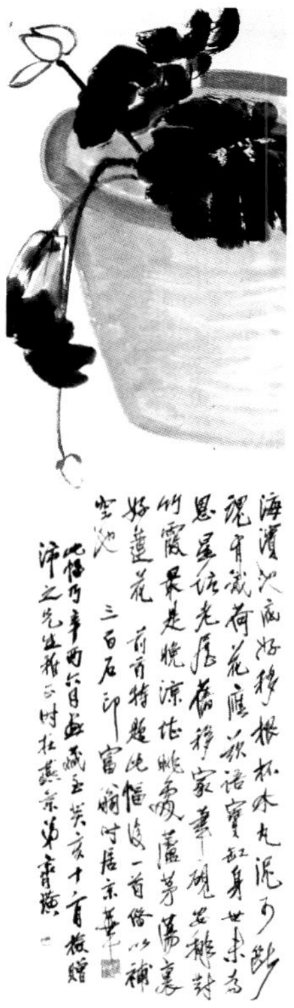
寶缸荷花圖

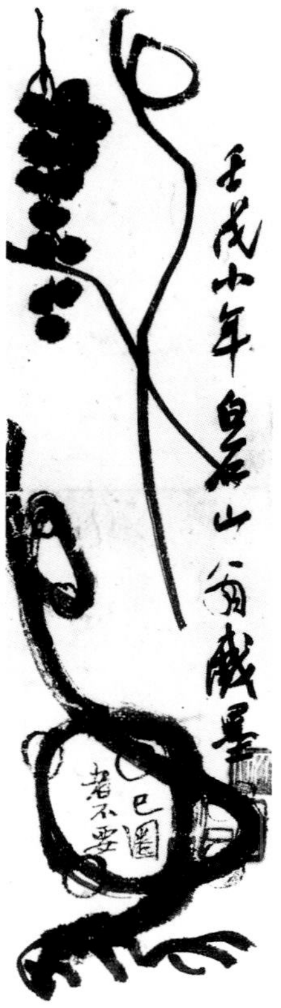
壬戌畫稿

鷹石圖

白石紀念館藏)也都呈現出筆勢寬厚的趨向。在這一年的日記中,白石寫道:

大墨筆之畫,難得形似;纖細筆墨之畫,難得神似。此二者余嘗笑昔人,來者有欲笑我者,恐余不得見。

——轉引自胡佩衡、胡橐《齊白石畫法與欣賞》,第四四頁,人民美術出版社,一九九二年第二版,北京。

處在向闊筆大寫意轉化時期的齊白石,時時感到兩種畫法的矛盾,以及能得到形神俱似的難度。他在另一幅畫上題曰:

點燈照壁再三看,歲歲無奇汗滿顏。
幾欲變更終縮手,捨真作怪此生難。

"真"與"似"是他曾追求的,變法則要超越形似——這不衹是畫法與風格的矛盾,也是思想與趣味的矛盾。事實上,齊白石的衰年變法并不是"捨真作怪",也没有拋弃形似——變法後才成熟的畫蝦、蟹、青蛙等,都極其形似,又都高度簡練傳神。在一九二六年的一則題畫中,他的説法有了變化:"善寫意者,專言其神;工寫生者,衹重其形,要寫生而後寫意,寫意而後復寫生,自能形神俱見,非偶然可得也。"這是叙述他解决矛盾、獲得成功後的體會了。

叢菊幽香

一九二二年的某些作品清晰地顯示出吳昌碩的影響,如《齊白石作品集·第一集·繪畫》第二三圖《雙鴨》中的剪刀草,墨色渾厚濃重而有深淺變化,與吳昌碩筆墨頗顯接近。但多數作品用筆仍然奔放荒率,含蓄不足。另一些作品如《叢菊幽香》(湖南省博物館藏)、《牽牛花》(北京文物公司藏)、《水仙》(刊《齊白石畫集》,外文出版社,一九九〇年)等,仍沿着"密"的構圖探求。另有的作品則力圖將疏與密、精細描繪與大筆揮寫結合起來,如香港霍宗傑藏《藤蘿》〔刊《齊白石畫海外藏珍》,榮寶齋(香港)有限公司,一九九四年,香港〕。

變法期間,特别是一九二〇至一九二四年間,齊白石作草蟲册甚多。中國美術館藏白石《草蟲册》(一九二〇年),與早期草蟲册——一九〇六年的册子在畫法上有明顯的相似之處,有的可能出於同一畫稿。册中題:

“此蟲須對物寫生，不僅形似，無論名家畫匠不得大罵。”

“余自少至老，不喜畫工緻，以為匠家作，非大葉粗枝糊塗亂抹不足快意。學畫五十年，惟四十歲時戲捉活蟲寫照，共得七蟲。年將六十，寶辰先生見之，欲余臨，祇可供知者一罵。”

所說“惟四十歲戲捉活蟲寫照”，尚待證實。這部草蟲册畫法欠統一，筆法柔弱，時見零亂之處。北京文物公司藏一九二一年《草蟲册》，是贈表演藝術家梅蘭芳的，草蟲、花卉均以寫意法出之，有題云：

辛酉春二月，忽一日家如山兄來寄萍堂，出此紙，自言索畫兼工小畫册以贈浣華，浣華弟一笑，如山兄一笑。夏六月，白石山翁記⑤。

余素不能作細筆畫，至老五入都門，忽一時皆以為老萍能畫草蟲，求者皆以草蟲苦我，所求者十之八九為吾友也。後之人見笑，笑其求者何如？白石慚愧。

美國王方宇藏《廣豳風圖册》，款“仲珊使帥鈞正，辛酉五月布衣齊璜寫呈。”仲珊即曹錕⑥。此册純爲工筆，以色彩爲主，極少用墨，多數作品中筆力纖秀，個别則强悍，風格上不盡統一。

一九二三、一九二四兩年，探索繼續着，没有大起大落的變化。作品由荒率漸趨平穩厚重，仍有一些密構圖的作品，如陝西美術家協會藏《秋荷圖》、榮寶齋藏《菊石圖》、天津人民美術出版社藏《藤蘿》等。有時還畫一些工筆作品，如一九二三年爲金城⑦所作《貝葉秋蟬》，以工筆畫一枝貝葉，一隻秋蟬，風格秀逸文雅。畫上題：“畫苑前朝勝似麻，多爲利祿出工華。吾今原不爲供奉，愧滿衰顔作匠家……拱北先生委作細緻畫，取其所短，苦其所難也。”白石本是畫工筆的能手，但變法期間常説工筆“匠氣”，這是謙詞，也包含着真實看法。一九二四年，畫花卉草蟲册最多，本書就收入了香港霍宗傑藏十二開《花鳥蟲魚册》、北京畫院藏十開小型《草蟲册》、中央美術學院藏十二開《草蟲册》、中國美術館藏八開《草蟲册》。其中霍宗傑藏《花鳥草蟲册》純爲水墨、粗筆，寫意畫法，比一九二一年爲梅蘭芳所畫草蟲册有很大提高：運筆較前沉實，畫面空靈簡約，已無冷逸之氣。不足處是墨色還缺少變化，韵味不足。北京畫院藏小册頁基本爲工筆，間用潑墨寫意（如《牡丹蜜蜂》中的牡丹），

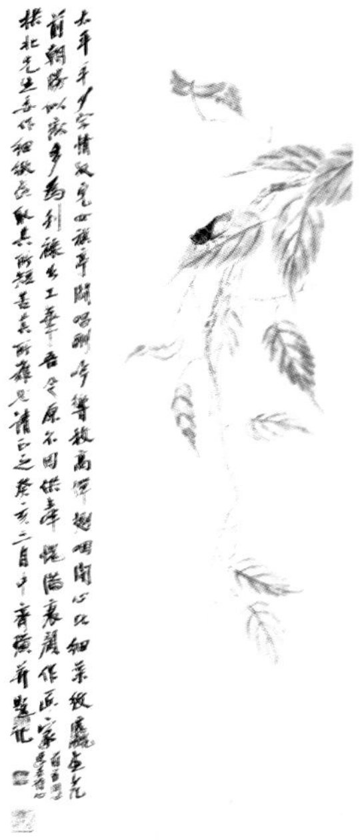

貝葉秋蟬圖

螞蚱貝葉（廣豳風圖册之一）

蝗蟲(草蟲册頁之九)

蘭花碧蛾(草蟲册頁之三)

臨白龍山人畫貓(一九二七年)

栗樹

工、寫兩種畫法居然很和諧。此册的另一特色是構圖虛實得宜,多樣、均衡而自然。中央美術學院藏十二開草蟲册有“甲子秋九月,布衣齊璜呈”款,齊白石的這種署款方式,衹有給大官吏(如曹錕)作畫時才使用。此册構圖較爲飽滿,工筆畫蟲,花草則間用粗筆大寫意與勾點結合的小寫意,其中大寫意花卉與工蟲的結合最具特色,後來被簡稱爲“工蟲花卉”。中國美術館藏八開草蟲册又另具風貌:全以工筆出之,但描畫鬆秀淡雅;較少用墨,以色彩爲主,而色彩又强調沉靜和諧。在齊白石草蟲册中,是較爲少見、極見功力的佳作。上述這些册頁表明,至一九二四年,齊白石的衰年變法開始出現質的飛躍:工、寫結合的經典性花鳥畫格體形成,構圖與造型風格有了較大變化,吳昌碩式的凝重寬厚筆法逐漸占據畫面。

一九二五、一九二六年,大幅作品增多,筆墨趨於老辣蒼厚,色彩也鮮艷强烈了。這可以從湖南省博物館藏《老少青白圖》、《蘭石圖》,中國美術館藏《栗樹》、《梅蝶圖》,廣州美術館藏《大富貴亦壽考》,遼寧省博物館藏《老少年》,《齊白石作品集・第一集・繪畫》中的《松》,北京榮寶齋藏《松鷹圖》,故宫博物院藏《松鷹圖》,天津人民美術出版社藏《茶花天牛》(扇面)得到證實。《栗樹》作於一九二五年,畫一棵栗樹從左側穿過畫面,以大筆醮濃淡相間的赭墨刻畫樹幹,樹葉用蒼勁的重墨勾,果實則以尖細的散筆畫其刺,再略加色染。整個作品奔放中有沉滯,筆粗墨酣但能耐看,已見出盛期風格端倪。《松》有“居京華第九年”款,描繪一蒼松穿過畫面,松枝下伸復斜上,筆墨凝重、强悍而含蓄,前所未見。榮寶齋藏《松鷹圖》以淡墨花青畫松幹,焦墨畫細枝與松針,蒼勁中又顯出層次與空間;尤其細長的松針,如綿裏裹針,最見功力。蒼鷹用赭墨没骨法,仍顯示出力量。這表明,齊白石在成功地吸取吳昌碩渾重樸厚的同時,又保留了自己剛健挺拔的特色。總體上説,這兩年作品的不足處是欠穩定,水平參差不齊。

到一九二七、一九二八年,新風格進一步成熟。大筆揮灑已能自由隨意,墨色濃鬱强烈而單純;蒼拙斜欹的白石款題書法也自然成體,與畫面相得益彰。典型作品如《柴筢》(兩件,一爲楊永德藏,一藏北京畫院)、《松樹》(西安美術學院藏)、《發財圖》(《齊白石作品集・第一集・繪畫》)等,不細述。

變法期間,白石作山水比花鳥畫少,但絶對數量也相當多。初到北京時,其山水畫比花鳥畫更受冷遇。他在《水墨山水》(約一九二二年,見《齊白石繪畫精萃》第二三圖，秦公、少楷主編，吉林美術出版社，一九九四年）上題道：“余重來京師，作畫甚多，初不作山水。爲友人始畫四小屏……此畫從冷逸中覓天趣，似屬索然。此時居於此地之畫家陳師曾外，不識其中之三昧，非余狂妄也。”一九一九年的《山水四屏》（中央工藝美術學院藏）大體還延續着在鄉間幽居時期的風貌，多取一開一合的構圖，作風尚顯拘謹。一九二〇至一九二一年山水作品較少，但也有精彩之作。如一九二一年創作的十二開《山水册頁》（私人藏），境界平中見奇，空間極富變化，筆墨强悍而簡練，一派大家氣象。一九二二年作山水頗多，其中北京文物公司藏《山水四條屏》、某私人藏《山水四條屏》、炎黄藝術館藏《山水四條屏》，大抵屬一類型：窄長構圖，近樹遠山，竹林瓦屋，空間平、深而高。遠山多重，山頭均呈圓形，有大結構而無小變化。山的畫法基本是勾勒加染，或者勾勒加潑墨，幾乎没有通常所見的皴法。其勾勒多直綫與弧綫，而無黄賓虹式的“一波三折”。這些，已構成齊白石山水畫的獨特風格，與時人拉開了距離。白石自己也很滿意，題曰：

“此畫山水法，前不見古人，雖大滌子似我，未必有此奇拙。如有來者，當不笑余言為妄也。”

——《山水四屏》，見《齊白石繪畫精品集》，第六頁。

另一類型是由米點山水演變而來的“雨餘山”：以潑墨式的横筆卧點畫山與樹，再勾勒遠近房屋。典型者如《草堂烟雨》（鄒佩珠藏）、《紅杏烟雨》（北京文物公司藏）等。平樸的構圖、淋灕的潑墨與平直的墨綫，造成有形與無形、綫與塊、力與韵的强烈對比，從而形成獨具個性的齊白石式雲山。對於這類山水畫，北京人也不大歡迎。他的《題畫雨後山村圖》詩：“十年種樹成林易，畫樹成林一輩難。直到髮枯瞳欲瞎，賞心誰看雨餘山？”就是記述這種情况的。

齊白石一向推崇石濤，在變法之前與變法期間，都臨過石濤的作品。作於一九二二年的八開《仿石濤山水册》（中國嘉德一九九五秋季拍賣會出品），很值得注意。白石有題曰：

前代畫山水者董玄宰、釋道濟二公無匠家習氣，余猶以為工細，中心傾服，至老未願師也。居京同客蒙泉山人，得大滌子畫册八開，欲余觀焉。余觀大滌子畫頗多，其筆墨之蒼老稚

秋（山水四條屏之三）

山水（册頁之一）

草堂烟雨

仿石濤山水(册頁之一)

桂林山

雨後山光圖

秀不同,蓋所作有老年、中年、少年之别,此册之字迹未工,得毋少時作耶。蒙泉勸余臨摹之,捨己從人,下筆非我心手,焉得佳也。不却蒙泉雅意而已。壬戌秋七月,白石山翁記,時年六十矣。

喜石濤却覺得石濤也“工細”,“中心傾服,至老未願師”——這是齊白石的心裏話。他的山水,確實比石濤、董其昌還要粗簡,可謂之山水中的大寫意。所臨這套石濤山水册,前後有陳半丁、張大千、張伯英、黄賓虹、溥儒、徐操、汪榕、胡佩衡、吴熙曾、王己千等人的題跋。張大千題“冷透須眉見小乘”;陳半丁題“大家風味”,黄賓虹題“周郢大匠,運斤成風,斫不傷鼻,傳白石翁”——都是稱贊的話。陳半丁、黄賓虹、張大千、吴熙曾這樣的山水名家,極少稱贊齊白石獨創的山水畫,却盛贊其臨摹之作,是頗可思味的事。在相當長的時間裏,齊白石的山水不被山水畫界認可,直到他逝世後,像賀天健、秦仲文這樣的山水名家寫紀念評介文章,也祇稱贊他的花鳥,而隻字不談他的山水。在二十世紀前半葉,傳統標準與欣賞習慣在山水畫界占絶對統治地位,創新山水畫得到承認是非常困難的。

一九二三到一九二五年間,齊白石的山水畫更加成熟。二十年前的遠遊印象如湖海渡帆、芭蕉屋居、桂林山水等,被重新延入畫面。但并非照摹原來畫稿,而是有所增删、有所變化。如楊永德藏《白蕉書屋》,便是在白描蕉林、墨瓦書屋的基礎上增加了平地拔起的遠峰近石。北京故宫博物院藏《桂林山》,用平直的、幾乎是排列在一起的粗細筆綫勾勒山峰,并不加皴,山脚下配以木屋帆船,構成一種挺拔剛健、境界新奇、富於裝飾性的風格。白石似乎也很滿意這件作品,題詩曰:

逢人耻聽説荆關,宗派誇能却汗顔。
自有心胸甲天下,老夫看慣桂林山。

詩中洋溢着自豪,也明白表示了對山水畫界“宗派誇能”的蔑視。一九二五年,他爲子林畫了山水十二屏:《江上人家》、《石岩雙影》、《板橋孤帆》、《柏樹森森》、《遠岸餘霞》、《松樹白屋》、《杏花草堂》、《烟深帆影》、《杉樹樓臺》、《山中春雨》、《板塘荷香》、《荷塘水榭》[8]。這十二條屏,把遠遊印象、寫生畫稿、前人模式(如金農畫遠景荷花)和居北京後的創作經驗熔於一爐,構圖簡潔,境界新奇,有濃鬱的現實生活氣息;畫法則集勾勒與潑墨爲一，間有鮮艷的着色。可以説，這套條屏具有總結性，大體標志了齊白石山水畫的成熟。一九二五年還有《好山依屋》、《綠天野屋》、《芭蕉書屋》、《雨後山光圖》、《松樹青山》、《孤帆圖》等重要作品，是山水豐收的一年。到一九二七、一九二八年，他的山水完全成熟。代表性作品有《寄斯庵製竹圖》、《白蕉書屋》（炎黄藝術館藏）、《雪山策杖圖》、《自臨借山圖册》等。其中《寄斯庵製竹圖》代表了描繪某種生活場景；《白蕉書屋》代表了工緻畫法（在此圖中爲白描）與寫意畫法相結合的類型；《雪山策杖圖》和《自臨借山圖册》則代表了兩種不同的大寫意類型（以潑墨爲主的和以勾染爲主的）。其中《自臨借山圖册》畫竹霞洞、祝融峰、洞庭君山、華岳三峰、雁塔坡、柳園口、小姑山和獨秀山。《洞庭君山》一幅題：

> 余自以大意筆畫畫借山圖册，泊廬仁弟以為未丑，余再畫贈之。丁卯春，兄璜并記，時同在京華。

既是"以大意筆畫畫借山圖册"後"再畫"者，就還應有一套"原畫"册存世。此册的特點是：構圖置景完全臨自一九一〇年的《借山圖》，但由相對的細筆變換成了"大意筆"：潑墨、勾畫、點染，三者合一，簡練有奇趣，豪獷中見韵致，最能説明齊白石衰年變法在筆墨上獲得的新面貌與成就。

變法期間的人物畫，仕女題材減少，佛道人物增加，出現了風趣幽默的不倒翁和以抒寫情懷爲指歸的現實人物。畫法風格比花鳥山水更突出了向大寫意的轉化。除個别情况外，仕女的減少和佛像的增多，與求畫、賣畫對象的變化有很大關係[9]。佛像作品，有些仿借於前人畫本或風格，如中國美術館藏《羅漢册》可看出冬心畫佛的影子；《達摩像》（一九二五年，天津藝術博物館藏）一類粗筆大寫之作，則出自白石心手。背着葫蘆或捏着一粒丹砂的鐵拐李，是齊白石綜合了民間與自己早年所畫鐵拐李形象再造的，大多闊筆勾勒，姿態生動，神氣十足，最耐人尋味。

人們熟悉的不倒翁更屬齊白石的獨創。作於一九一九年夏曆七月的《不倒翁》（北京文物公司藏），是迄今所知最早的一件。畫一背側面不倒翁，頭戴官帽，作側臉看扇狀。面部染赭色，勾眉、眼和鼻，無耳，以花青略染帽子下露出的頭皮，扇子爲白描，衣帽皆用濕潤而没有變化的

祝融峰（自臨借山圖册之六）

風柳圖

鐘馗讀書圖畫稿（一九二〇年）

不倒翁

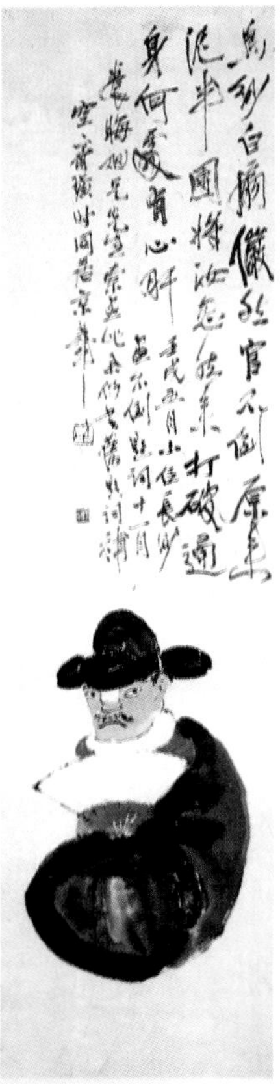

不倒翁

人物畫稿(一九二五年)

漢關壯繆像

濃墨潑出,造型有似兒童畫,是所見最稚氣也最不講筆法的不倒翁形象。有題曰:“先生不倒。己未七月,天日陰涼,昨夜夢遊南岳,喜與不倒翁語,平明畫此。十四日事也。白石。”作完此圖的第二天,白石又爲南湖作一不倒翁扇面,題詞借不倒翁的“胸内皆空”稱贊“無爭權爭利之心”和“無意造作技能以愚人”的品質⑩。一九二二年畫於長沙的《不倒翁》(上海朵雲軒藏),爲正側面持扇,眼斜視,有小髯鬚,一副惡像。題“烏紗白帽儼然官,不倒原來泥半團。將汝忽然來打破,通身何處有心肝。”并説這是“舊題詞”,可見從一九一九至一九二二年間還畫過此類型的不倒翁。約一九二三年的一幅《不倒翁》(藏天津楊柳青書畫社),身、臉、扇均純爲正面,唯有官帽稍歪,通體祇有鼻子和扇子爲白色,其正襟危坐之態有如神像,寓諧於莊,耐人尋味。題詩更入木三分:“村老不知城市物,初看此漢認爲神。置之堂上加香供,忙殺(煞)憐(鄰)家求福人。”一九二五年夏曆九月爲子美畫《不倒翁》,亦爲正側面,臉上染色,留白鼻梁,是一種愚蠢的樣子。新題一詩曰:“秋扇搖搖兩面白,官袍楚楚通身黑。笑君不肯打倒來,自信胸中無點墨。”詩與畫相得益彰,又是一種境趣。同月又作《不倒翁》(美國王方宇藏),與此稿、此詩同,但多一長跋。同年冬,又爲賀孔才畫《不倒翁》⑪側背面,歪戴的官帽無紗翅,露着半個光頭,低眉斜視之狀尤爲幽默傳神;其題詩又不同:“能供小兒此翁乖,打倒休扶快起來。頭上齊眉紗帽黑,雖無肝膽有官階”,充滿喜劇性。總之,到一九二五年,齊白石已創造了多種類型的不倒翁,後來所畫不倒翁大都源自這些模式,變法即創造,衰年變法十年是齊白石創造力最旺盛的時期,不倒翁形象的出現、演變與成熟,便是典型的一例。

天津藝術博物館藏《漢關壯繆像》、《宋岳武穆像》(無年款,約一九二一至一九二三年間)是此時期齊白石人物畫的兩個特例。勾勒填色,屬“匠家”的工整畫法,但尺幅巨大,綫描粗壯,風格獷悍,還可看出民間繪畫的影響。這是爲曹錕畫的,有“虎威上將軍命齊璜敬摹”⑫,或有所本,或在風格上受約於曹氏的意向,與畫家衰年變法的追求關係不大。

《西城三怪圖》、《搔背圖》、《漁翁》、《得財圖》等,是相對貼近現實生活的人物畫。它們大都源乎己意,與白石性格有更多内在的聯繫,畫風也相對自然,具有一種親切的拙趣。這一類型和風格,後來成爲齊白石大寫意人物畫的主體和主要形式。《西城三怪圖》把雪庵、馮臼和白石自己畫成寬袍大袖的古人模樣,風格古拙,加之畫上長題,别具一種反璞歸真的意趣。《搔背圖》有多種形式,有出自八大小册本的禿頂老者用小竹筢自撓者(北京畫院藏本,約二十年代晚期);有小鬼爲鐘馗搔背者等。《齊白石作品集·第一集·繪畫》第三七圖之“鐘馗搔背圖”,詩畫皆極具風趣,上有“三百石印富翁丙寅年自造稿”題,“丙寅”爲一九二六年,可見也創作於衰年變法期間。《漁翁》今見王方宇藏本(約一九二七年)和中國美術館藏本(一九二八年),畫面大同小异,但詩題不同。前者題:“江滔滔,山巍巍,故鄉雖好不容歸;風斜斜,雨霏霏,此翁又欲之何處,流水桃源今已非。”後者題:“看着�籃有所思,湖乾海涸欲何之。不愁未有明朝酒,竊恐空籃征税時。”都是有感於戰亂、官吏壓榨之苦而發的。美術館藏本以大寫意筆法勾勒着色,把漁翁低頭看小小空籃的神態刻畫得頗爲生動。《得財圖》(一九二八年)以白描手法刻畫一少年扛着竹筢拾柴,題跋更直率和富於情緒性:

得財。豺狼滿地,何處爬尋,四圍野霧,一簍雲陰。春來無木葉,冬過少松針。明日敷炊心足矣,朋輩猶道最貪淫。

“朋輩猶道最貪淫”一句,顯然不單指少年事,也暗寓了他當時在北京的某些境况與遭遇。像這樣的作品,無論内容還是形式,都標志了齊白石衰年變法在人物畫方面的完成——創造性個人風格的成熟。

縱觀齊白石的衰年變法,可以得出以下認識:它以寫意花卉爲變革的重心和焦點,帶動了山水、人物,形成了白石藝術的全面變异;它由畫法的模仿變爲藝術整體上的創造,風格上的冷逸、疏簡、單薄變爲熱烈、厚重、凝練與平樸。藝術格調也有了質的升華。變法過程中有對明清及近代畫家的借鑒,這些借鑒都融入了他的大膽創造或與這些創造相補充。變法不僅是形式風格方面的,也包括了精神内容方面對既往生活經驗的發掘。

十年變法的成功,是以變法前近四十年的奮鬥爲根基的。没有前四十年的藝術生涯,不可能産生衰年變法;但没有十年變法,也就没有齊白石的大器晚成。變法動機與目標的産生,與陳師曾的支持鼓勵分不開,但過分誇大陳師曾的作用不符合事實。嚴格説,整個北京的文化與藝術環境對齊白石的藝術變革有更根本性的意義。變法包含了借鑒吴昌碩的大寫意畫法,但一味强調吴昌碩的作用甚至把齊白石的藝術完全納入吴昌碩系統同樣不符合事實。吴氏諸多親傳弟子,何以都不能獲得齊白石這樣的成功?原因很簡單,齊白石所具有的,吴昌碩及其

西城三怪圖

搔背圖畫稿(一九二六年)

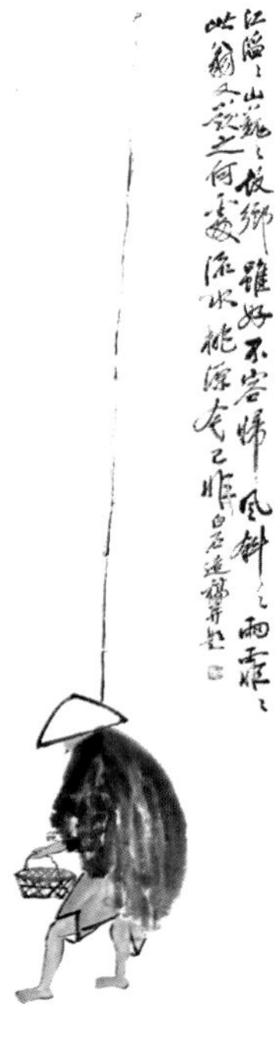

漁翁

弟子們不具有;齊白石比吳昌碩畫路寬,塑造形象和構圖的能力更强。他得益於吳畫的,主要是渾厚的金石筆法,但這種筆法到齊白石手裏又有了變化:變得渾厚而平直,已不同於吳氏的渾厚而圓勁,須知齊白石自己也是一位獨領風騷的篆刻大家。齊白石在衰年變法中表現出的過人處,是他無論學誰都不丟掉自己的氣質個性和生活經驗,這是衹能摹仿前人而不能突出自己的畫家所無法比擬的。法有形質,可學,氣質個性無形,學不來;一個相對流動,一個相對恒定。能將兩者完美結合的藝術家,才可能獲得藝術的大成功。

齊白石在變法期間喜寫譚荔仙的一首詩:

一花一葉掃凡胎,墨海靈光五色開。
修到華嚴清靜福,有人三世夢如來。

他真的掃除了凡胎,進入了"墨海靈光五色開"的"華嚴"境界。

注釋

① “文化古城”時期，指一九二八到一九三七年“七·七事變”，北京不再作為政治、文化的中心，而祇是一個“文化古城”。參見鄧雲鄉：《文化古城舊事》，中華書局，一九九五年，北京。

② 參見張次溪筆錄《白石老人自傳》；郎紹君《齊白石傳略》，本書第一卷。

③ 見北京畫院藏齊白石《梅花圖》，陳師曾的詩題是：“齊翁嗜畫與詩同，信筆誰知造化功。別有酸寒殊可味，不因蟠屈始為工。心逃塵境如方外，裹裹清香在客中。酒後嘗為盡情語，何須趨步尹和翁。”

④ 此四屏藏臺灣國泰美術館。

⑤ 京劇表演藝術家梅蘭芳，名瀾，字畹華，亦字浣華。一九二〇年與白石相識，後拜白石為師學習繪畫。見《白石老人自傳》。齊如山（一八七五——一九六二年）京劇理論家、劇作家。又名宗康，河北高陽人。曾追隨孫中山，投身國民革命。一生治學甚勤，著作頗豐，與梅蘭芳合作編戲多年。有《齊如山全集》行世。

⑥ 王方宇、王芥昱著《看齊白石畫》第四八頁，臺灣藝術圖書公司，一九七九年，臺北。

⑦ 金城（一八七八——一九二六年），原名紹城，字鞏北，號北樓，又號藕湖。浙江吳興人。幼即嗜畫，并習詩書篆刻。約一九〇〇年留學英國鏗司大學法律專科，曾考察美、法等國的法治及美術。歸國後，先後任民國衆議員，國務院秘書，曾建議籌備古物陳列所。一九二〇年，與周肇祥等組辦中國畫學研究會，任會長。金城擅山水、花鳥，長於臨古，主張以工筆為畫學之正宗，而以寫意為別派。著有《畫學講義》等，在北方有很大影響。史樹青說金城“山水宗馬、夏，人物法唐、仇，花鳥近惲壽平”（《湖社月刊影印版序》，天津市古籍書店，一九九一年，天津）。金城與齊白石所推崇的徐渭、八大、吳昌碩一路大寫意畫法和主張不同，但彼此以禮相待。他向齊白石求作“工緻畫”，正反映着其藝術取向。

⑧ 這十二屏的標題，見一九五八年在北京舉辦的“齊白石先生遺作展目錄”，白石弟子郭秀儀女士藏。一九九六年五月，郭秀儀告訴筆者，此十二屏是黃琪翔先生（郭女士丈夫）從北京廠肆購賣的，現已分贈子女。

⑨ 這裏說的個別情況指一九二七年後白石所畫頗多的“鐵拐李”：畫家在題詩中，常感嘆世人不識真仙，把李鐵拐看作“餓殍”，這種感嘆與白石二十年代在北京受冷遇的狀況有某種關聯性暗喻。

⑩ 見齊白石《己未雜記》：“七月十五日，南湖出清道人所書之扇面求畫，道人之書，其墨凸若錢厚，余亦以濃墨畫不倒翁，并題記之。記云：余喜此翁，雖有眼、耳、鼻、身，却胸內皆空。既無爭權爭利之心，又無意造作技能以愚人，故清空之氣，上養其身，泥渣下重，其體上輕下重，雖搖動，是不可倒也。”

⑪ 見《中國畫》第二期，中國古典藝術出版社，一九五八年，北京。

⑫ 齊白石與曹錕的交往，見本書第一卷筆者撰《齊白石傳略》。據天津藝術博物館崔錦館長告，這兩件作品是為曹錕畫的。

一九九六年六月二十九日

繪畫

一　山水·春（四條屏之一）　一九一九年　縱一三一厘米　横三二厘米

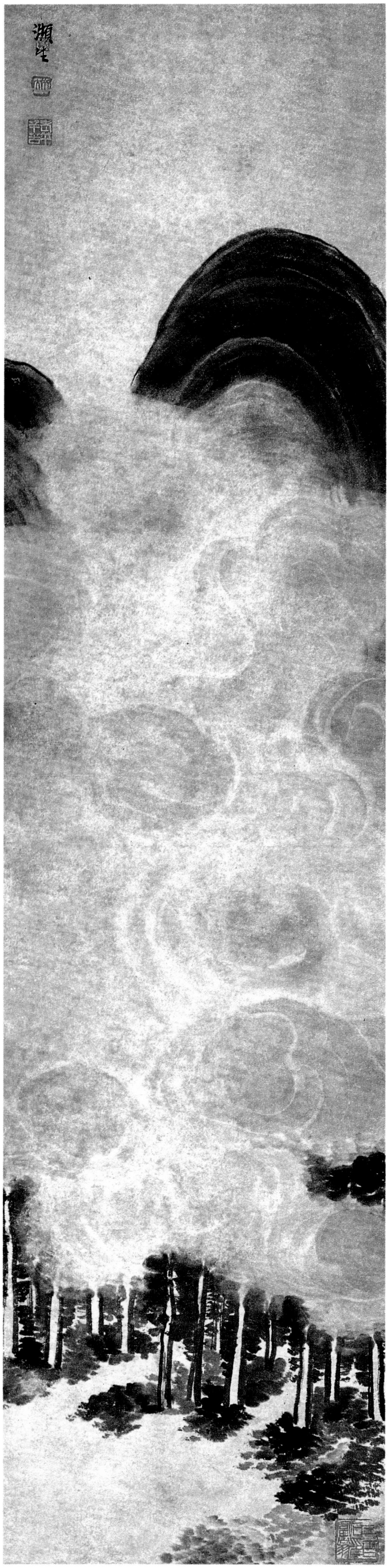

二　山水·夏（四條屏之二）　一九一九年　縱一三一厘米　橫三二厘米

三　山水・秋（四條屏之三）一九一九年　縱一三一厘米　橫三二厘米

己未夏五月余三客京華寄萍法源寺爲
協民同宗大兄製弟璜 我用我家法也

四

山水·冬

（四條屏之四）　一九一九年　縱一三一厘米　橫三二厘米

五　荔枝圖　一九一九年　縱一四七厘米　橫四〇厘米

六　墨花草蟲（扇面）　一九一九年　縱一七·七厘米　橫五二·八厘米

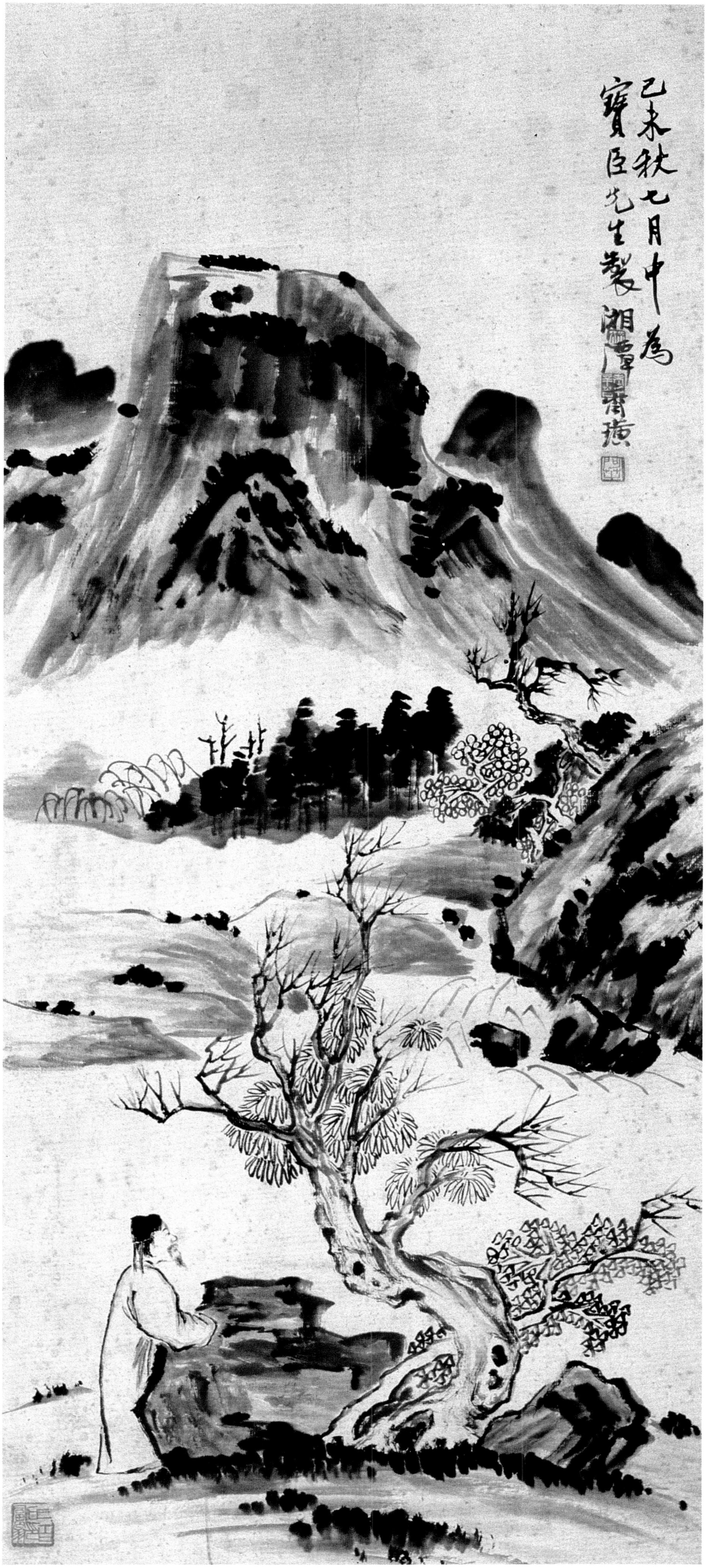

七 山水人物 一九一九年 縱一三四厘米 橫五九厘米

八　不倒翁　一九一九年　縱五九・二厘米　橫二六・七厘米

九　梅花圖　一九一九年　縱七〇厘米　橫三七厘米

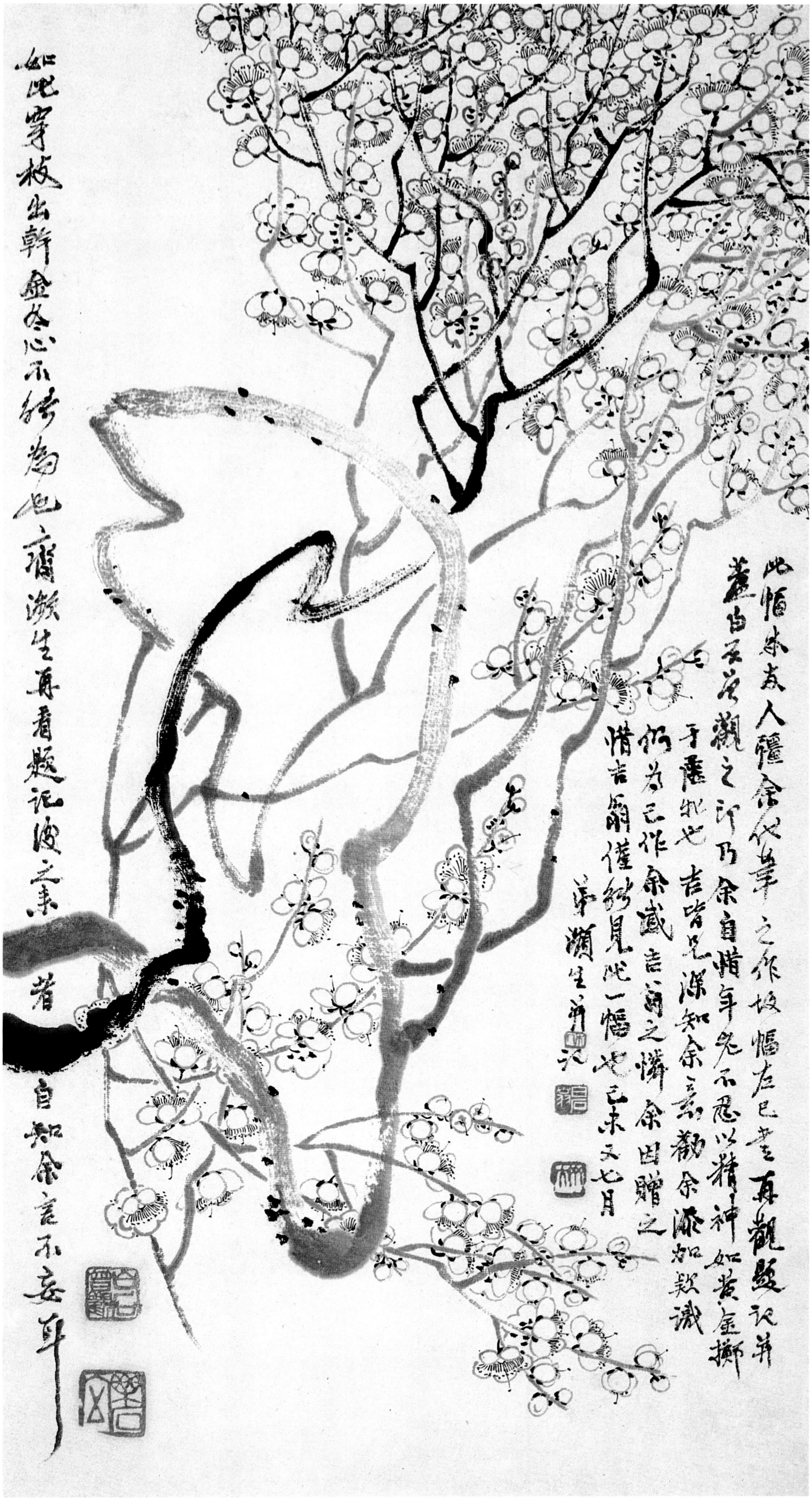

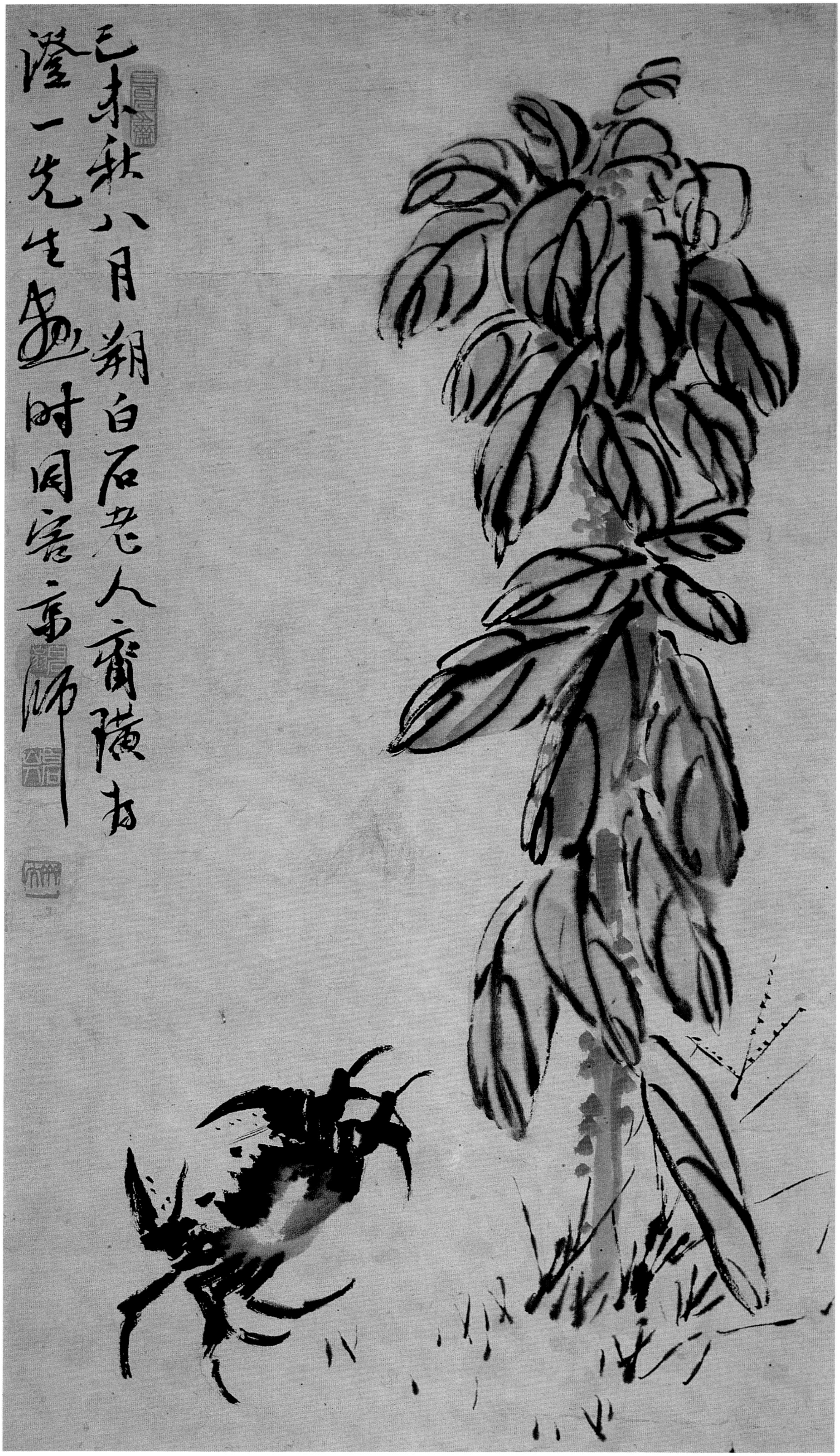
己未秋八月朔白石老人齊璜書
澄一先生畫時同客京師

十

雁來紅螃蟹　一九一九年　縱五八·五厘米　橫三三厘米

十一　洞庭君山　一九一九年　縱八〇・三厘米　橫三四厘米

洞庭君山借山圖之七　老萍
十過此湖時己未秋三過都門白石翁

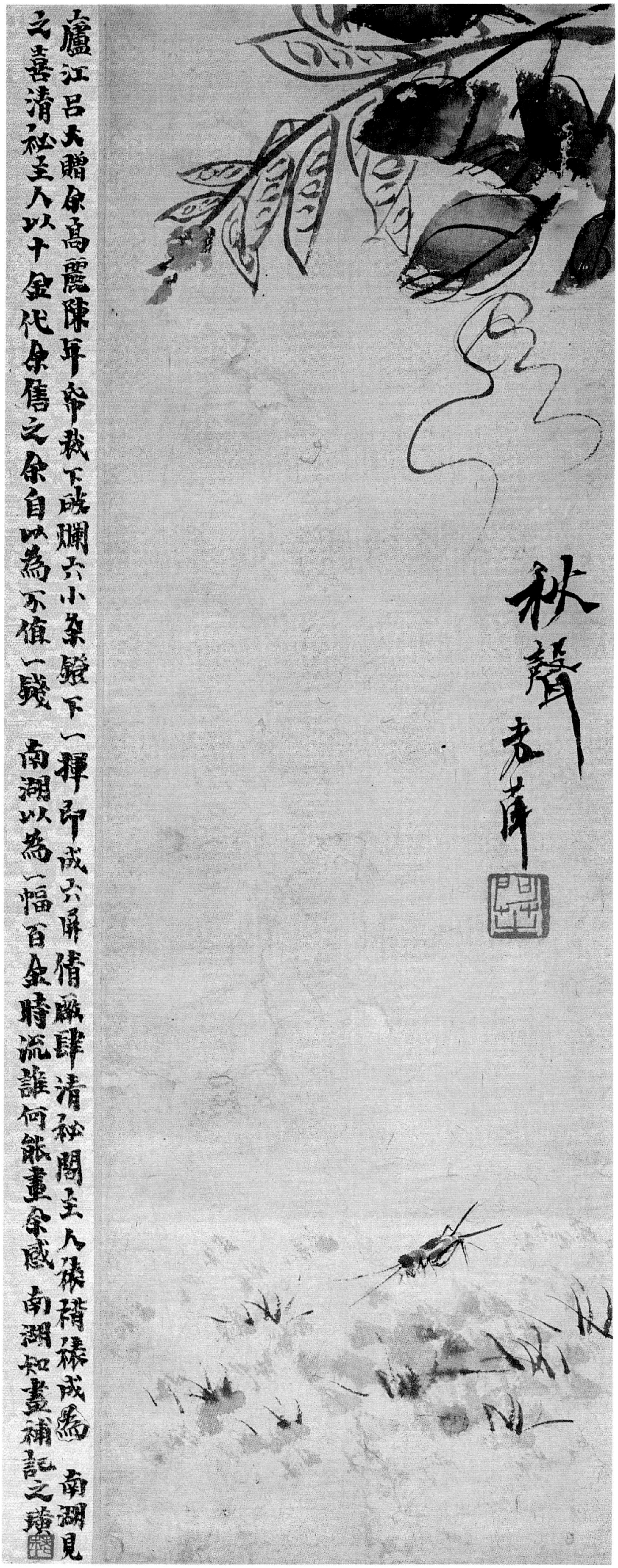

十二　秋聲（蔬果花鳥條屏之一）　一九一九年　縱五二厘米　橫一六・八厘米

十三　甘貧（蔬果花鳥條屏之二）　一九一九年　縱五二厘米　橫一六・八厘米

十四　清白（蔬果花鳥條屏之三）　一九一九年　縱五二厘米　横一六・八厘米

十五　不如歸去（蔬果花鳥條屏之四）　一九一九年　縱五二厘米　横一六·八厘米

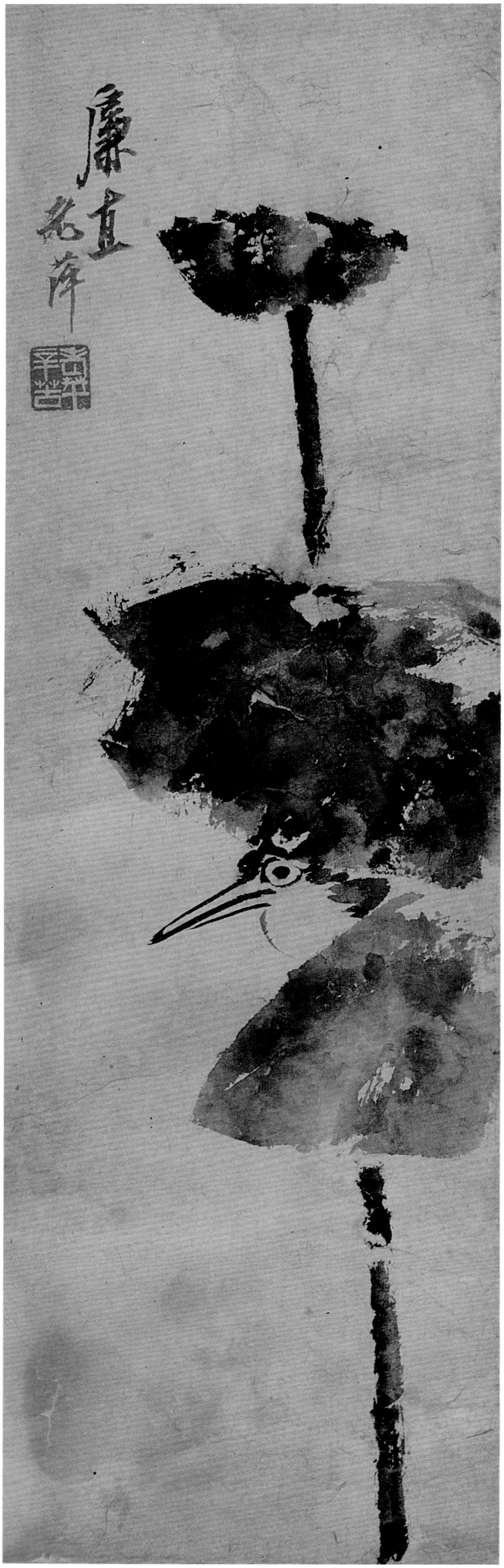

十六　廉直（蔬果花鳥條屏之五）　一九一九年　縱五二厘米　橫一六·八厘米

十七　吉祥聲（蔬果花鳥條屏之六）　一九一九年　縱五二厘米　橫一六・八厘米

十八　鹌鹑　一九一九年　縱一八厘米　横二一厘米

十九　松樹母鷄

約一九一九年　縱一五七厘米　橫四四厘米

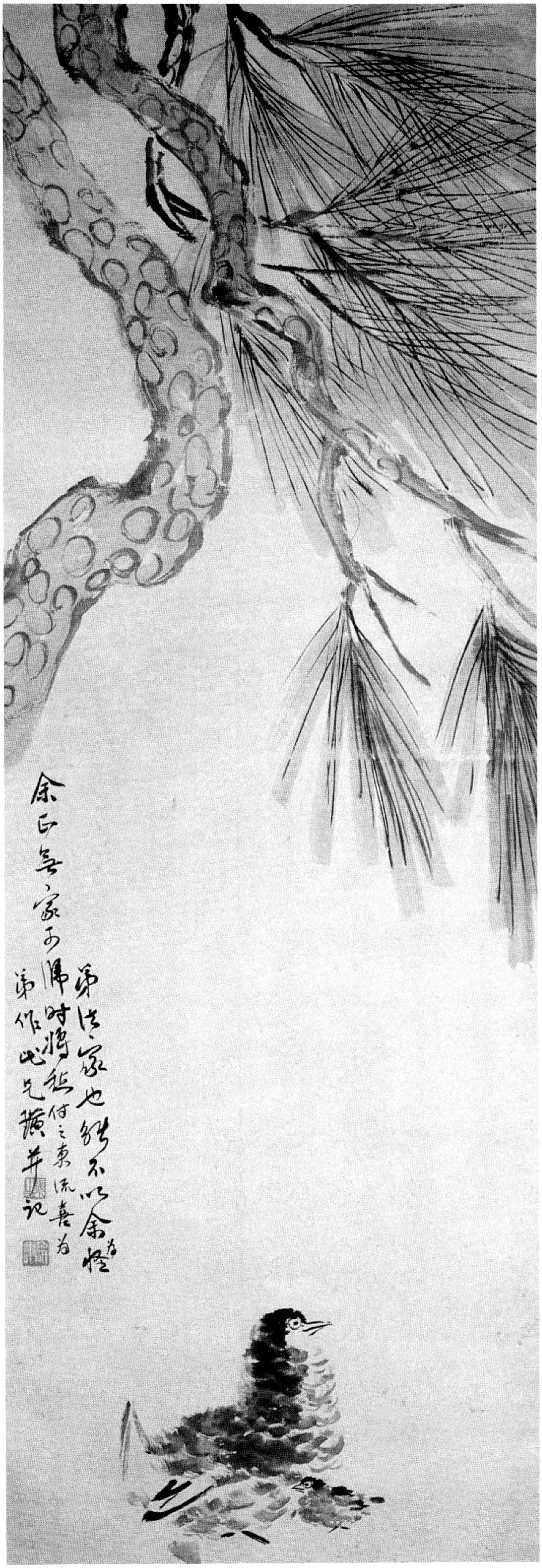

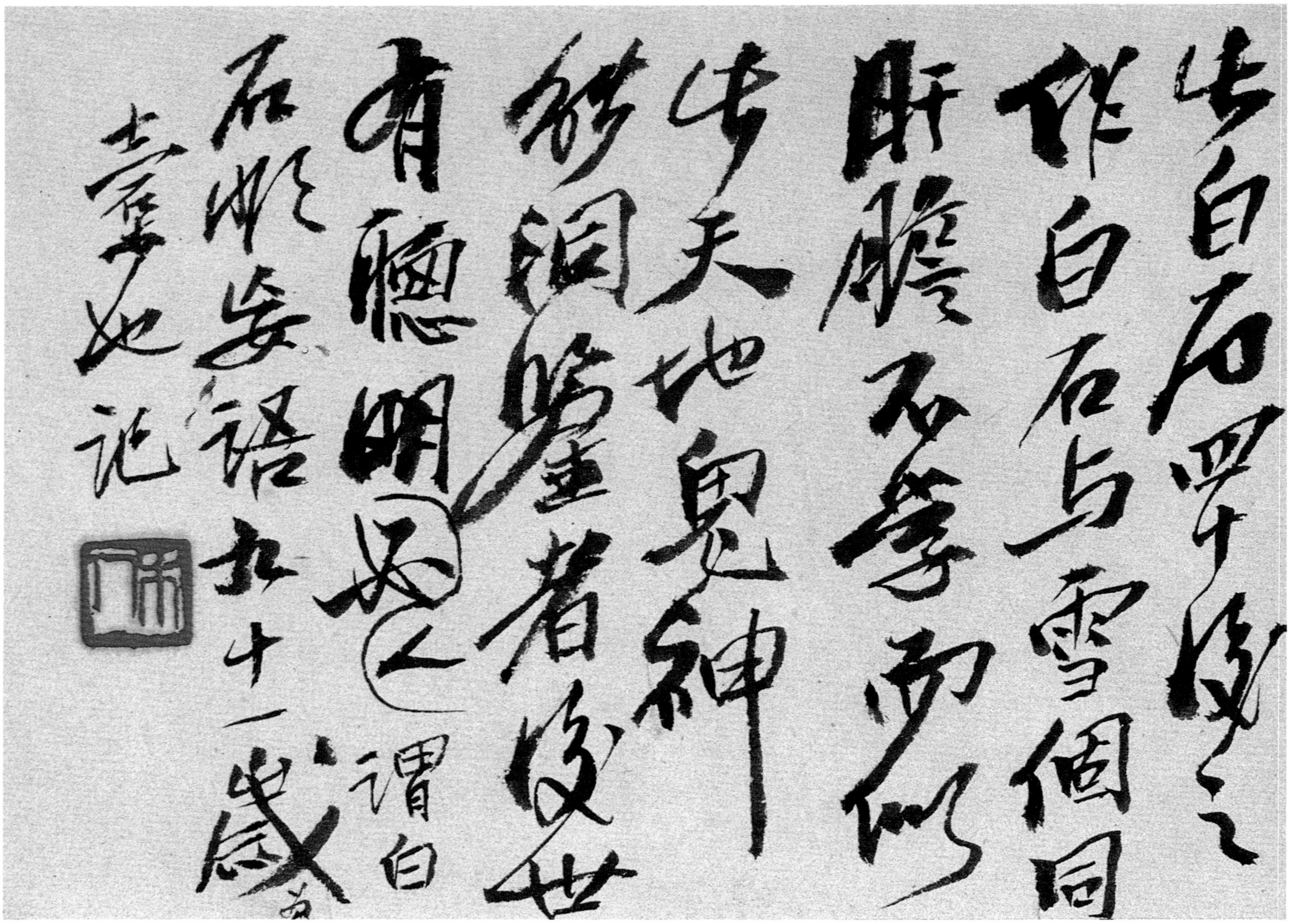
作白石與雪個同
天地鬼神
謂白石
九十一歲

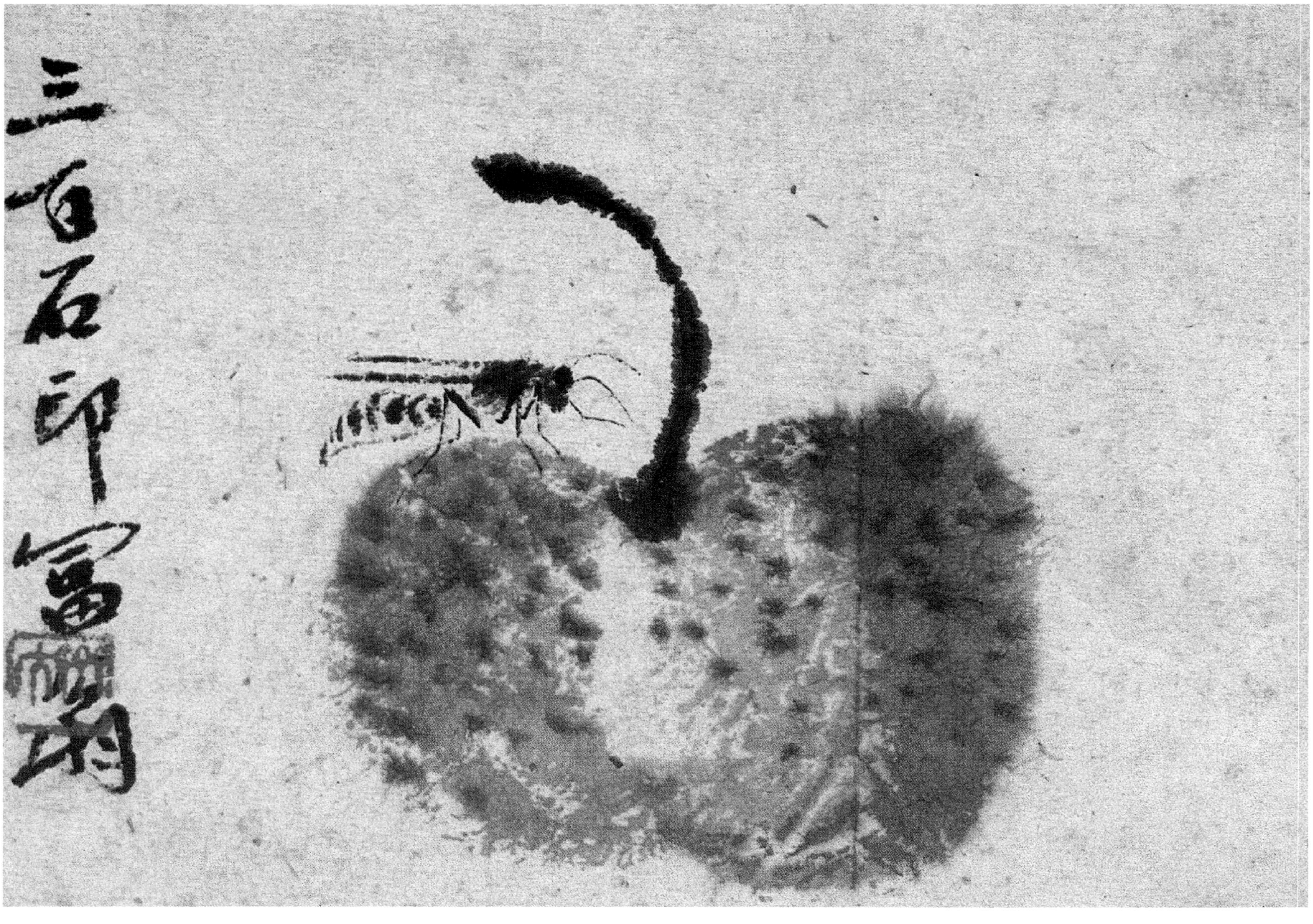
三百石印富翁

二〇　秋梨細腰蜂　約一九一九年　縱二五厘米　橫三五厘米

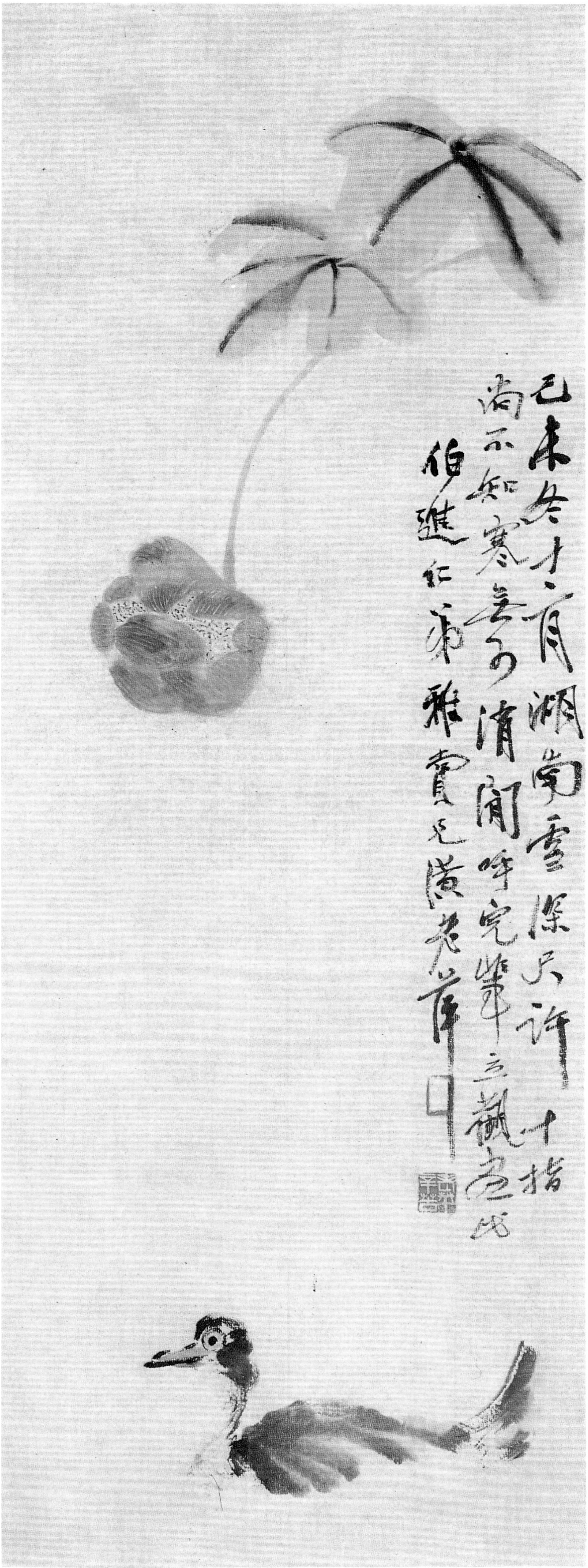

二一　芙蓉游鴨　一九二〇年　縱八三厘米　橫三〇・五厘米

二二　墨牡丹　一九二〇年　縱六二厘米　橫五二厘米

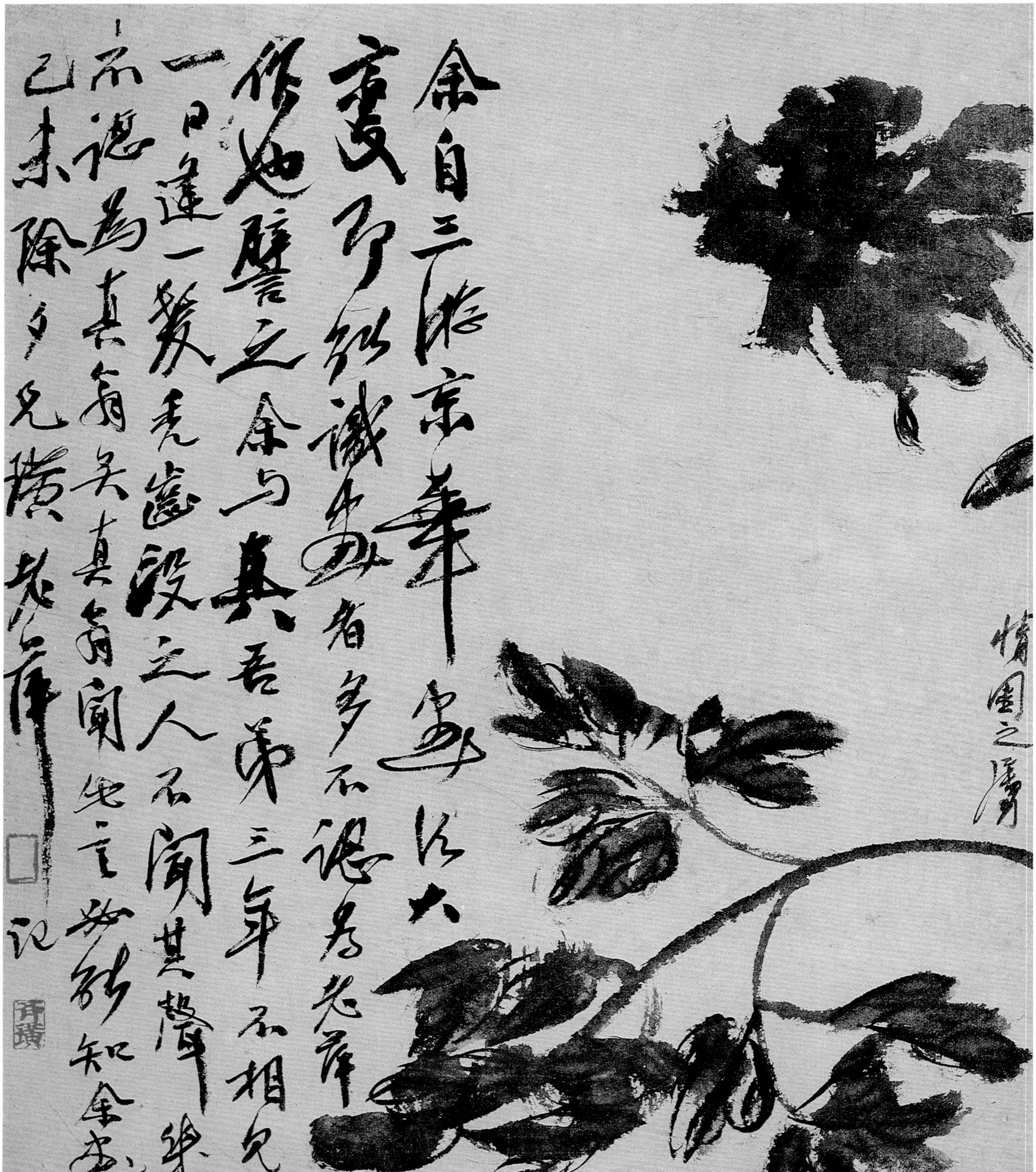

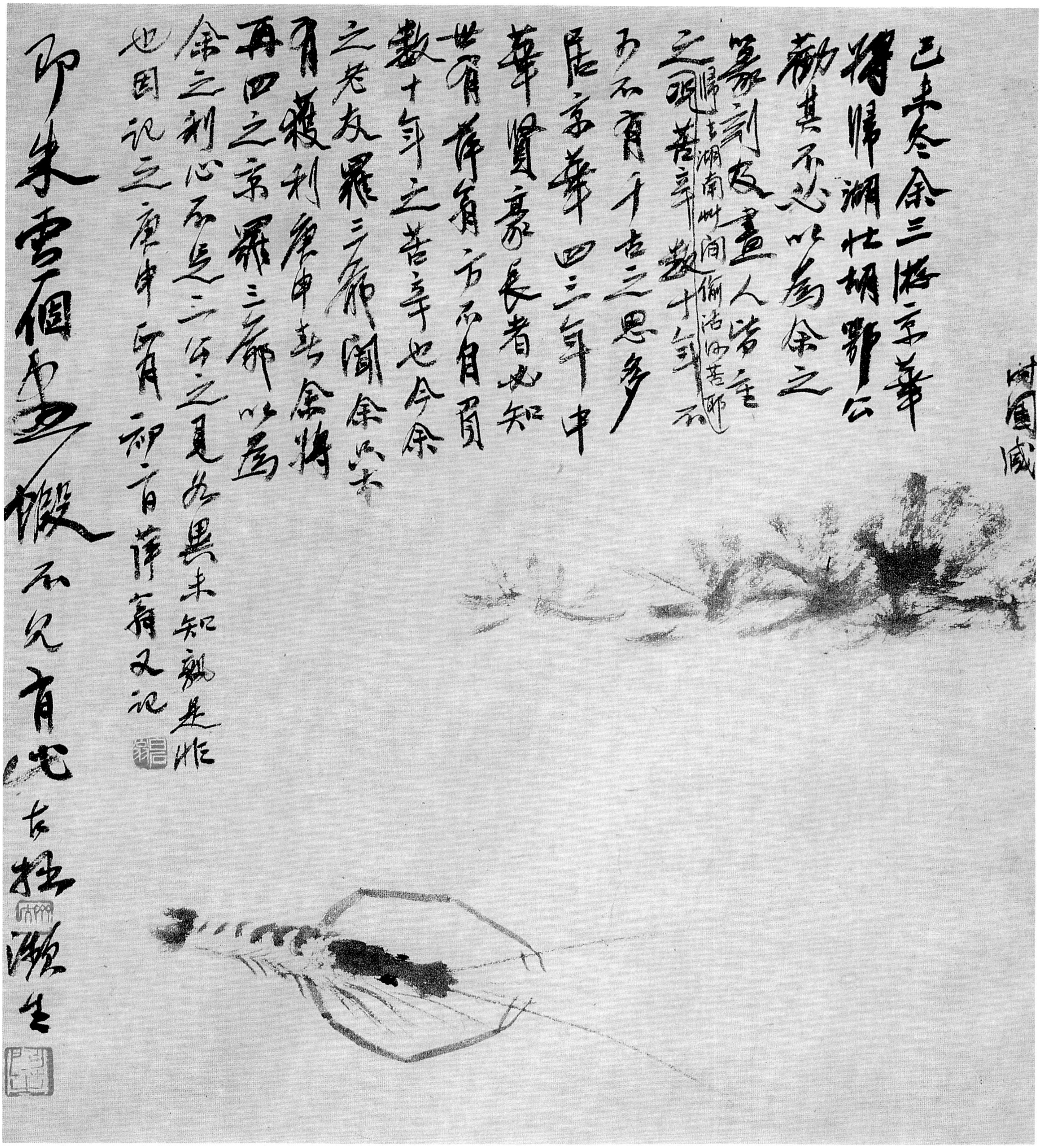

二三　水草·蝦　一九二〇年　縱六六·五厘米　橫六〇厘米

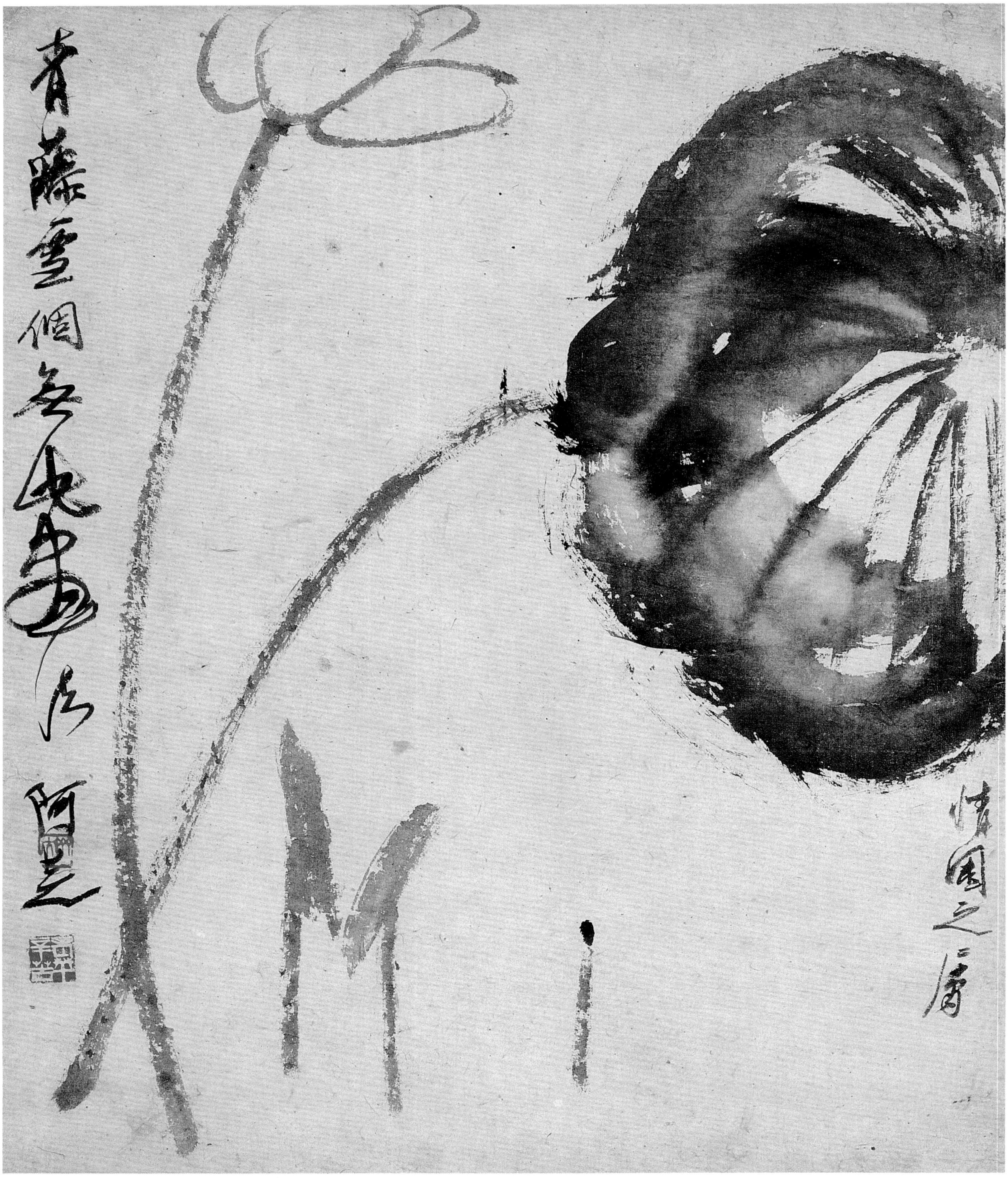

二四　墨荷　約一九二〇年　縱五一厘米　橫四三·五厘米

二五　紫藤螃蟹　約一九二〇年　縱五〇·六厘米　橫四六·三厘米

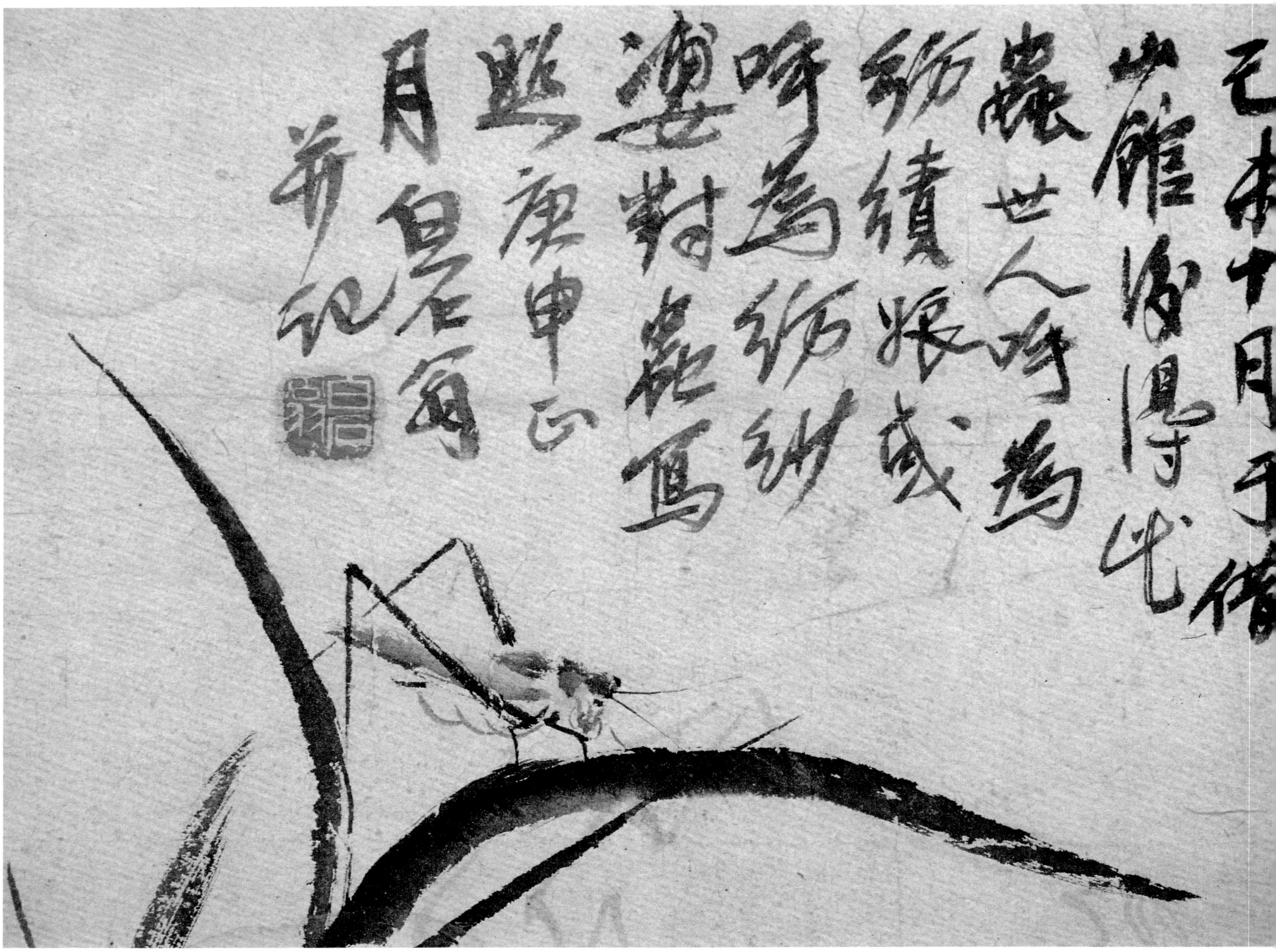

二六　紡織娘　一九二〇年　縱一五厘米　橫二一厘米

二七　鳶尾蝴蝶　（草蟲冊頁之一）　一九二〇年　縱二五·五厘米　橫一八·五厘米

二八　芙蓉蜜蜂（草蟲册頁之二）一九二〇年　縱二五·五厘米　横一八·五厘米

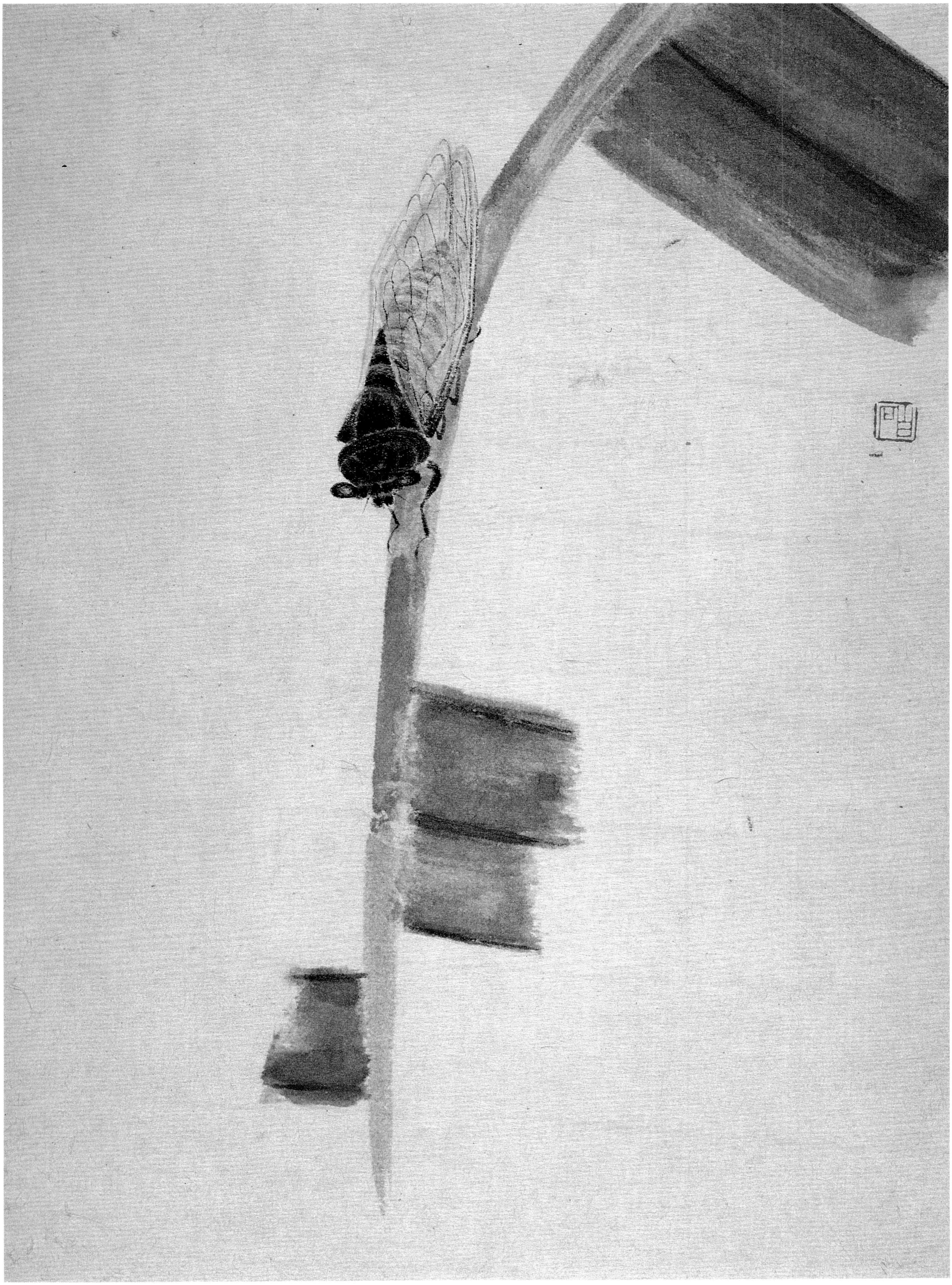

二九　蕉葉秋蟬（草蟲册頁之三）一九二〇年　縱二五·五厘米　横一八·五厘米

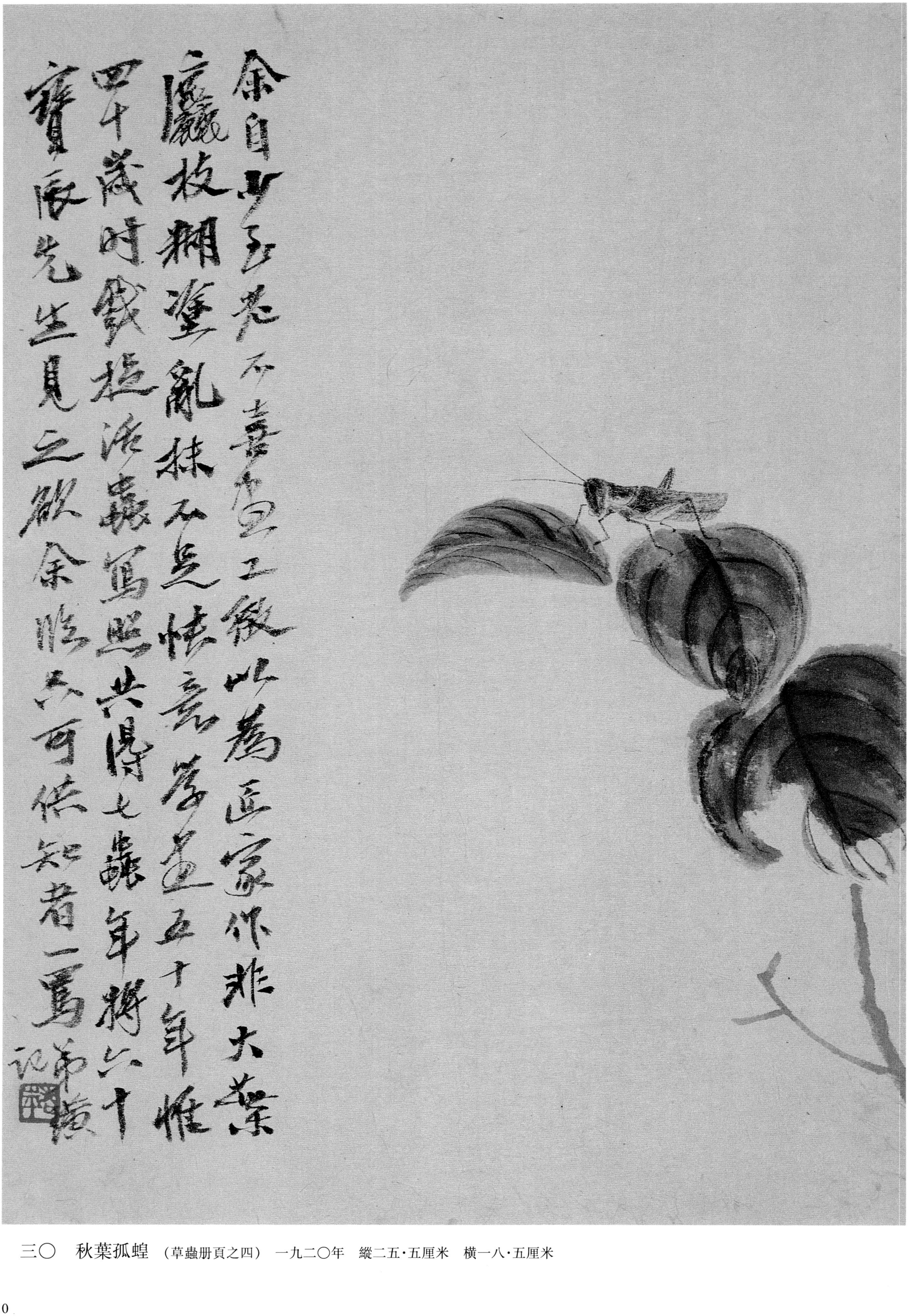

三〇　秋葉孤蝗　（草蟲册頁之四）　一九二〇年　縱二五·五厘米　橫一八·五厘米

三一 春（山水四條屏之一） 一九二〇年 縱一三七厘米 橫三三厘米

三二 夏（山水四條屏之二） 一九二〇年 縱一三七厘米 橫三三厘米

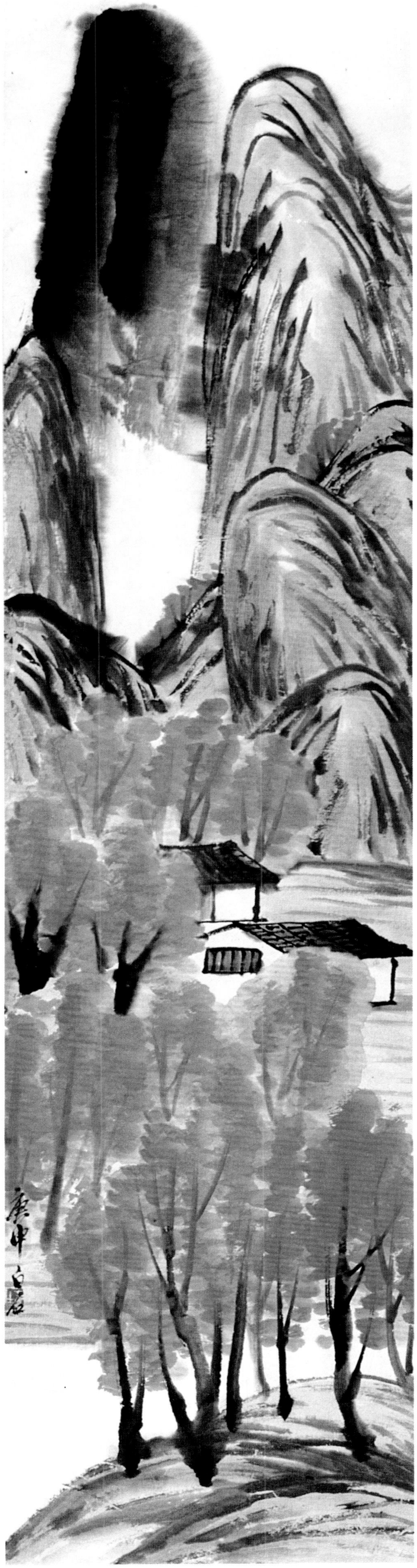

三三　秋（山水四條屏之三）　一九二〇年　縱一三七厘米　橫三三厘米

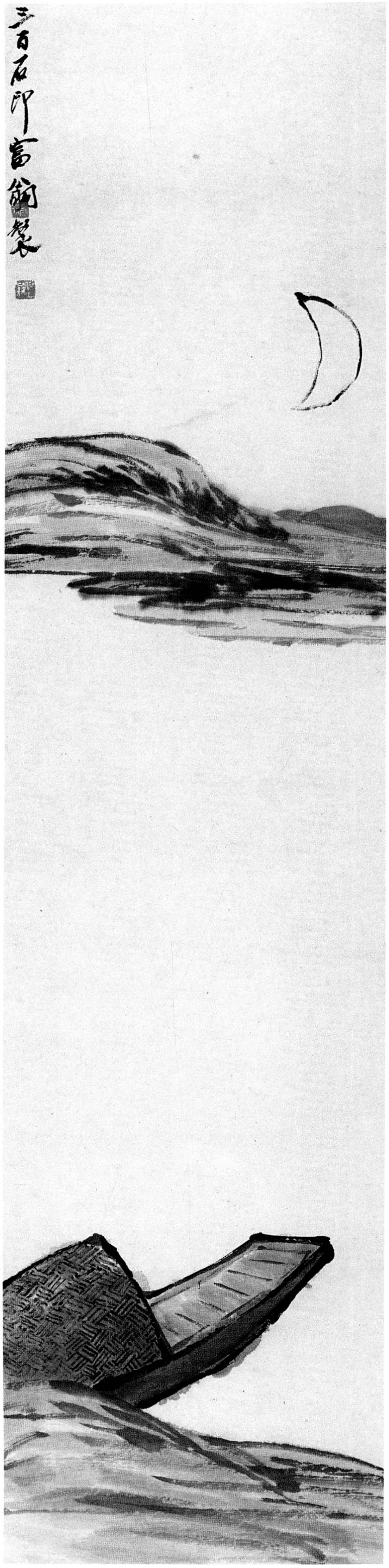

三四　冬（山水四條屏之四）　一九二〇年　縱一三七厘米　橫三三厘米

三五　墨梅　一九二〇年　縱八三厘米　横六四·五厘米

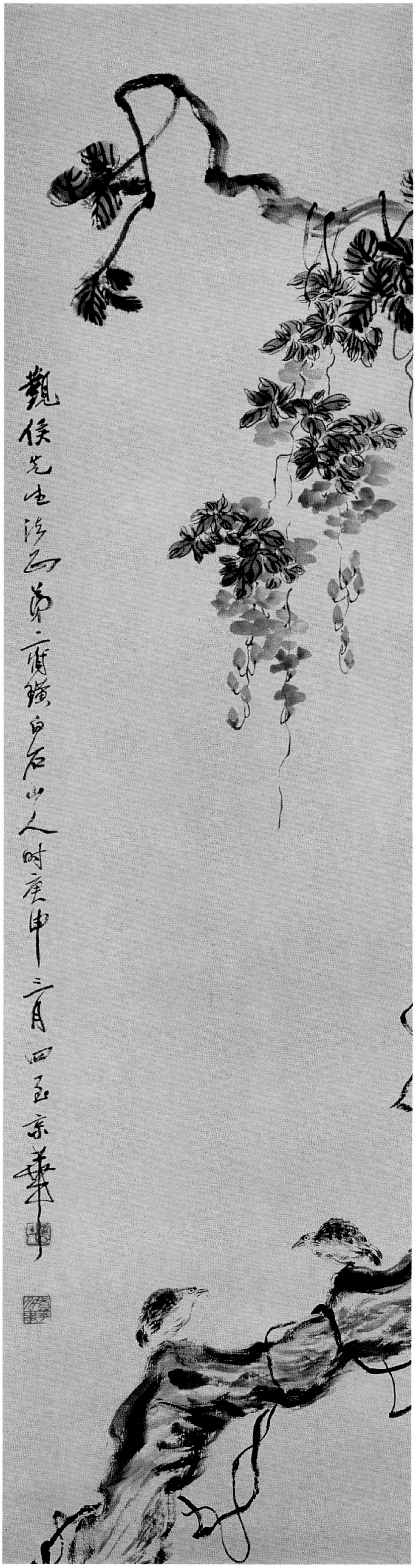

三六　凌霄鵪鶉　一九二〇年　縱一七六・八厘米　橫四五・五厘米

三七　竪石小鳥　一九二〇年　縱一二四·五厘米　橫三二·四厘米

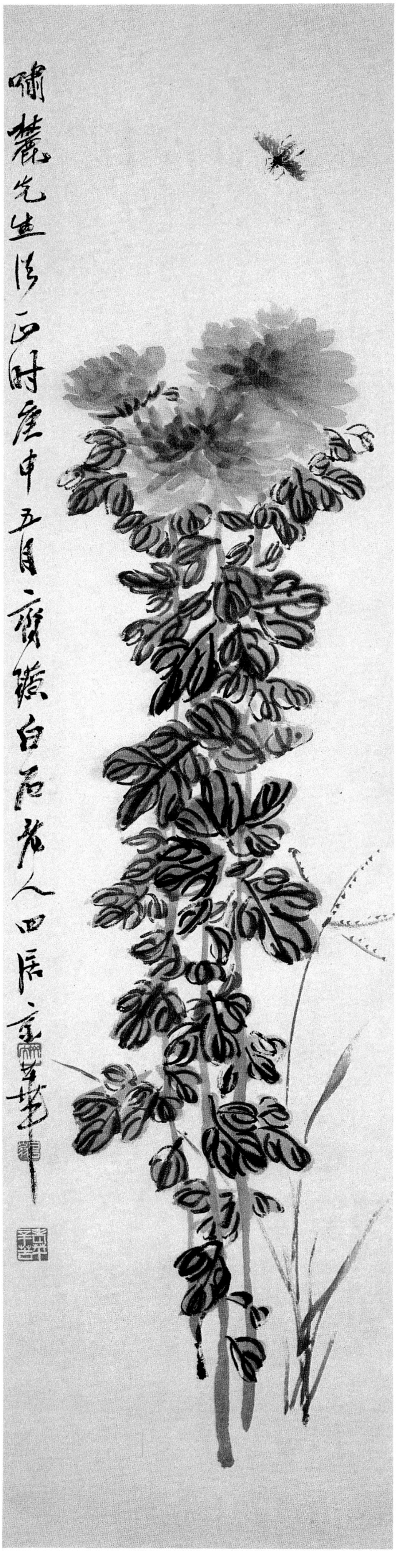

三八 菊花 一九二〇年 縱一〇〇厘米 橫二五厘米

三九　竹　一九二〇年　縱七〇·六厘米　横五三·六厘米

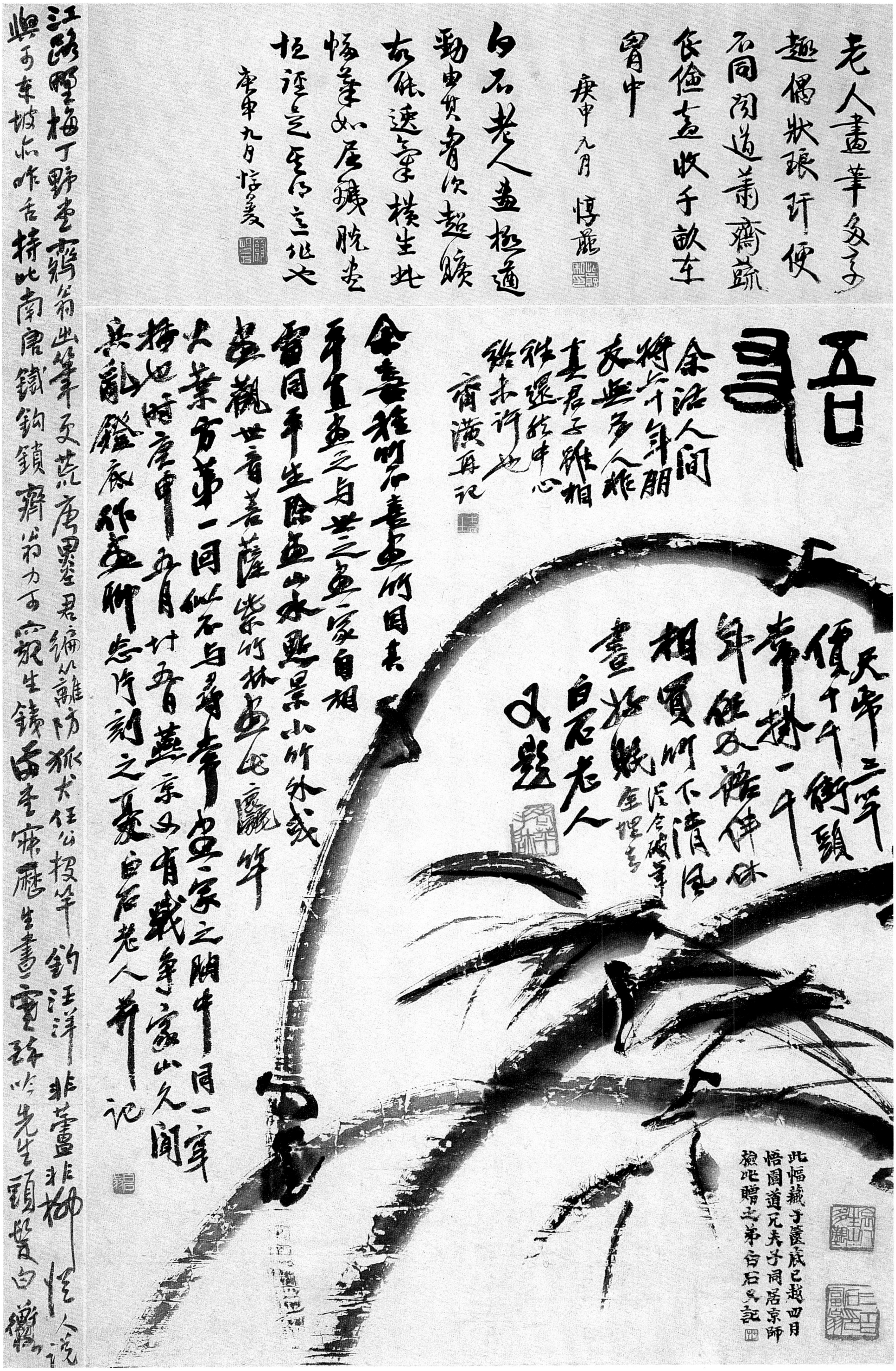

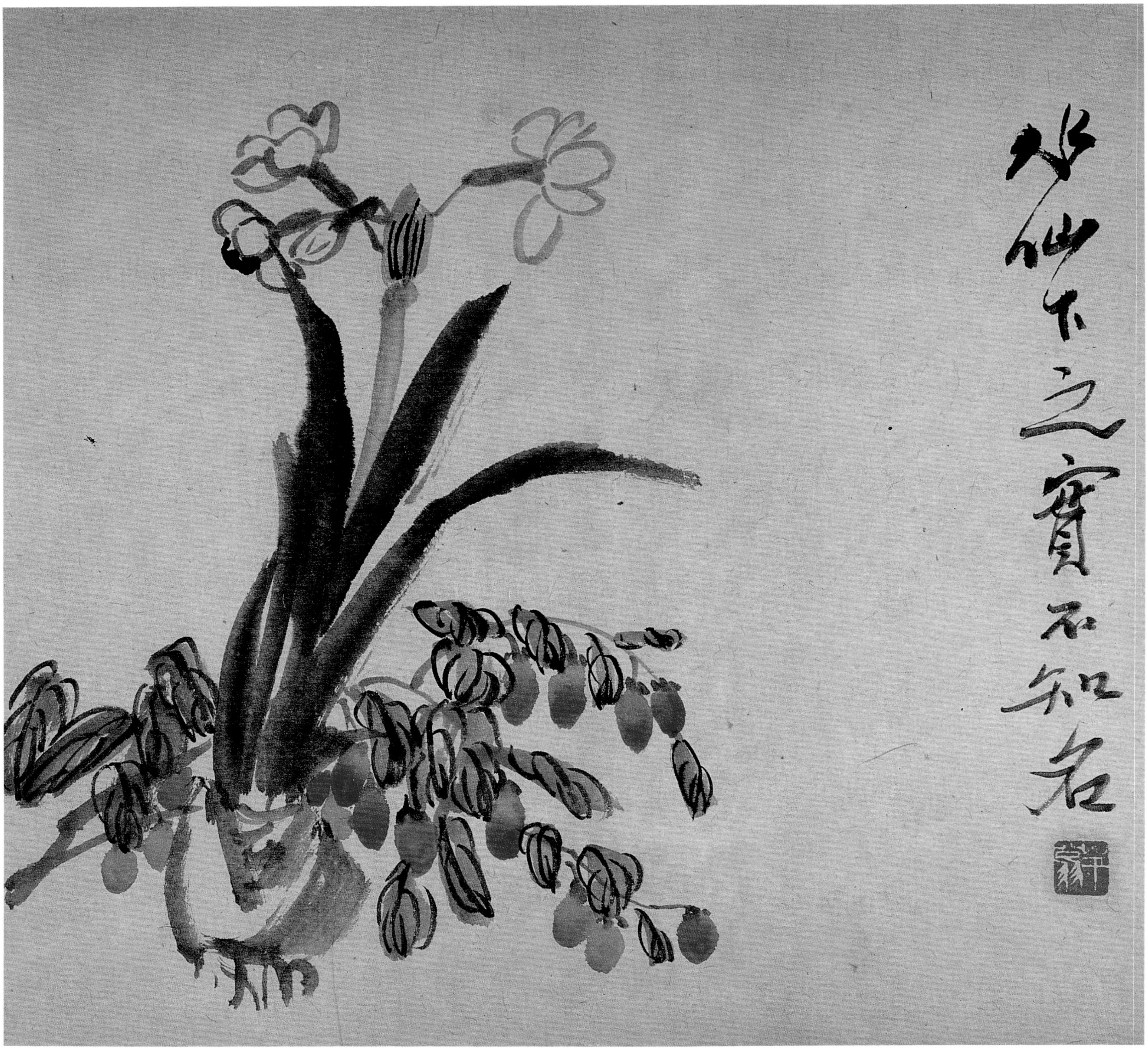

四〇　水仙（花卉畫稿之一）　一九二〇年　縱二九·五厘米　橫三二厘米

四一　萬年青・吉祥草　（花卉畫稿之二）　一九二〇年　縱二九・五厘米　橫三二厘米

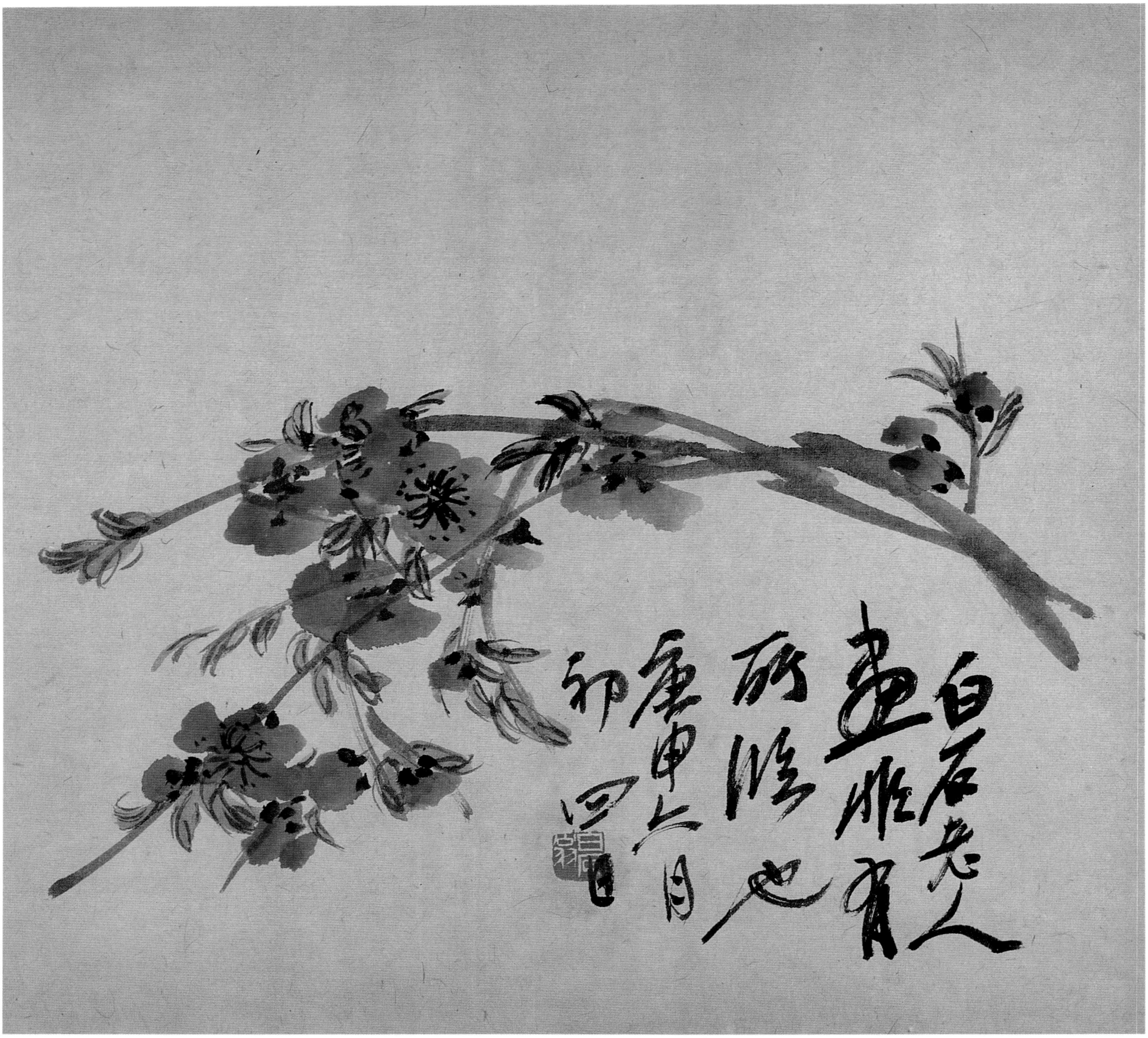

四二　桃花（花卉畫稿之三）　一九二〇年　縱二九·五厘米　横三二厘米

四三　臘梅山茶 （花卉畫稿之四） 一九二〇年　縱二九·五厘米　橫三二厘米

四四　梅花　一九二〇年　縱三〇·八厘米　横四四·八厘米

四五　菊鳥圖　一九二〇年　縱一四〇厘米　横三九厘米

四六　扁豆　一九二〇年　縱二〇厘米　横三〇厘米

四七　石榴　一九二〇年　縱一六二·五厘米　橫四二·七厘米

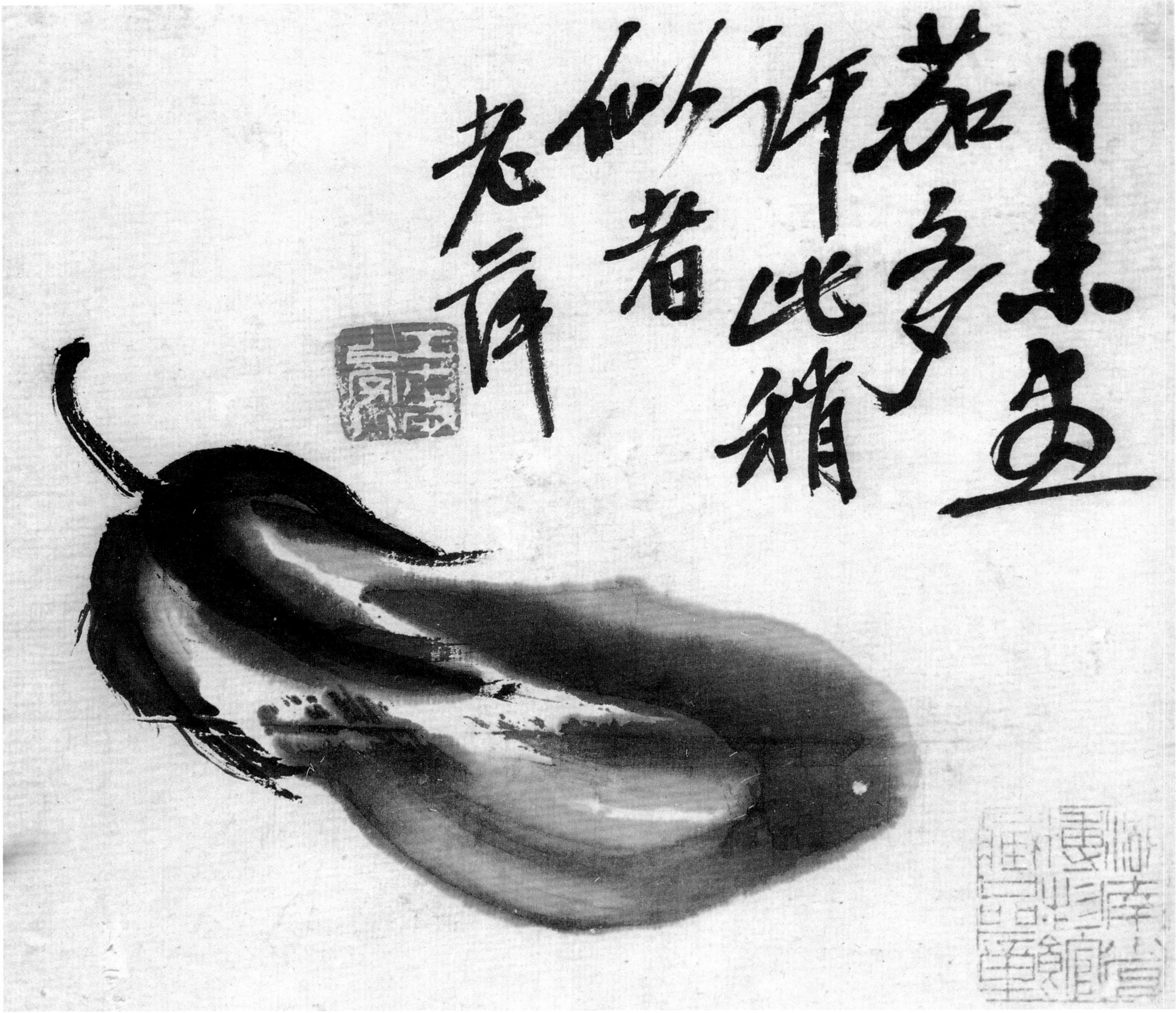

四八　茄子（瓜果册頁之一）一九二〇年　縱一七厘米　横一九厘米

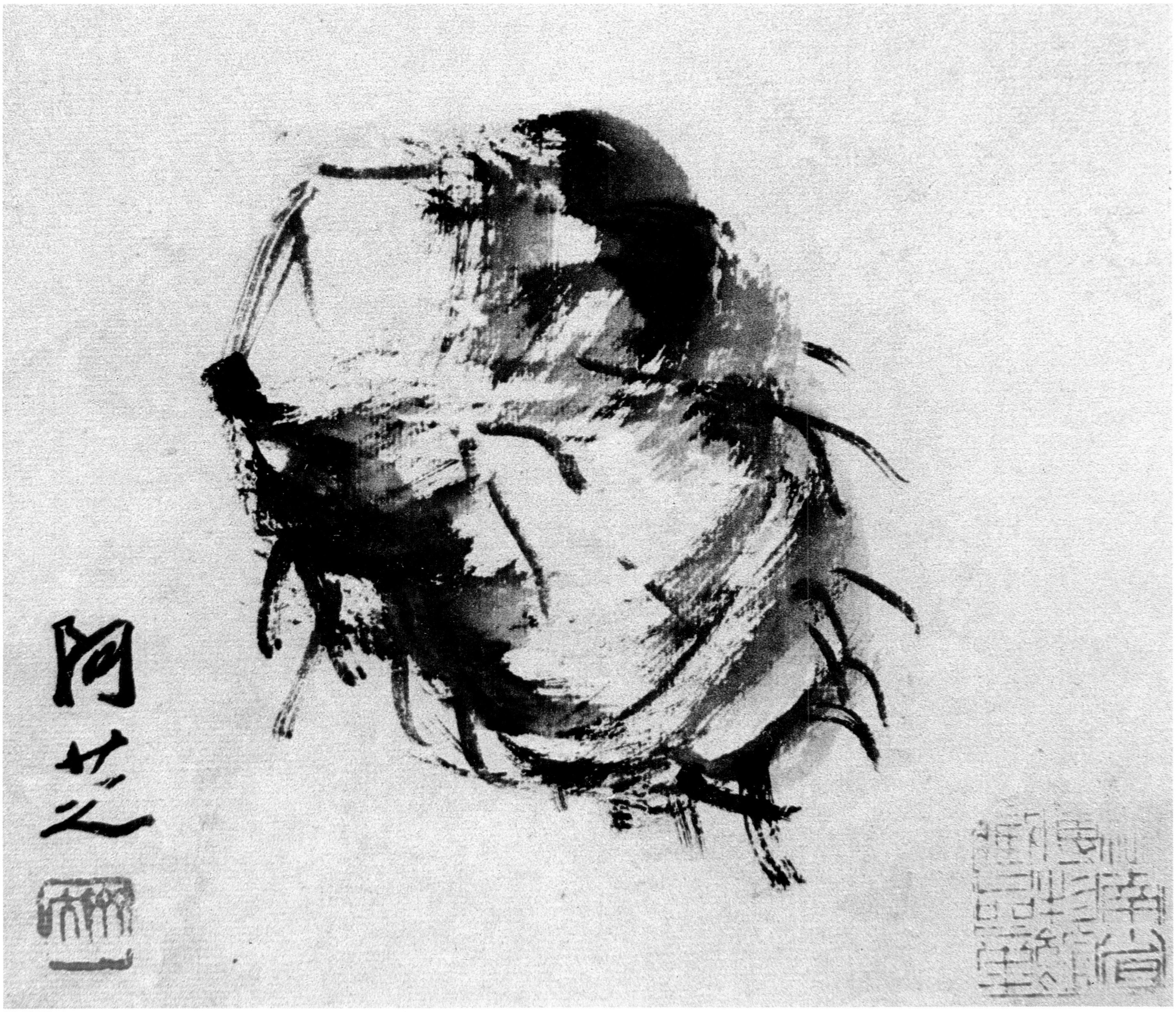

四九　芋頭（瓜果册頁之二）一九二〇年　縱一七厘米　橫一九厘米

五〇　枇杷　（花果四條屏之一）　約一九二〇年　縱五一厘米　横三六厘米

五一　菊花（花果四條屏之二）約一九二〇年　縱五一厘米　橫三六厘米

五二　葫蘆（花果四條屏之三）　約一九二〇年　縱五一厘米　橫三六厘米

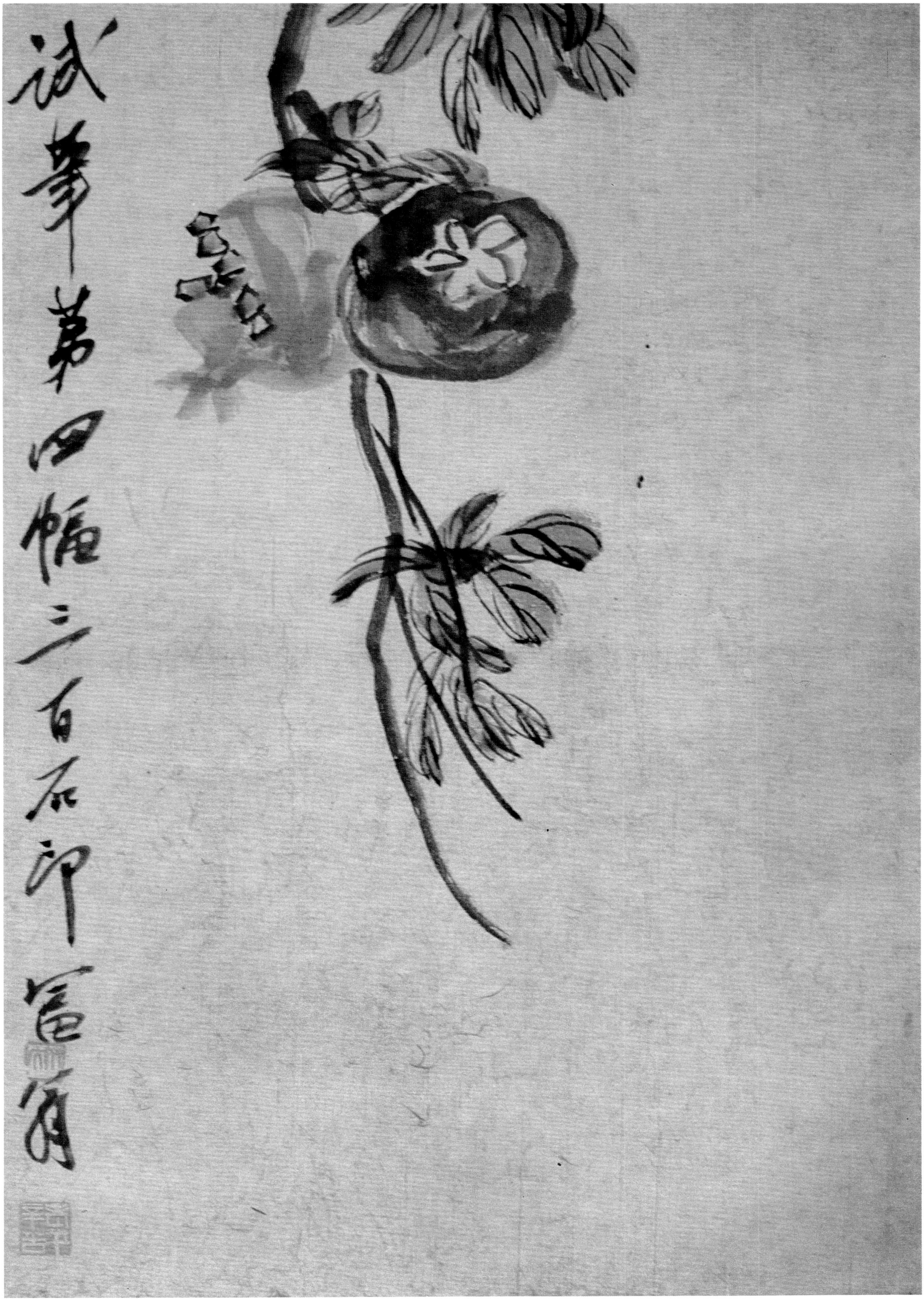

五三　石榴（花果四條屏之四）　約一九二〇年　縱五一厘米　横三六厘米

五四 牡丹小鳥 約一九二〇年 縱一三五厘米 橫三三·五厘米

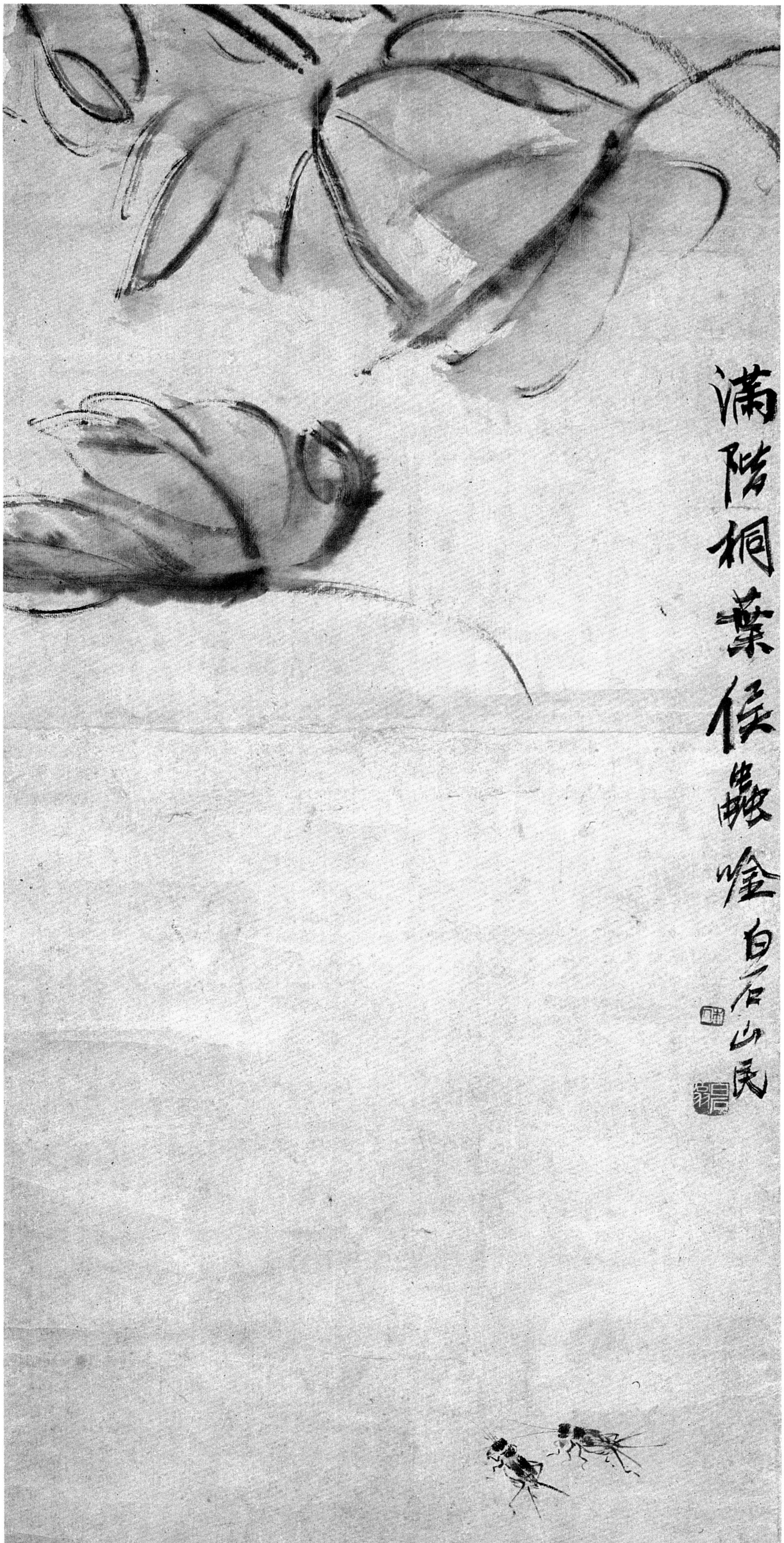

五五　桐葉蟋蟀　約一九二〇年　縱六三厘米　橫三〇厘米

借山館後有此野藤其花開時游蜂無數移孫四歲時為
蜂所逐今日移孫亦能畫此藤蟲靜思往事如在目底
白石記

五六　野藤遊蜂　約一九二〇年　縱五一厘米　橫三五·五厘米

五七　蟋蟀豆角　約一九二〇年　縱五〇・五厘米　横三五・八厘米

五八　蔬香圖　一九二一年　縱六三厘米　橫一三〇厘米

五九　螞蚱貝葉（廣豳風圖册之一）　一九二一年　縱二五·四厘米　橫三二·五厘米

六〇　蝗螂紅蓼（廣爾風圖册之二）一九二一年　縱二五·四厘米　橫三二·五厘米

六一　蜻蜓荷花（廣豳風圖册之三）一九二一年　縱二五·四厘米　横三二·五厘米

六二　墨蝶荷瓣（廣豳風圖册之四）一九二一年　縱二五·四厘米　横三二·五厘米

六三　竈螞鹹蛋芫荽（廣豳風圖册之五）一九二一年　縱二五·四厘米　橫三二·五厘米

六四　雙蜂扁豆（廣豳風圖册之六）一九二一年　縱二五·四厘米　横三二·五厘米

六五　甲蟲穀穗（廣幽風圖册之七）一九二一年　縱二五·四厘米　橫三二·五厘米

六六　蜂（扇面）一九二一年　縱二六厘米　橫五七厘米

六七　山水（册頁之二）　一九二一年　縱二七厘米　橫一六厘米

六八　山水（册頁之二）　一九二一年　縱二七厘米　橫一六厘米

六九　山水（册頁之三）一九二一年　縱二七厘米　橫一六厘米

七〇　山水（册頁之四）　一九二二年　縱二七厘米　横一六厘米

七一　山水（册頁之五）　一九二一年　縱二七厘米　橫一六厘米

七二　山水（册頁之六）一九二一年　縱二七厘米　横一六厘米

七三　山水（册頁之七）一九二二年　縱二七厘米　橫一六厘米

七四　山水（册頁之八）　一九二二年　縱二七厘米　橫一六厘米

七五　山水（册頁之九）　一九二二年　縱二七厘米　橫一六厘米

七六　山水（册頁之十）　一九二一年　縱二七厘米　横一六厘米

七七　山水（册頁之十二）一九二二年　縱二七厘米　橫一六厘米

七八　山水（册頁之十二）　一九二一年　縱二七厘米　橫一六厘米

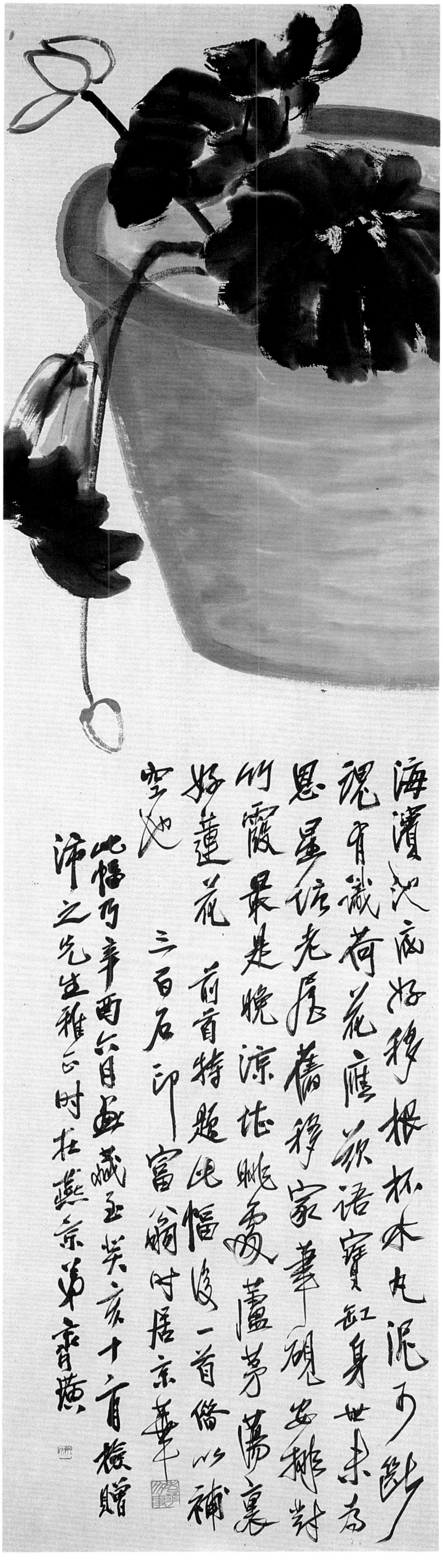

七九　寶缸荷花圖　一九二一年　縱一七〇・二厘米　橫四七・二厘米

八〇　茶花小鳥

一九二一年　縱一四〇厘米　橫三五厘米

八一　七鷄圖　一九二一年　縱一七六厘米　橫六四厘米

八二　山村平遠圖　一九二一年　縱五八·五厘米　橫五七·八厘米

八三　蓮蓬翠鳥　一九二一年　縱二四厘米　横三五·五厘米

八四　水牛　一九二一年　縱四六厘米　橫三四厘米

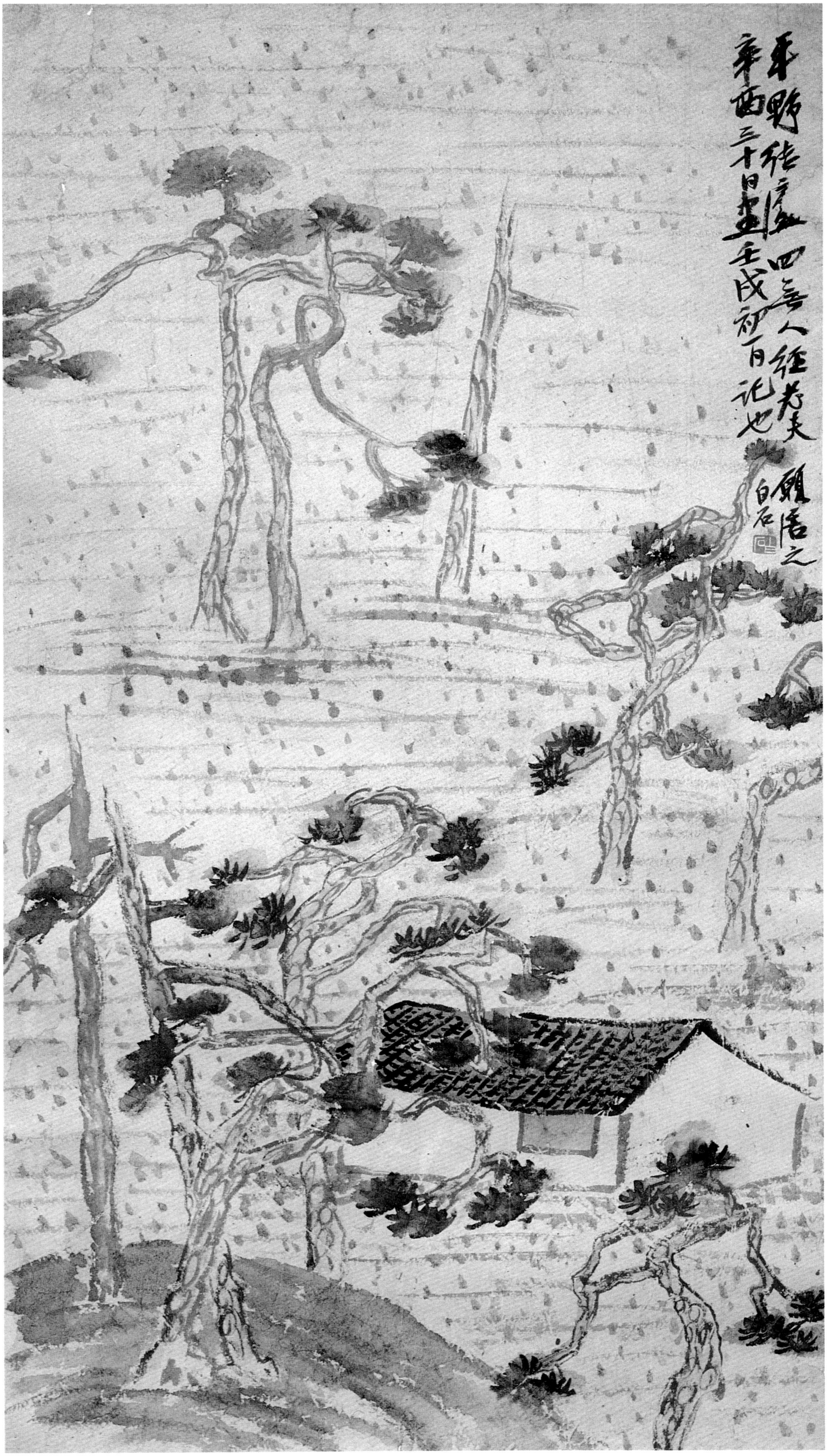
平野結廬四字人經老夫題語之
辛酉三十日畫壬戌初一日記也
白石

八五　平野結廬　一九二二年　縱五六厘米　横三三厘米

八六　紅杏烟雨　一九二二年　縱一〇四厘米　横四〇・五厘米

八七　草堂烟雨　一九二二年　縱二九·五厘米　橫三九厘米

八八　山水（四條屏之一）　一九二二年　縱一五八厘米　橫三六厘米

八九　山水（四條屏之二）　一九二二年　縱一五八厘米　橫三六厘米

九〇　山水（四條屏之三）　一九二二年　縱一五八厘米　橫三六厘米

九一　山水（四條屏之四）　一九二二年　縱一五八厘米　橫三六厘米

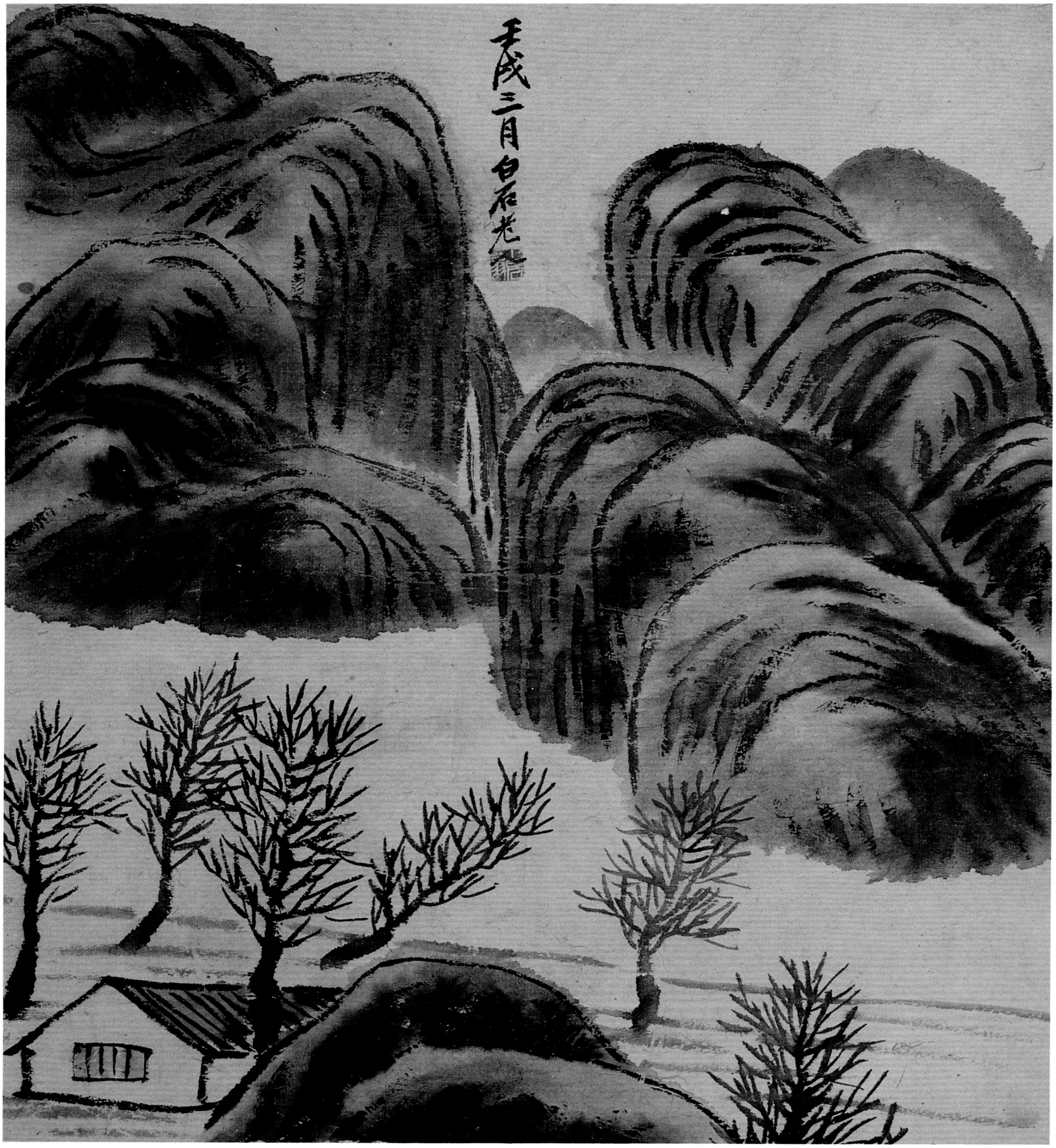

九二　山水　約一九二二年　縱五四厘米　橫四八·五厘米

九三 山水 一九二二年 縱一四〇・一厘米 橫三九・三厘米

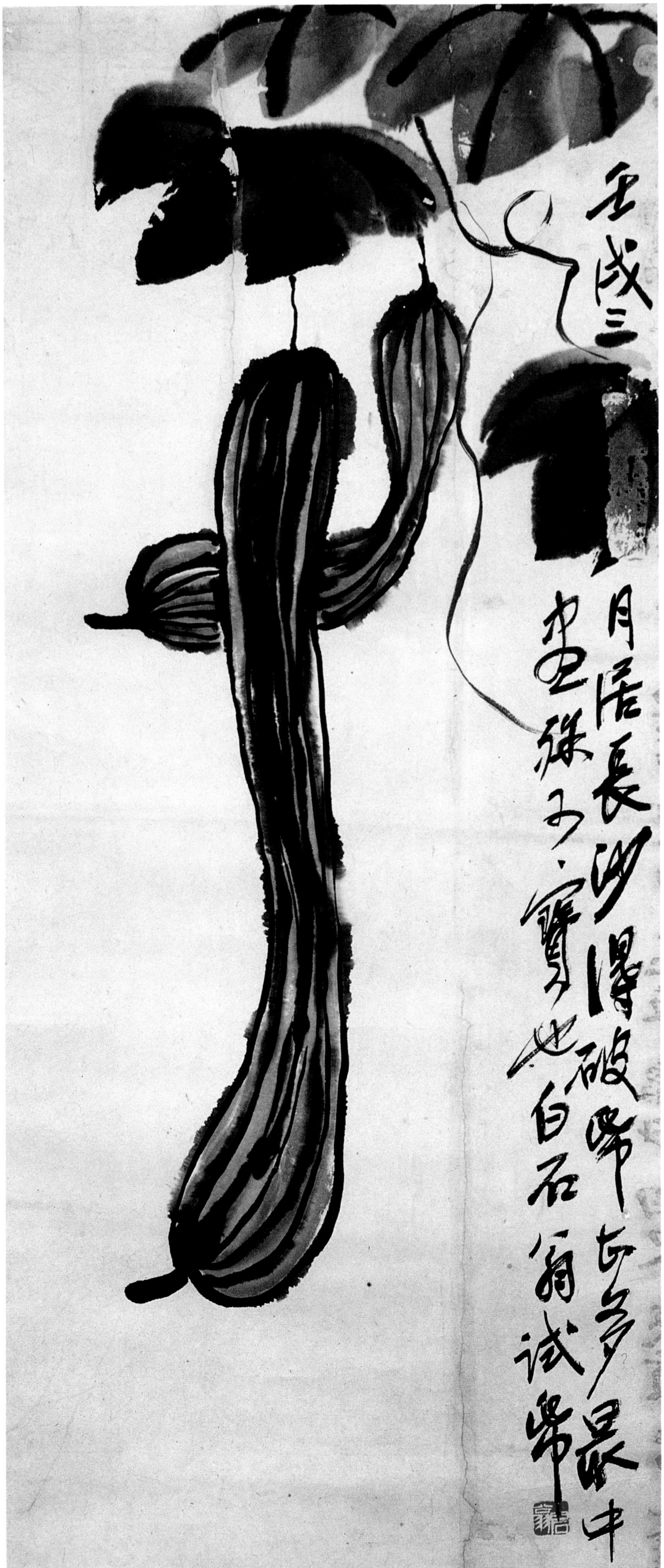

九四　絲瓜　一九二二年　縱六九厘米　橫二八厘米

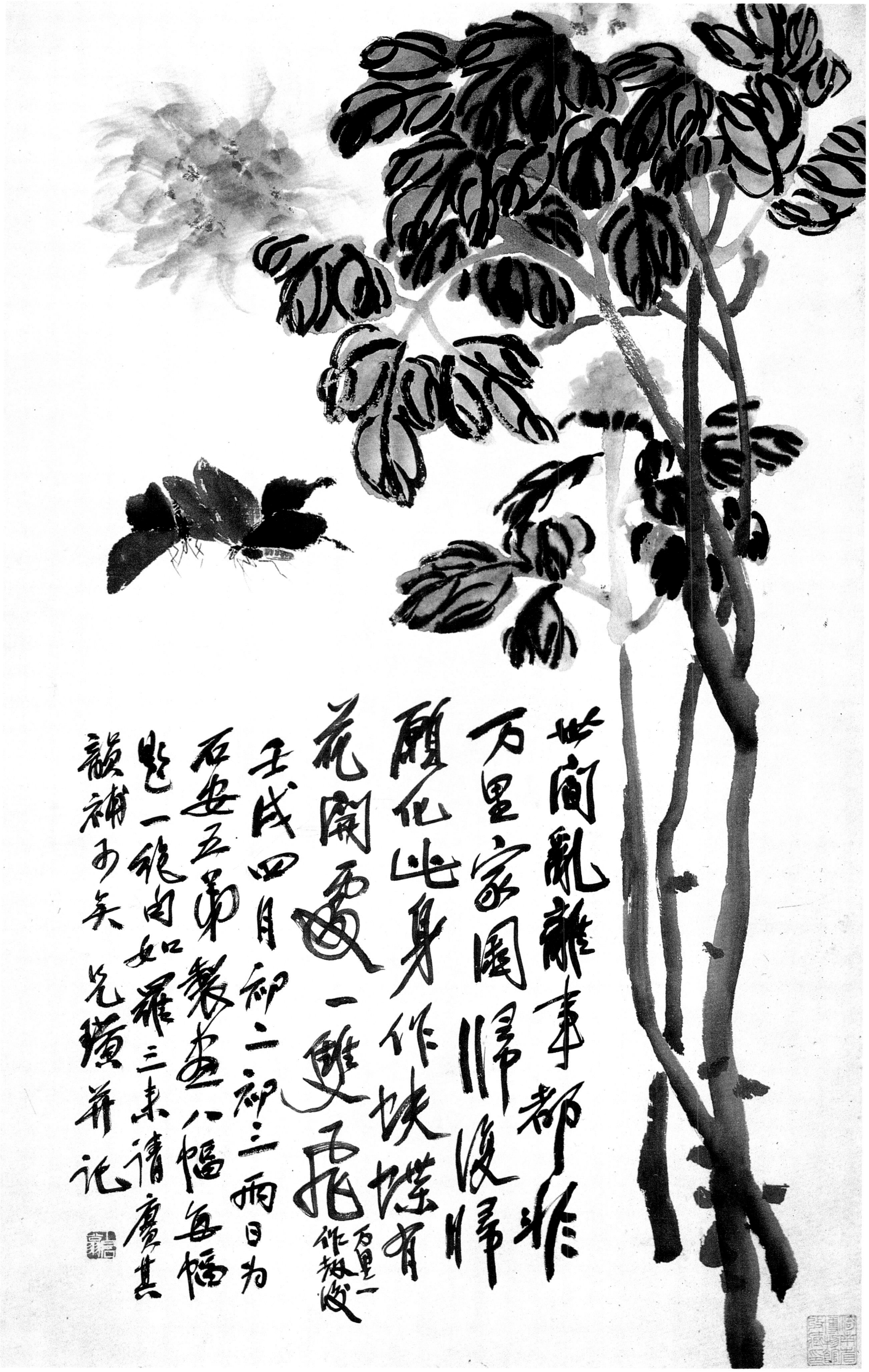

九五 牡丹雙蝶圖 一九二二年 縱七五厘米 橫四七厘米

九六　桃源圖　一九二二年　縱一四〇厘米　橫三五厘米

九七　鷹石圖　一九二二年　縱六五厘米　橫四三厘米

九八　葡萄蝗蟲　一九二二年　縱一二二厘米　横七七厘米

九九　芙蓉鴛鴦　一九二二年　縱三七厘米　横一一六厘米

一〇〇　竹林白屋（山水條屏之一）　一九二二年　縱一四九厘米　橫三九厘米

一〇一　入室松風（山水條屏之二）　一九二二年　縱一四九厘米　横三九厘米

松松入室有清風誰謂詩人
到老窮尤可傳張對朋友
閉門長見隔溪松
壬戌年四月白石山翁

一〇二　青山紅樹（山水條屏之三）　一九二二年　縱一四九厘米　橫三九厘米

一〇三　米氏雲山（山水條屏之四）　一九二二年　縱一四九厘米　橫三九厘米

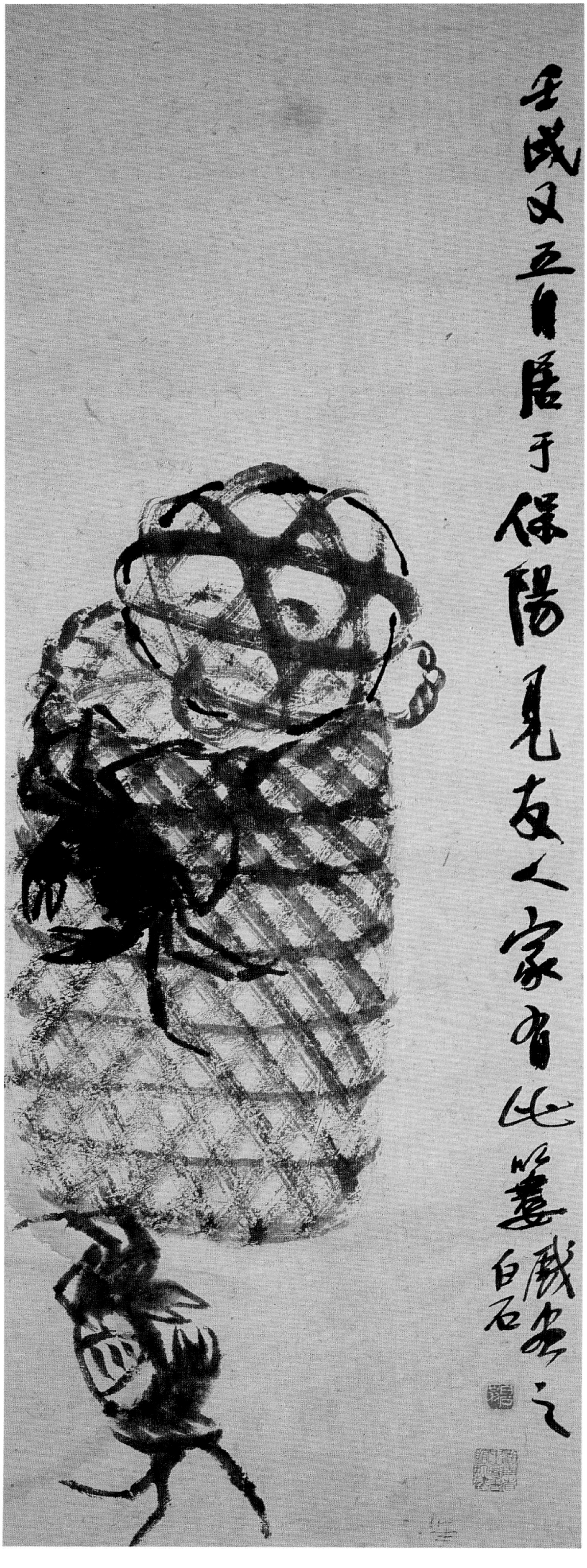
壬戌又五月居于保陽見友人家有此簍戲寫之
白石

一〇四　簍蟹圖　一九二二年　縱八八厘米　横三四厘米

一〇五 茨菇雙鴨 一九二二年 縱一三五厘米 橫三三·五厘米

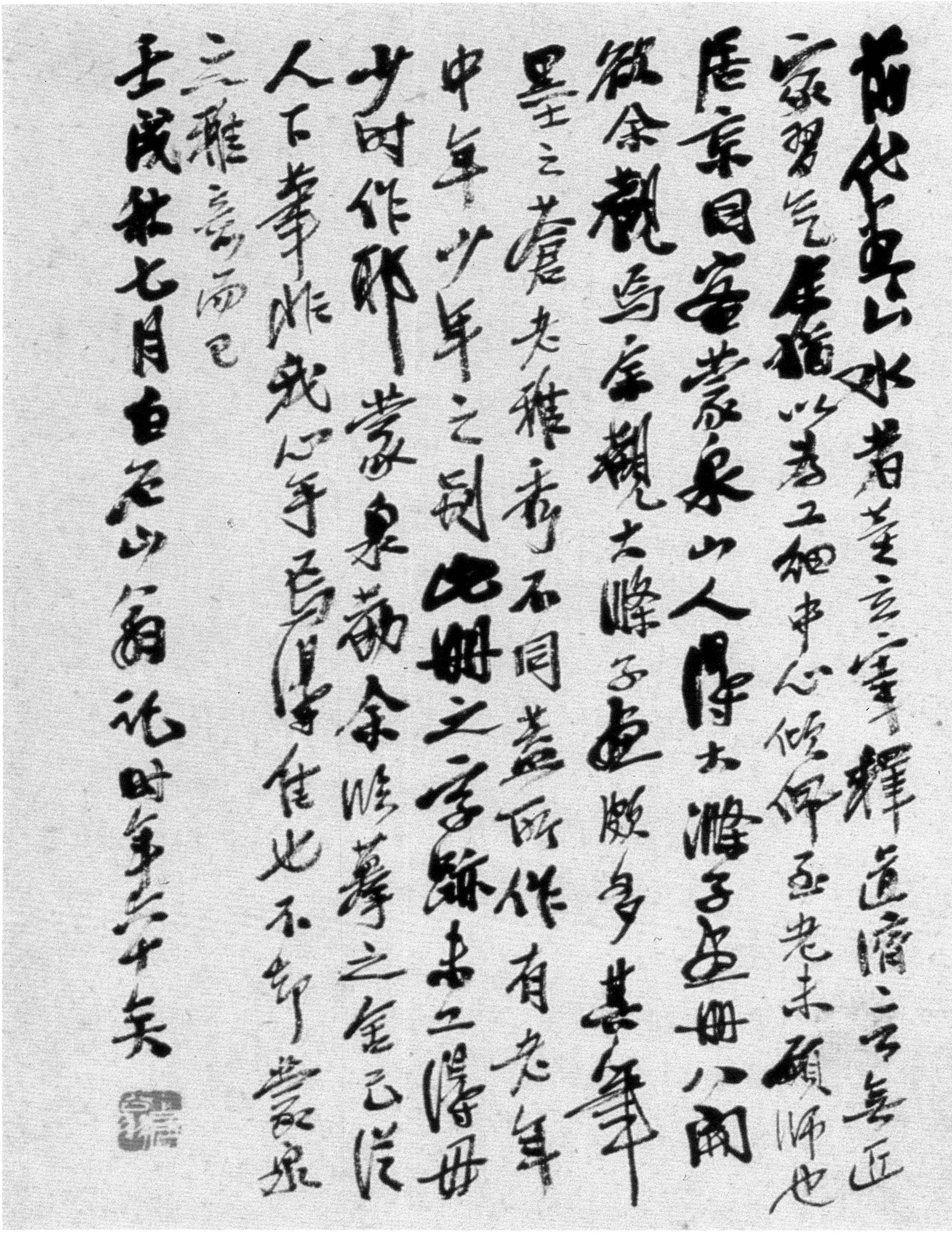

一〇六　仿石濤山水册題記　一九二二年　縱二九·五厘米　横二三厘米

一〇七　仿石濤山水（册頁之一）　一九二二年　縱二九·五厘米　橫二三厘米

一〇八　仿石濤山水（册頁之二）一九二二年　縱二九·五厘米　橫二三厘米

一〇九　仿石濤山水　（册頁之三）　一九二二年　縱二九·五厘米　橫二三厘米

一一〇　仿石濤山水（冊頁之四）一九二二年　縱二九·五厘米　橫二三厘米

一一一　仿石濤山水（冊頁之五）一九二二年　縱二九·五厘米　橫二三厘米

一一二　仿石濤山水（册頁之六）一九二二年　縱二九·五厘米　橫二三厘米

一一三　仿石濤山水（册頁之七）　一九二二年　縱二九·五厘米　橫二三厘米

一一四　仿石濤山水（册頁之八）一九二二年　縱二九·五厘米　横二三厘米

一一五　萬竹山居圖　一九二二年　縱一五一厘米　橫五七厘米

一一六　叢菊幽香　一九二二年　縱一三三厘米　橫三三厘米

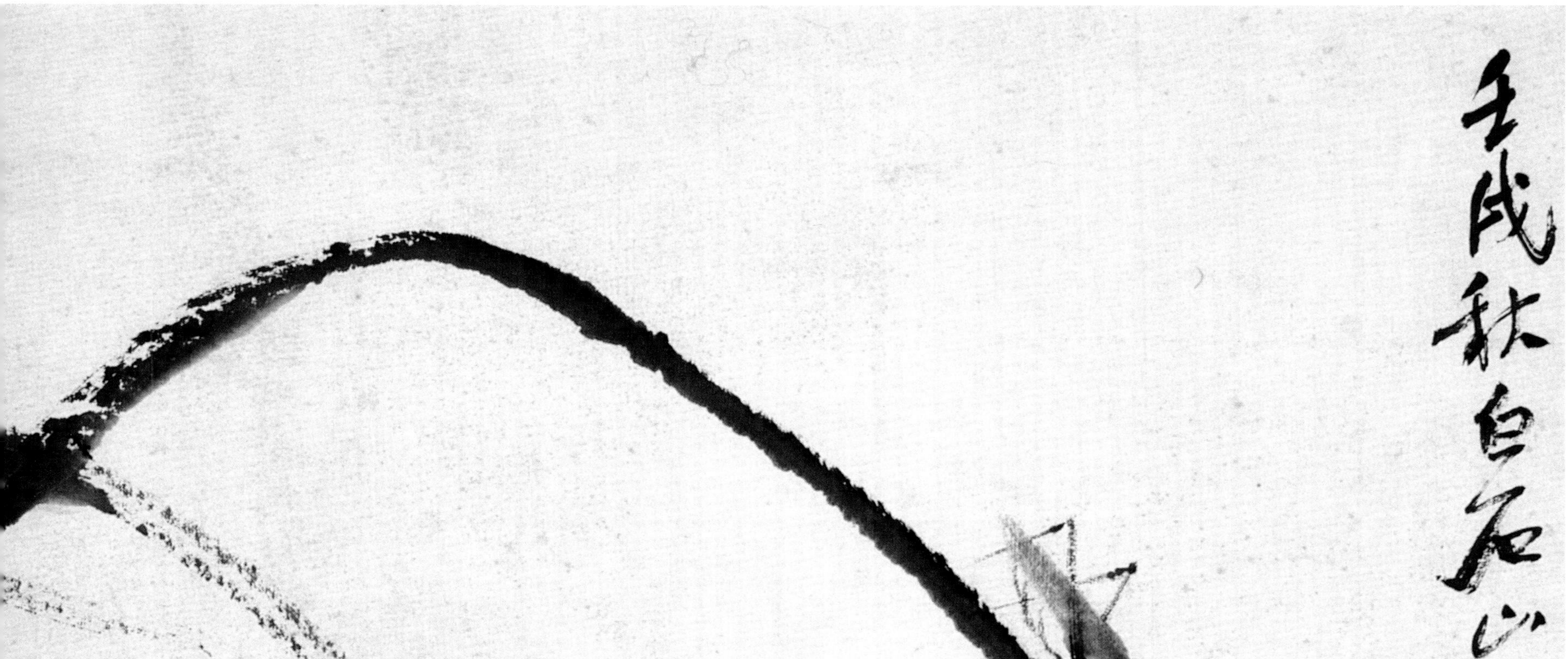

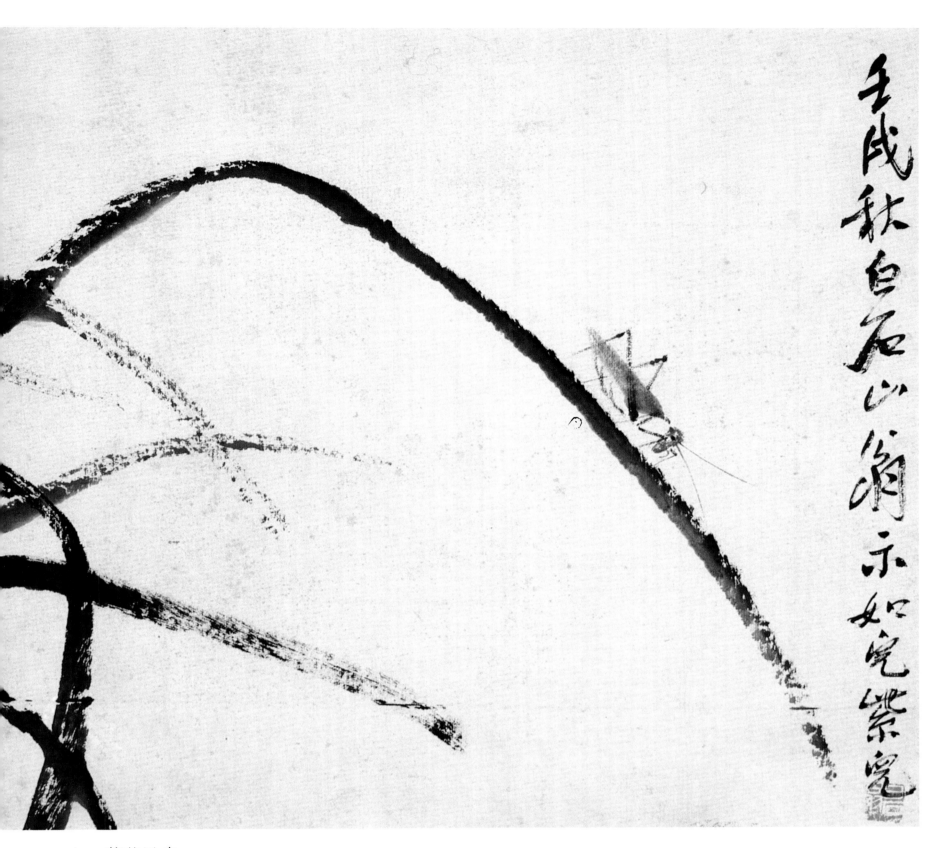

一一七　蘆葦昆蟲　一九二二年　縱二九厘米　横三三厘米

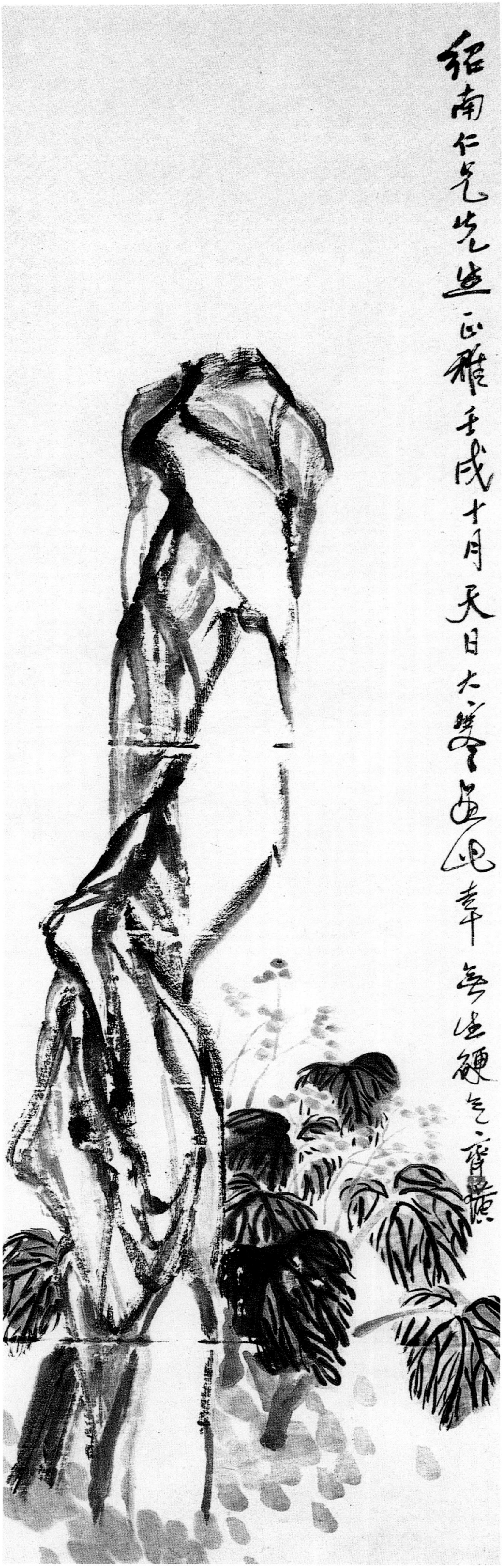

一一八　湖石海棠　一九二二年　縱一三四厘米　橫四二厘米

一一九　蟹草圖　一九二二年　縱一三八·六厘米　橫三四·四厘米

一二〇　山水　一九二三年　縱一三五·二厘米　橫三二·七厘米

一二一　不倒翁　一九二二年　縱一二三·五厘米　横三二厘米

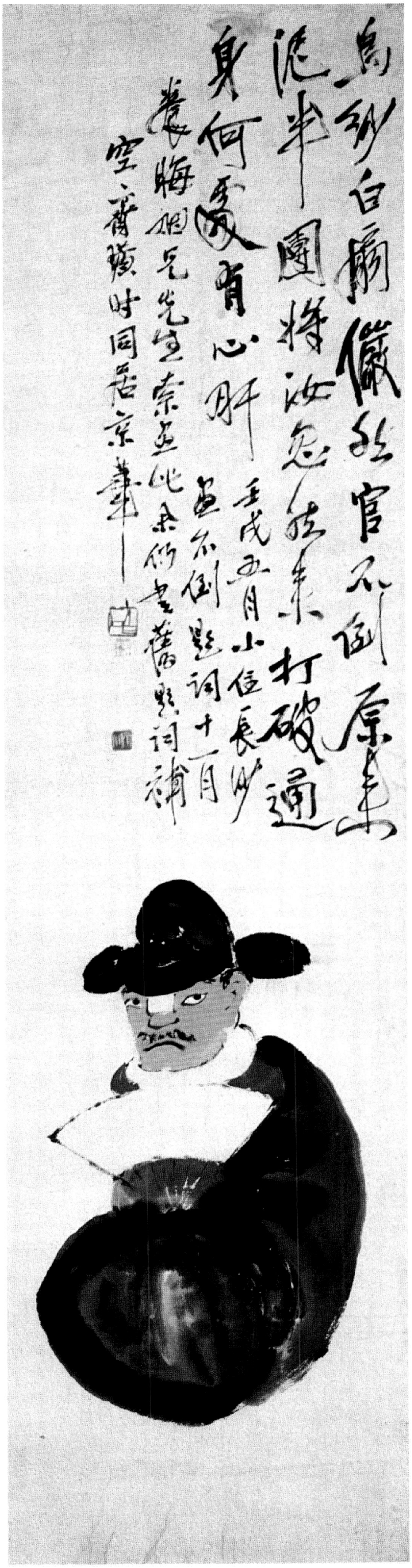
烏紗白扇儼然官
不倒原來泥半團
將汝忽然來打破
通身何處有心肝

一二二　牽牛花

一九二二年　縱一六二·五厘米　橫四三厘米

一二三　刺藤圖　一九二二年　縱一三五厘米　橫三四·五厘米

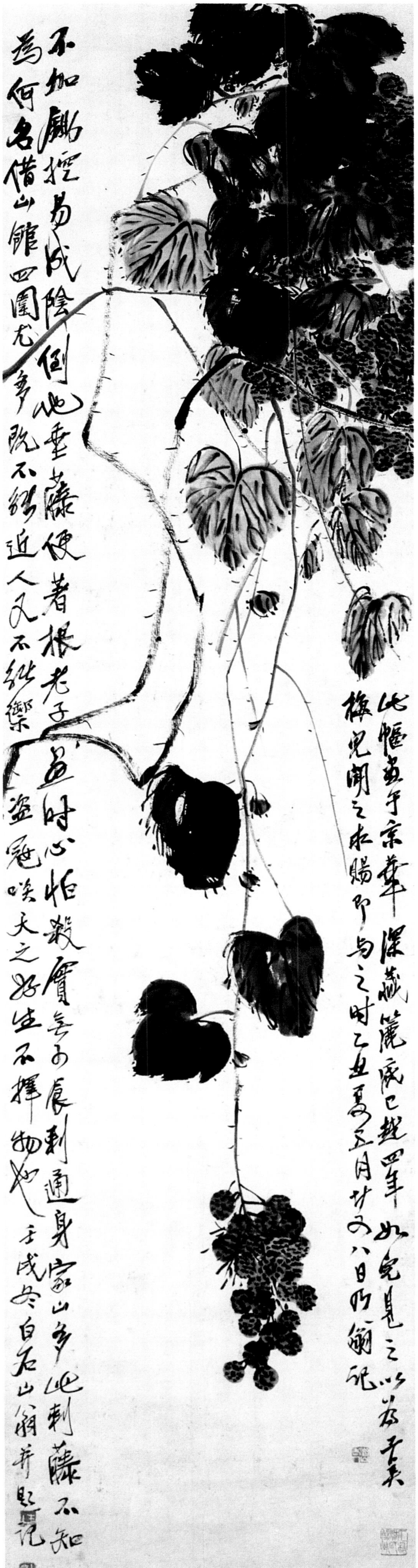

一二四　山水　約一九二二年　縱七六厘米　橫三三厘米

一二五　山水　約一九二二年　縱一四〇·九厘米　橫三九·三厘米

一二六　山水

約一九二二年　縱一四〇·五厘米　橫三九·三厘米

一二七 關公騎馬圖 約一九二一年——一九二二年 縱八一・五厘米 橫四六厘米

一二八　宋岳武穆像　約一九二二年——一九二三年　縱一六九厘米　横九五厘米

一二九　漢關壯繆像　約一九二一年——一九二二年　縱一六九厘米　橫九五厘米

一三〇 杏花

約一九二二年 縱一七五·七厘米 橫四七·二厘米

一三一　秋葉螞蚱　約一九二二年　縱二三厘米　橫二三厘米

一三二　葫蘆青蠅　約一九二二年　縱二〇厘米　橫二六厘米

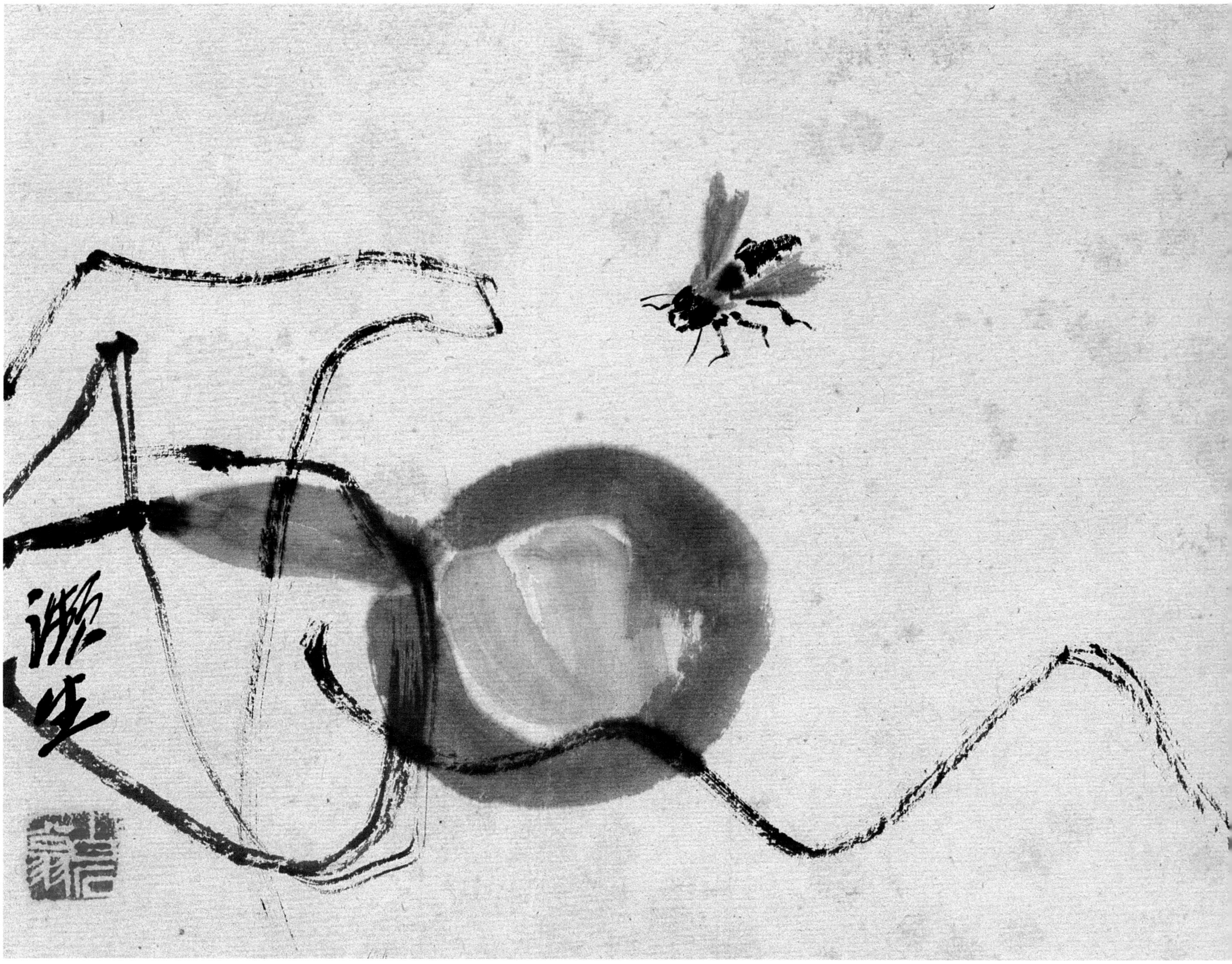

一三三　晚霞　約一九二二年　縱三一·五厘米　橫三四·五厘米

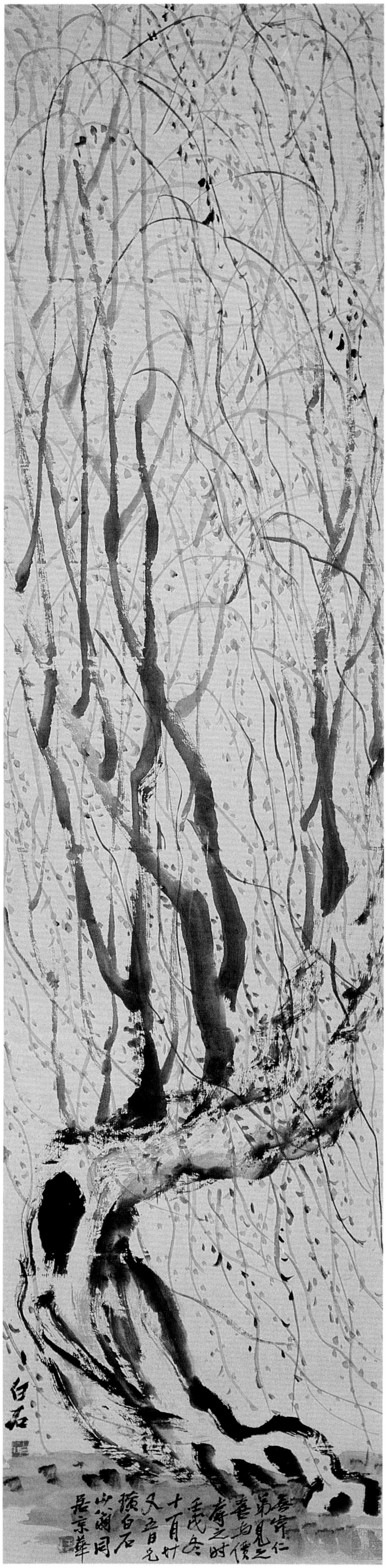
白石
壽之时
壬戌冬
十月廿
又三日兄
璜白石
山翁同
居京華

一三四　柳樹　一九二三年　縱一三八厘米　橫三四厘米

一三五　貝葉秋蟬圖　一九二三年　縱九〇厘米　橫三五·八厘米

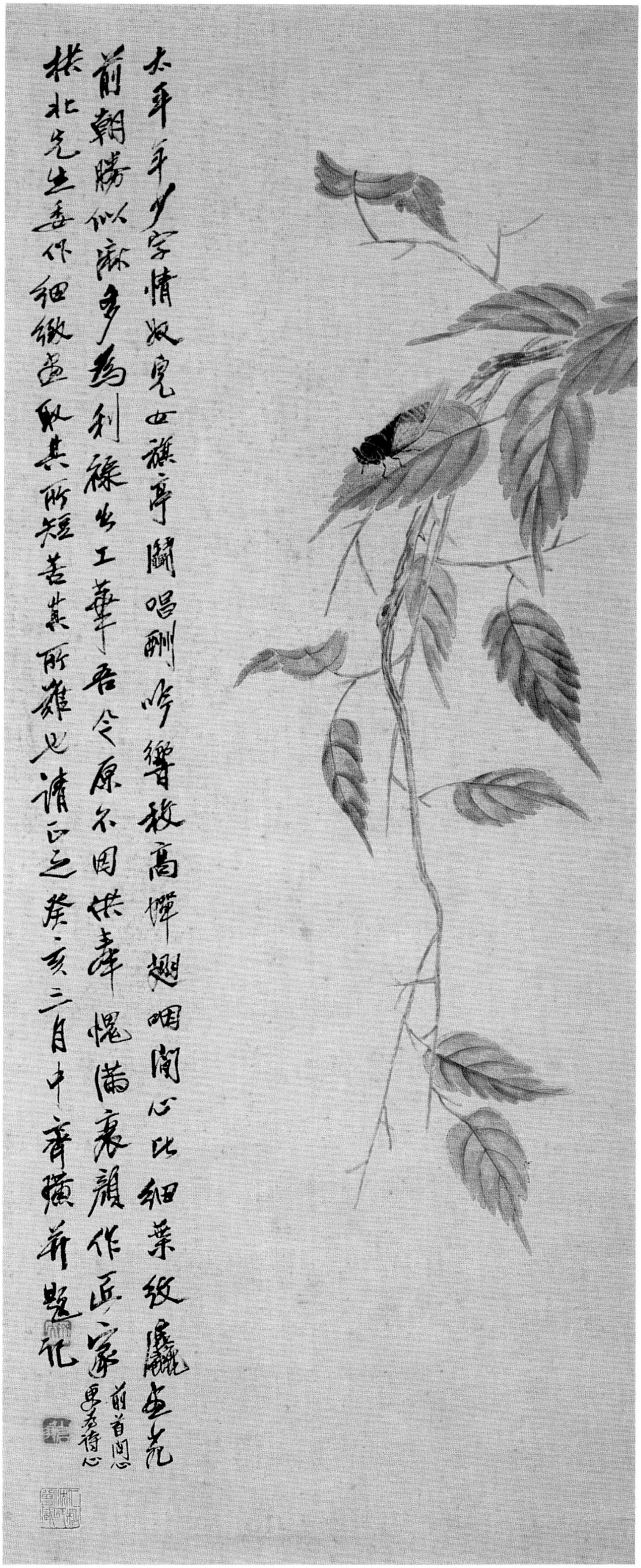

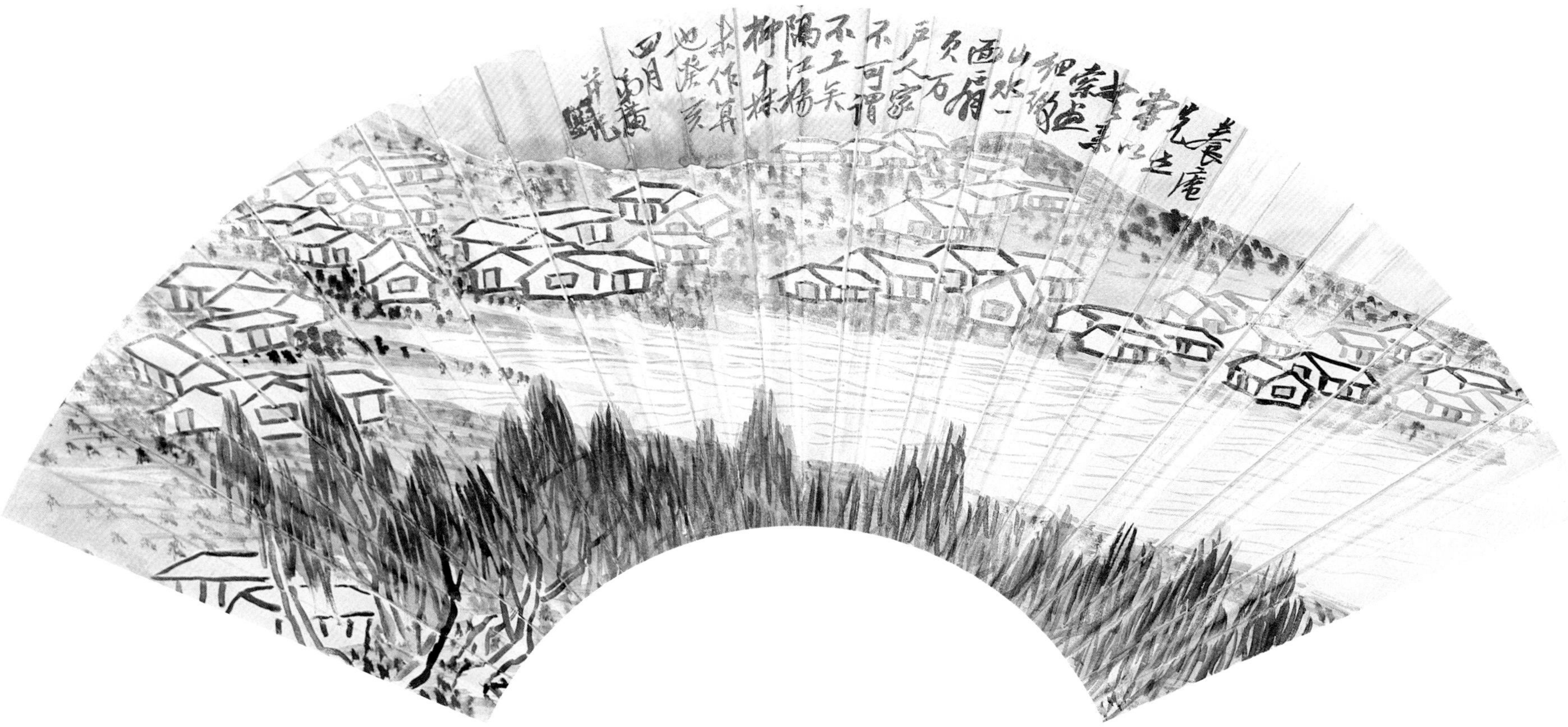

一三六　萬户人家（扇面）一九二三年　縱二三厘米　横六六厘米

一三七　栗樹　一九二三年　縱一三七·五厘米　橫三四厘米

一三八　花卉

一九二三年　縱八九厘米　橫四七厘米

一三九　秋荷圖　一九二三年　縱一七四厘米　橫七一厘米

一四〇　藤蘿　一九二三年　縱六六厘米　横九二厘米

一四一 菊石圖 一九二三年 縱二一九厘米 橫四五·五厘米

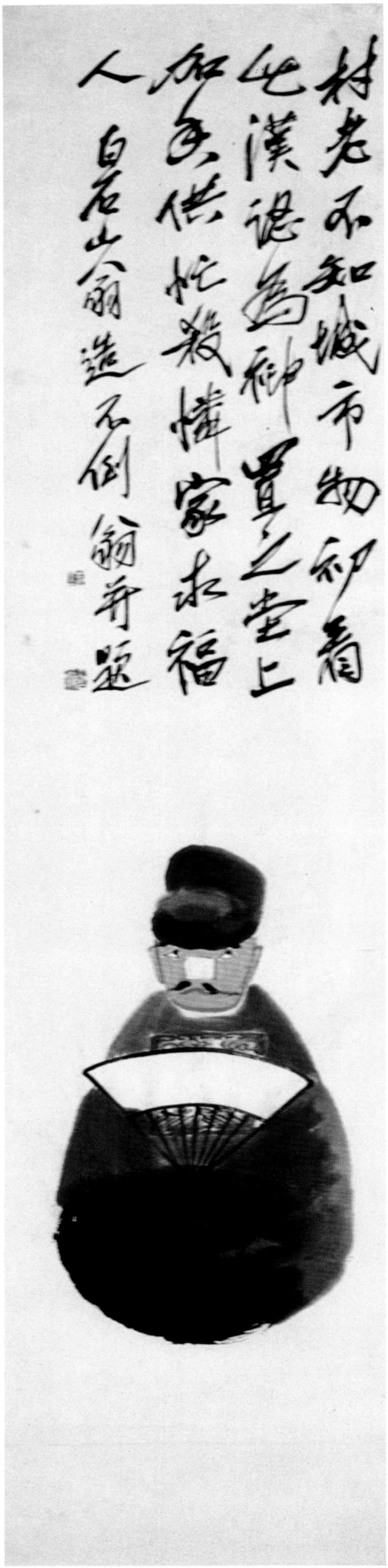

一四二　不倒翁　約二十年代初期　縱一三五厘米　橫三三·三厘米

一四三　懸崖小屋　約二十年代初期　縱一四〇厘米　橫四三厘米

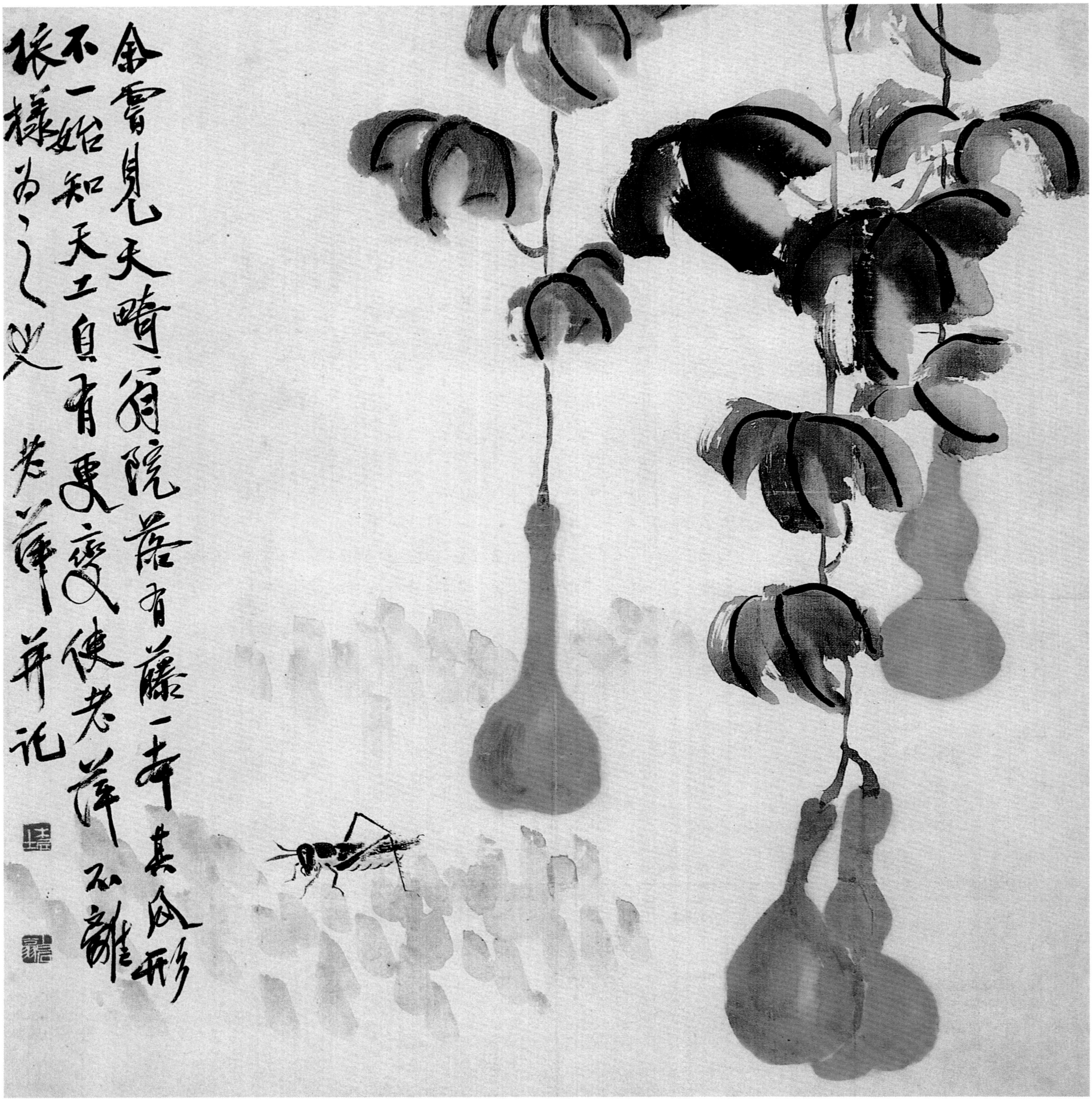

一四四　葫蘆蝗蟲　約二十年代初期　縱五七·五厘米　橫五六·五厘米

一四五　草・蟲　約二十年代初期　縱三〇厘米　橫三五厘米

一四六 鍾馗讀書圖

約二十年代初期 縱一三五厘米 橫三四·五厘米

一四七　蝴蝶雁來紅　約二十年代初期　縱九五·三厘米　橫三三厘米

一四八　南瓜　約二十年代初期　縱一四八厘米　橫四〇厘米

一四九　雀　約二十年代初期　縱一一五厘米　橫一五·五厘米

一五〇　枇杷　約二十年代初期　縱一三五厘米　橫三三厘米

一五一　棕樹公鷄　約二十年代初期　縱二三六·五厘米　橫五八厘米

一五二 水仙 約二十年代初期 縱一三五厘米 橫六四厘米

一五三　水草游蝦　約二十年代初期　縱一三五·四厘米　橫三三厘米

一五四 海棠 約二十年代初期 縱六五厘米 橫三三厘米

一五五　棕樹母鷄　約二十年代初期　縱一三七·二厘米　橫三五·五厘米

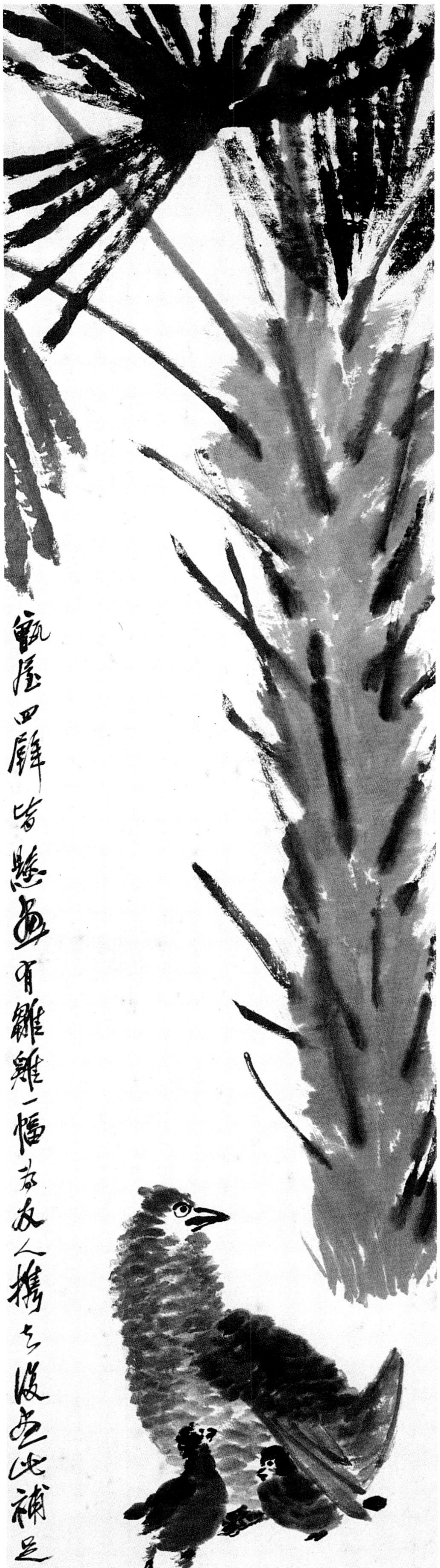

一五六　葡萄　約二十年代初期　縱一七九厘米　橫四六·四厘米

一五七　荷花　約二十年代初期　縱一〇四厘米　橫六六厘米

荷花瓣々大如船荷葉青々傘樣圓看畫中華
南北地民家無也好肥蓮
白石山民并題

一五八　荷花

約二十年代初期　縱一三〇厘米　橫三五厘米

一五九　荷花蓮蓬　約二十年代初期　縱一八二厘米　橫五六厘米

一六〇 荷花

約二十年代初期 縱九五厘米 横四六厘米

一六一　白菜　約二十年代初期　縱一三七·五厘米　橫三三·五厘米

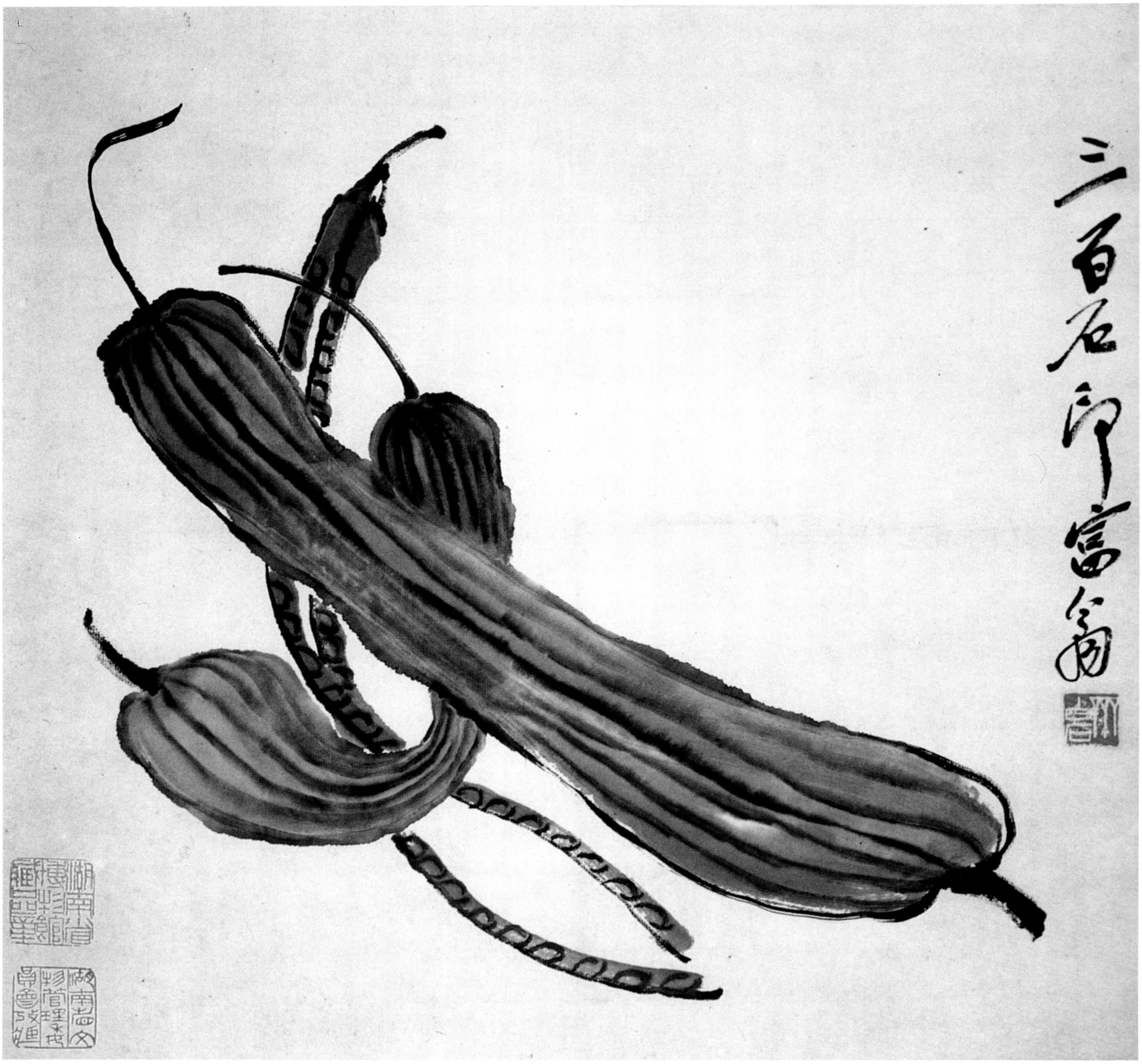

一六二　絲瓜 約二十年代初期　縱三九厘米　橫四二厘米

一六三　笋　約二十年代初期　縱三九厘米　橫四二厘米

一六四　白玉蘭

約二十年代初期　縱一三九厘米　横三四·五厘米

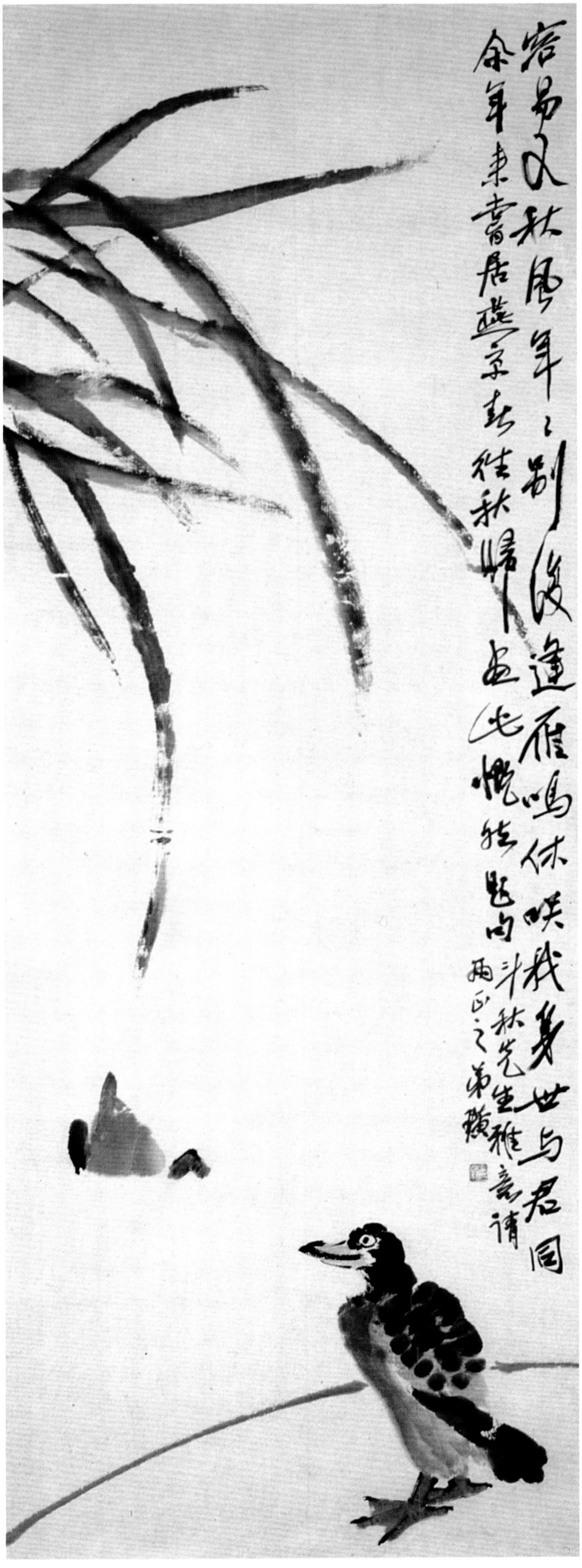

一六五　蘆雁　約二十年代初期　縱一三〇・五厘米　横四七厘米

一六六　荔枝天牛　約二十年代初期　縱六六·七厘米　橫一三·八厘米

一六七　風竹山鷄　約二十年代初期　縱一三二厘米　橫三二·五厘米

一六八　山水

約二十年代初期　縱九七厘米　橫四一厘米

一六九　山水

約二十年代初期　縱一七八厘米　橫四七厘米

一七〇 荷花鴛鴦圖 一九二四年 縱九三·四厘米 橫三三·七厘米

一七一　**蘭花**　約二十年代初期　縱一二〇厘米　橫四〇厘米

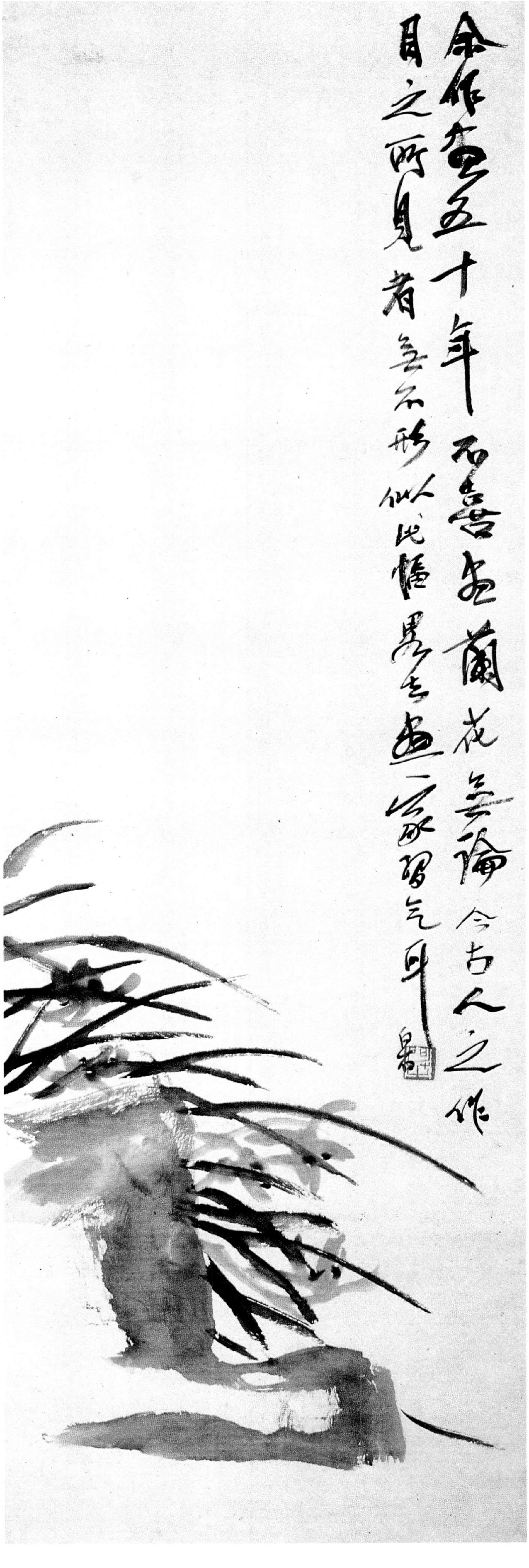

一七二　梅花蝴蝶（花鳥蟲魚册頁之一）　一九二四年　縱二二·五厘米　橫三三·五厘米

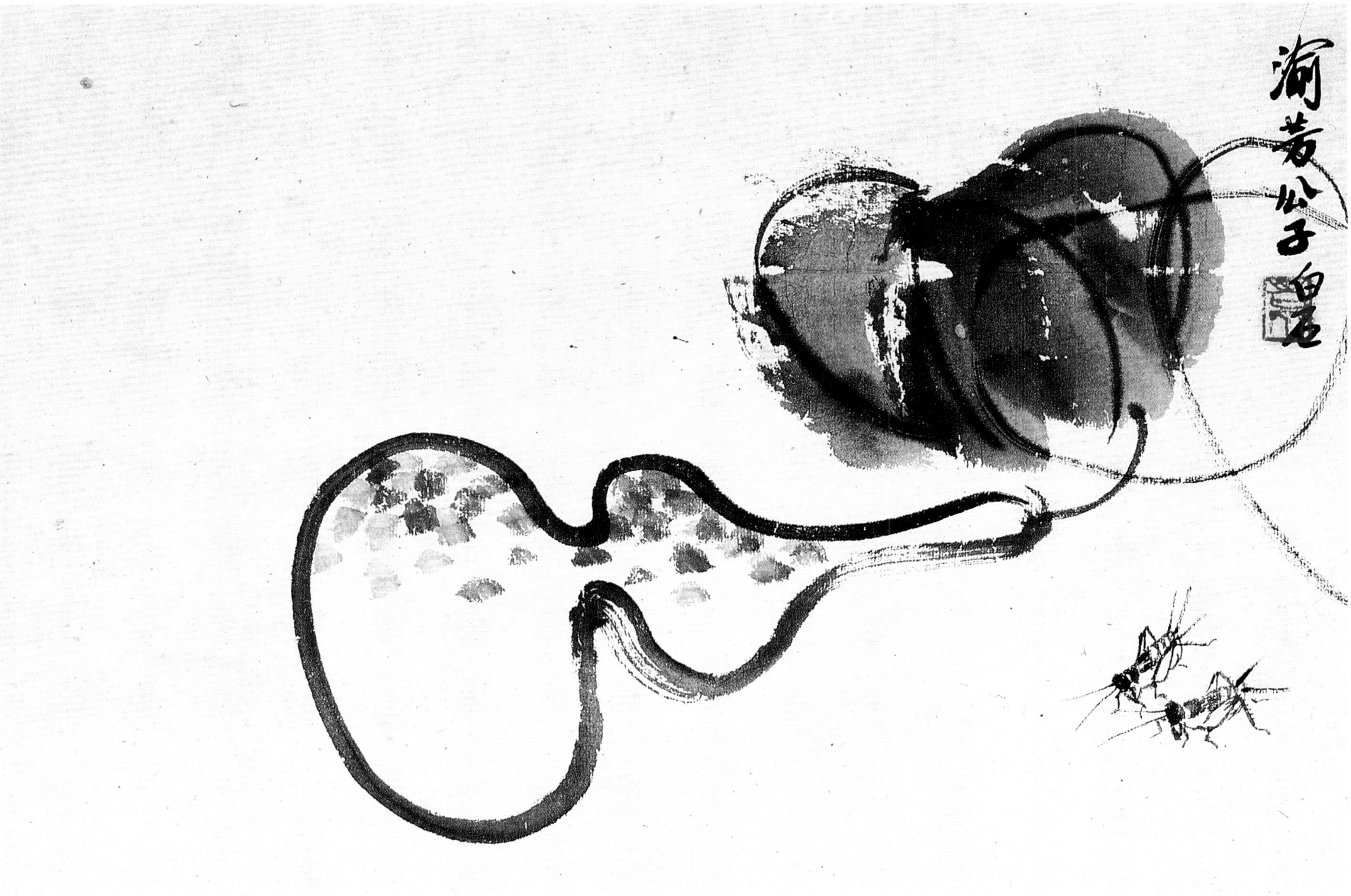

一七三　葫蘆蟋蟀（花鳥蟲魚册頁之二）一九二四年　縱二二·五厘米　橫三三·五厘米

一七四　群魚戲水（花鳥蟲魚册頁之三）一九二四年　縱二二·五厘米　橫三三·五厘米

一七五　桑葉蠶蟲（花鳥蟲魚册頁之四）一九二四年　縱二二·五厘米　横三三·五厘米

一七六　水草螃蟹（花鳥蟲魚册頁之五）一九二四年　縱二二·五厘米　横三三·五厘米

一七七　蝶花飛蜂（花鳥蟲魚册頁之六）一九二四年　縱二二·五厘米　橫三三·五厘米

一七八　竹林鷄雛（花鳥蟲魚册頁之七）一九二四年　縱二二·五厘米　横三三·五厘米

一七九　藤枝小鳥（花鳥蟲魚册頁之八）一九二四年　縱二二·五厘米　横三三·五厘米

一八〇　絲瓜蜜蜂（花鳥蟲魚册頁之九）一九二四年　縱二二·五厘米　横三三·五厘米

一八一　秋葉蝗蟲（花鳥蟲魚册頁之十）一九二四年　縱二二·五厘米　橫三三·五厘米

一八二　剪刀草游鴨（花鳥蟲魚册頁之十一）　一九二四年　縱二二·五厘米　橫三三·五厘米

一八三　蘆草游蝦（花鳥蟲魚册頁之十二）　一九二四年　縱二二·五厘米　橫三三·五厘米

逢人恥聽説荊關宗派
誇能却汗顔自有心胸
甲天下老夫看熟桂林
山　甲子春三月為
匯川先生畫并題
齊璜白石山翁

一八四　桂林山　一九二四年　縱八六・二厘米　横四三・一厘米

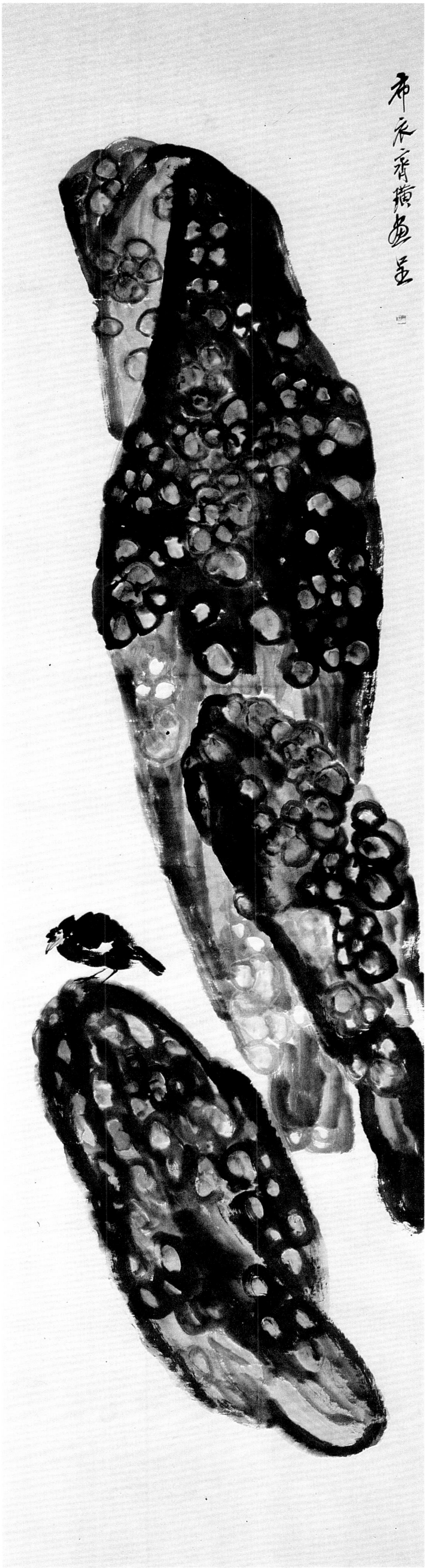

一八五　巨石鳥魚屏（四條屏之一）　一九二四年　縱二六二·五厘米　橫七〇·五厘米

一八六　巨石鳥魚屏（四條屏之二）　一九二四年　縱二六二·五厘米　橫七〇·五厘米

一八七　巨石鳥魚屏（四條屏之三）　一九二四年　縱二六二·五厘米　橫七〇·五厘米

一八八　巨石鳥魚屏（四條屏之四）　一九二四年　縱二六二·五厘米　橫七〇·五厘米

一八九　紫藤　一九二四年　縱一七七·五厘米　橫四八厘米

一九〇 佛手昆蟲

一九二四年 縱一一八厘米 橫六〇厘米

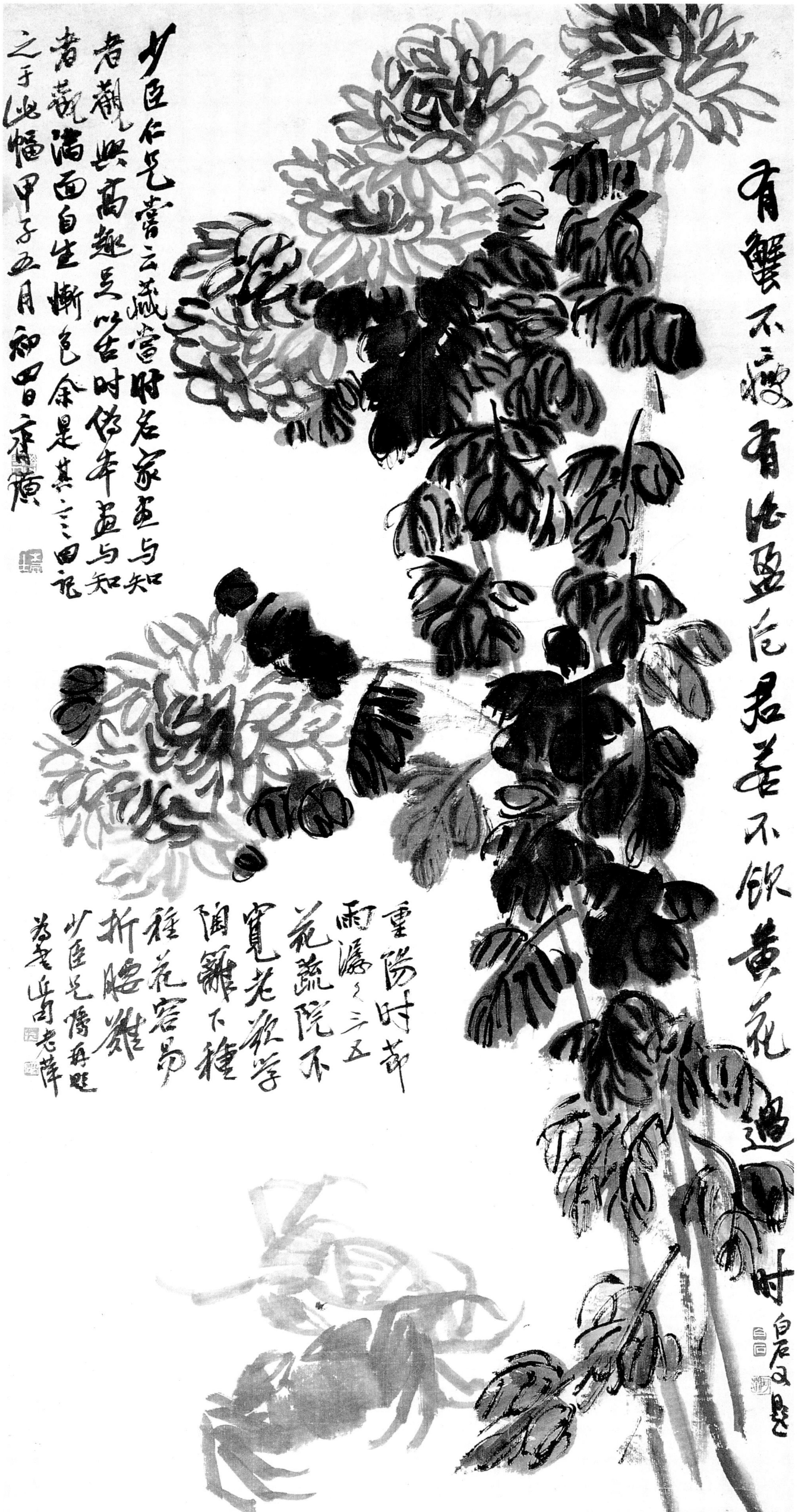

一九一　菊花螃蟹　一九二四年　縱九六・五厘米　橫四六・二厘米

一九二　延壽（花卉草蟲四條屏之一）　一九二四年　縱六〇厘米　橫三〇厘米

一九三　晚色猶佳（花卉草蟲四條屏之二）　一九二四年　縱六〇厘米　橫三〇厘米

一九四　居高聲遠（花卉草蟲四條屏之三）　一九二四年　縱六〇厘米　橫三〇厘米

一九五　色潔香清（花卉草蟲四條屏之四）　一九二四年　縱六〇厘米　橫三〇厘米

一九六　天牛（草蟲册頁之一）　一九二四年　縱一三厘米　橫一八·八厘米

一九七　蜜蜂（草蟲册頁之二）一九二四年　縱一三厘米　横一八·八厘米

一九八　青蛾（草蟲册頁之三）一九二四年　縱一三厘米　横一八·八厘米

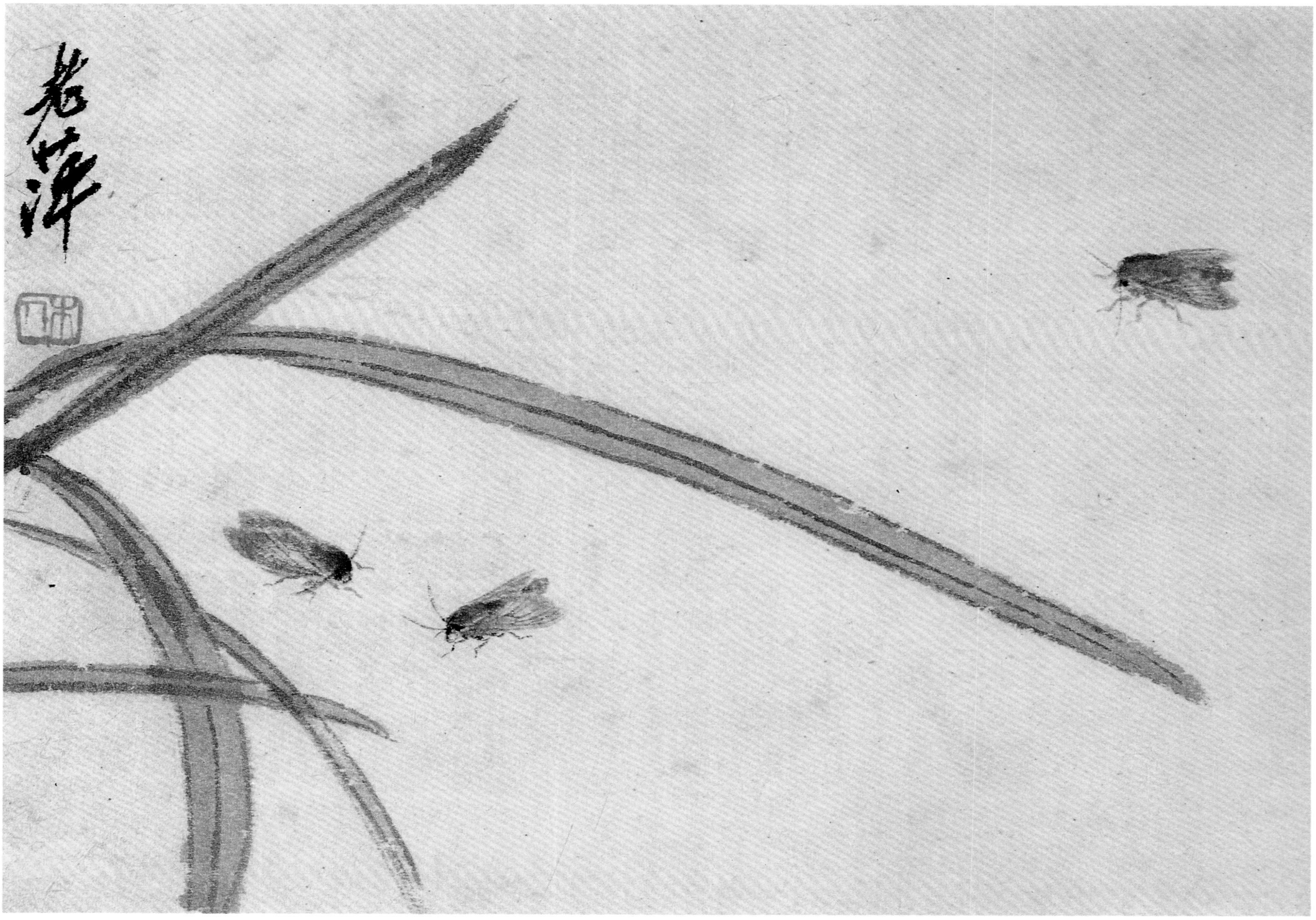

一九九　蟋蟀　（草蟲册頁之四）　一九二四年　縱一三厘米　横一八·八厘米

二〇〇　蝗蟲（草蟲册頁之五）一九二四年　縱一三厘米　橫一八·八厘米

二〇一　甲蟲（草蟲册頁之六）一九二四年　縱一三厘米　橫一八·八厘米

二〇二　天牛（草蟲册頁之七）一九二四年　縱一三厘米　橫一八·八厘米

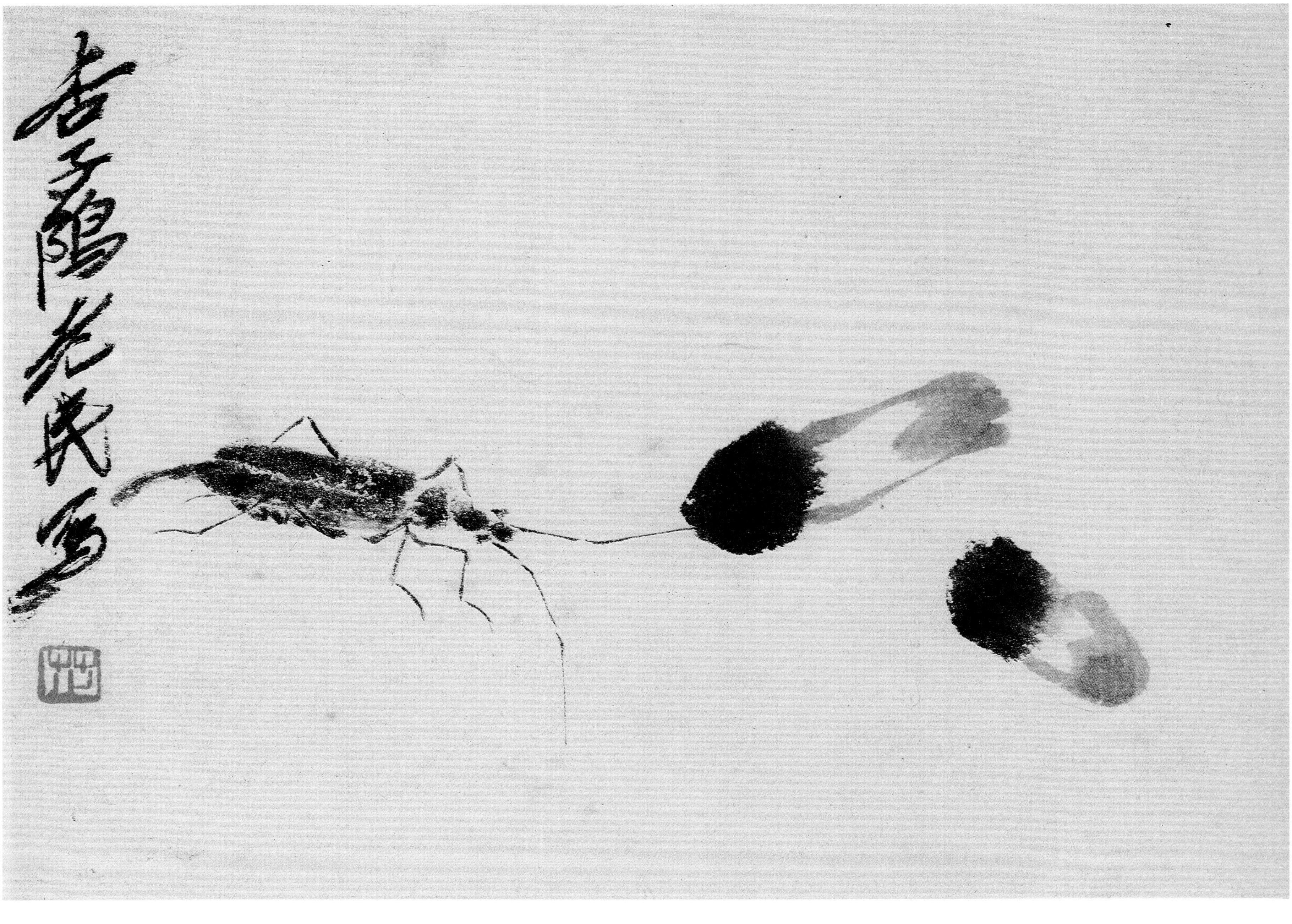

二〇三　蜂（草蟲册頁之八）一九二四年　縱一三厘米　橫一八·八厘米

二〇四　蝗蟲（草蟲册頁之九）　一九二四年　縱一三厘米　橫一八·八厘米

二〇五　甲蟲（草蟲册頁之十）　一九二四年　縱一三厘米　横一八·八厘米

二〇六　白蕉書屋

一九二四年　縱一三四厘米　橫三二·六厘米

二〇七　老少年　一九二四年　縱一二一·五厘米　橫三三·五厘米

二〇八　芋葉公鷄（花鳥四條屏之一）　一九二四年　縱一六五·五厘米　橫五八厘米

二〇九　梅花鷹石（花鳥四條屏之二）一九二四年　縱一六五·五厘米　橫五八厘米

二一〇　菊石八哥（花鳥四條屏之三）　一九二四年　縱一六五・五厘米　橫五八厘米

二一一　荷花鴛鴦（花鳥四條屏之四）　一九二四年　縱一六五·五厘米　橫五八厘米

二一二　桑葉蠶蟲（草蟲册頁之一）一九二四年　縱三三·五厘米　橫三四厘米

二一三　蝴蝶青蛾（草蟲册頁之二）一九二四年　縱三三·五厘米　横三四厘米

二一四　蘭花碧蛾（草蟲册頁之三）一九二四年　縱三三·五厘米　横三四厘米

二一五　秋葉蜻蜓（草蟲册頁之四）　一九二四年　縱三三·五厘米　橫三四厘米

二一六　叢草蚱蜢（草蟲册頁之五）一九二四年　縱三三·五厘米　横三四厘米

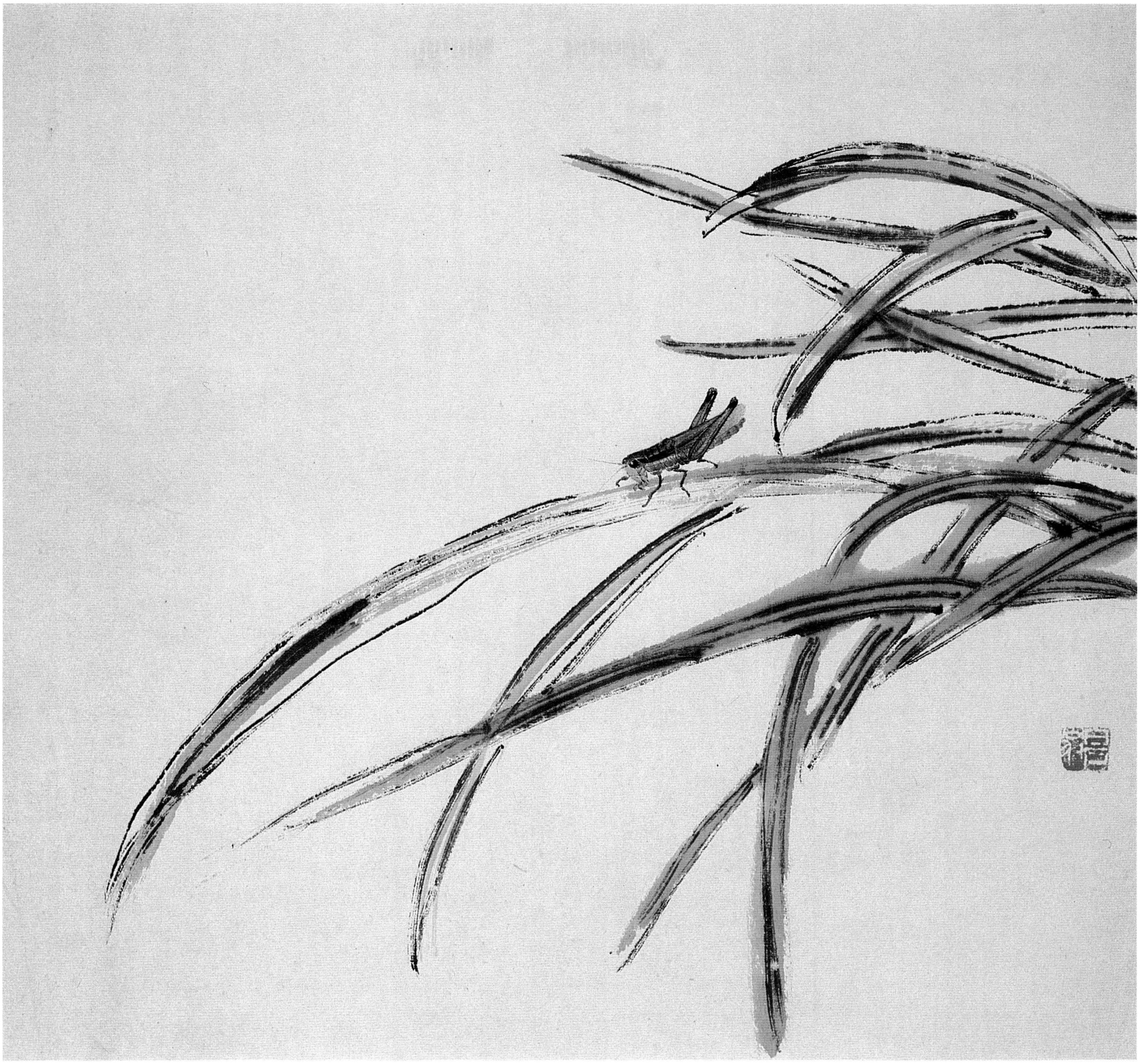

二一七　稻葉螞蚱（草蟲册頁之六）一九二四年　縱三三·五厘米　橫三四厘米

二一八　菊花螞蚱（草蟲册頁之七）一九二四年　縱三三·五厘米　橫三四厘米

二一九　芋頭蟋蟀（草蟲册頁之八）一九二四年　縱三三·五厘米　横三四厘米

二二〇　杏花蜂蟲（草蟲册頁之九）一九二四年　縱三三·五厘米　横三四厘米

二二一　葫蘆蠅蟲（草蟲册頁之十）一九二四年　縱三三·五厘米　橫三四厘米

二二二　菊花螳螂（草蟲册頁之十一）一九二四年　縱三三·五厘米　横三四厘米

二二三　皂莢秋蟬（草蟲册頁之十二）　一九二四年　縱三三·五厘米　横三四厘米

二二四　黃蜂（草蟲册頁之一）　一九二四年　縱一二·八厘米　橫一八·三厘米

二二五　蜜蜂　（草蟲册頁之二）　一九二四年　縱一二·八厘米　横一八·三厘米

二二六　秋蛾（草蟲册頁之三）一九二四年　縱一二·八厘米　横一八·三厘米

二二七　螞蚱（草蟲册頁之四）一九二四年　縱一二·八厘米　横一八·三厘米

二二八　蟈蟈（草蟲册頁之五）一九二四年　縱一二·八厘米　橫一八·五厘米

二二九　綠蛾（草蟲册頁之六）一九二四年　縱一二·八厘米　横一八·五厘米

二三〇　黄蛾（草蟲册頁之七）一九二四年　縱一二·八厘米　橫一八·五厘米

二三一　青蛾（草蟲册頁之八）一九二四年　縱一二·八厘米　橫一八·五厘米

茅簷矮々長葵齊雨打風搖損葉稀乾旱猶思晴暢
好傾心
應向日東西
白石山翁燈昏又題
齊白石居京師第八年畫

二三二　向日葵　一九二四年　縱一三六厘米　橫三四厘米

二三三 紫藤 一九二四年 縱一七二厘米 橫四六·五厘米

二三四　萬松山居圖　一九二四年　縱一四〇厘米　橫三四・五厘米

二三五　江上千帆圖　約一九二四年　縱一四〇厘米　橫五二・五厘米

二三六 山水

約一九二四年 縱六七厘米 橫三六厘米

二三七　垂藤雛鷄　約一九二四年　縱一二三厘米　橫三三厘米

二三八　多荔圖　一九二五年　縱一三六厘米　橫三四·五厘米

二三九　鱗橋烟柳圖　一九二五年　縱一〇一·五厘米　横三八·七厘米

二四〇　雨後山光圖　一九二五年　縱九八厘米　橫四九厘米

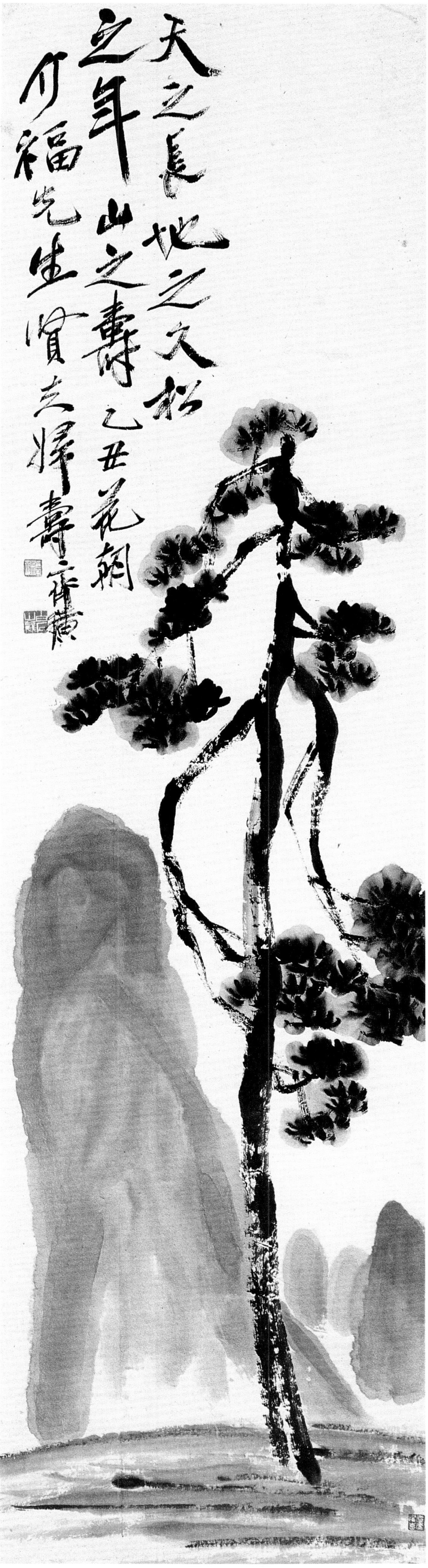

二四一　松樹青山　一九二五年　縱一四一・八厘米　橫三七・八厘米

二四二　螃蟹圖（扇面）一九二五年　縱二四厘米　橫五二厘米

二四三　蘭花（扇面）一九二五年　縱二四厘米　橫五二厘米

二四四　蘭石圖　一九二五年　縱一六六厘米　橫四一厘米

二四五　孤帆圖　一九二五年　縱一七八厘米　橫四七厘米

二四六 鳳仙花 一九二五年 縱七九厘米 橫四〇厘米

二四七　達摩像　一九二五年　縱一三八厘米　橫七七厘米

二四八　蘭石圖　一九二五年　縱一四八厘米　橫四〇厘米

二四九　老少清白圖　一九二五年　縱九七厘米　橫三三厘米

二五〇　松居圖（扇面）一九二五年　縱二一厘米　橫四八厘米

二五一　栗樹　一九二五年　縱一七六・八厘米　橫四七厘米

二五二　其奈魚何　一九二五年　縱一四二厘米　横四二厘米

二五三　蕉屋圖　一九二五年　縱一四〇厘米　橫四五厘米

二五四　棕樹小鷄　一九二五年　縱一四八厘米　横四〇厘米

二五五　松鷹　一九二五年　縱一二九·五厘米　橫六二·三厘米

二五六　老少年　一九二五年　縱一三五厘米　橫三四厘米

二五七　好山依屋圖　一九二五年　縱一二〇厘米　橫四二厘米

二五八　芭蕉書屋圖　約一九二五年　縱一三三·五厘米　橫六六厘米

二五九　緑天野屋圖　一九二五年　縱一四二厘米　横六七厘米

二六〇　荷塘水榭（山水十二條屏之一）　一九二五年　縱一九一厘米　橫五〇厘米

二六一　不倒翁　一九二五年　縱一三四·五厘米　橫三二厘米

二六二　茶花天牛（扇面）一九二六年　縱二二厘米　橫四八厘米

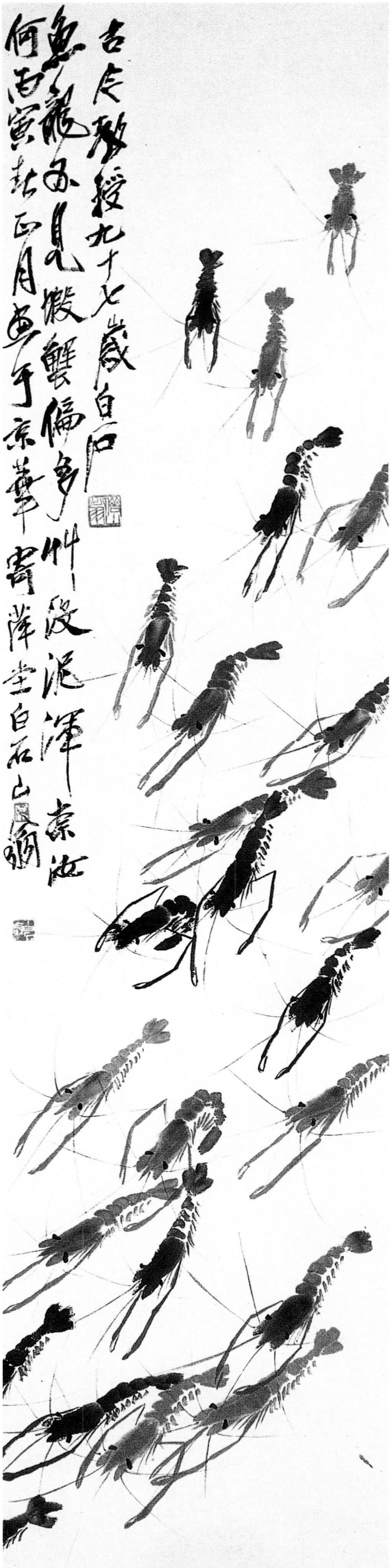

二六三　魚龍不見蝦蟹多　一九二六年　縱一三三厘米　橫三四厘米

二六四　蛙戲圖　一九二六年　縱三一·五厘米　橫二四·五厘米

二六五　梅蝶圖　一九二六年　縱六八·八厘米　橫四一·七厘米

二六六　西城三怪圖　一九二六年　縱六〇·九厘米　橫四五·一厘米

二六七　臨沈周岱廟圖　一九二六年　縱八六·六厘米　橫二六·三厘米

二六八　松山畫屋圖　一九二六年　縱三五厘米　橫二九·五厘米

二六九　大富貴亦壽考　一九二六年　縱一六二·五厘米　横七四·五厘米

二七〇　芋魁圖　一九二六年　縱一三三・五厘米　橫三三厘米

二七一　不倒翁　一九二六年　縱一二八厘米　横三三厘米

烏紗白扇儼然官不倒原來泥半團
將汝忽然來打破通身何處有心肝
白石山翁題并畫
齊璜居京華第十年也

一日晴波山万重柳条難繫故人篷勸君
莫到無邊岸也恐回頭是此風
宋若夫人清正齊璜白石山翁畫并題

二七二　晴波揚帆　約二十年代中期　縱一三五・五厘米　橫三三厘米

二七三　風柳圖　約二十年代中期　縱一四八厘米　橫六〇厘米

二七四　天竹　約二十年代中期　縱一〇二厘米　橫五〇厘米

二七五　芋葉游蝦　約二十年代中期　縱一二六厘米　橫三三厘米

二七六　山水（四條屏之一）　約二十年代中期　縱一七八厘米　横四七厘米

二七七　山水（四條屏之二）　約二十年代中期　縱一七八厘米　橫四七厘米

二七八　山水

（四條屏之三）　約二十年代中期　縱一七八厘米　橫四七厘米

二七九　山水（四條屏之四）約二十年代中期　縱一七八厘米　橫四七厘米

二八〇　羅漢（册頁之一）約二十年代中期　縱二七·五厘米　横三一厘米

二八一　羅漢（册頁之二）約二十年代中期　縱二七·五厘米　橫三一厘米

二八二　羅漢（册頁之三）約二十年代中期　縱二七·五厘米　横三一厘米

二八三　羅漢（册頁之四）約二十年代中期　縱二七·五厘米　横三一厘米

二八四　拈花佛　約二十年代中期　縱六四厘米　横三二·四厘米

二八五 佛 約二十年代中期 縱一二五厘米 橫五二厘米

松竹梅為天下人謂為三友此幅乃白石山翁之友也 白石製並記

二八六　三友圖　約二十年代中期　縱一四〇厘米　横三五·五厘米

二八七　山茶花　約二十年代中期　縱七六厘米　橫四七厘米

二八八　蘆蟹雛鷄　約二十年代中期　縱一三六・五厘米　橫三三厘米

二八九　釣蝦　約二十年代中期　縱一〇九・五厘米　橫三三厘米

二九〇　南瓜　約二十年代中期　縱一三三・四厘米　橫三一・八厘米

二九一　荷花螃蟹　約二十年代中期　縱一七六・六厘米　橫四六・六厘米

二九二　荷花
約二十年代中期　縱九三厘米　橫四一厘米

二九三　月季　約二十年代中期　縱一四一・七厘米　橫三五・八厘米

二九四　竹
約二十年代中期　縱一二〇厘米　橫五〇厘米

二九五　鵪鶉稻穗　約二十年代中期　縱五六·五厘米　橫一七·八厘米

二九六　荔枝　約二十年代中期　縱一五七厘米　橫三六厘米

二九七　蘆雁圖　約二十年代中期　縱一七一・八厘米　橫四六・二厘米

二九八　葫蘆雙鳥　約二十年代中期　縱一三七厘米　橫三三厘米

二九九　梅花　約二十年代中期　縱一三〇・九厘米　横四四・六厘米

三〇〇 鐵拐李 一九二七年 縱一〇五·五厘米 橫三二·五厘米

三〇一　鐵拐李　一九二七年　縱一三七厘米　橫三七·五厘米

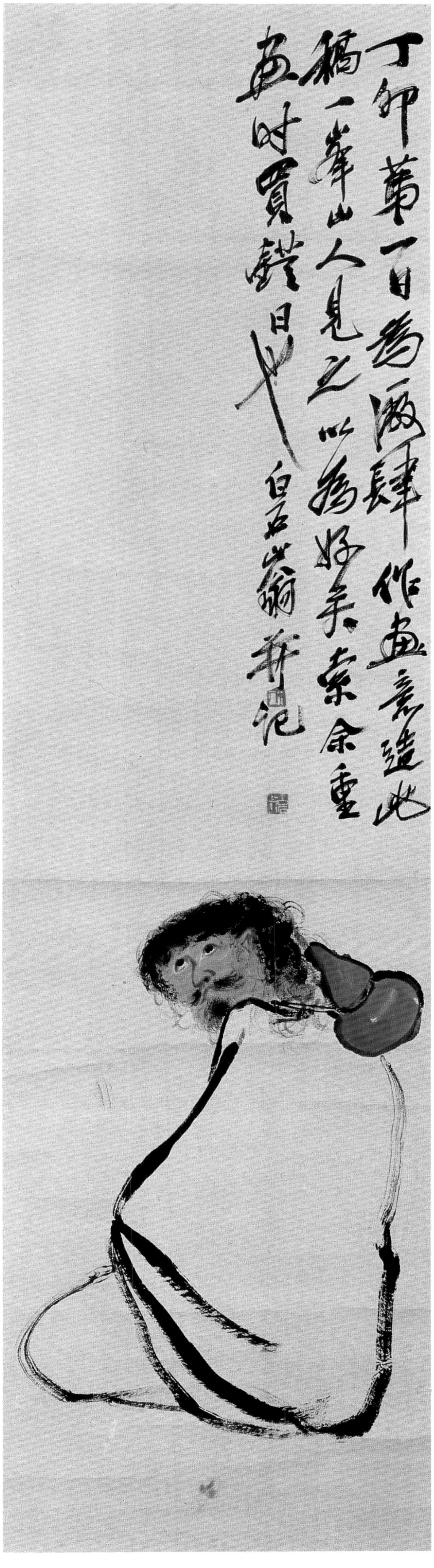

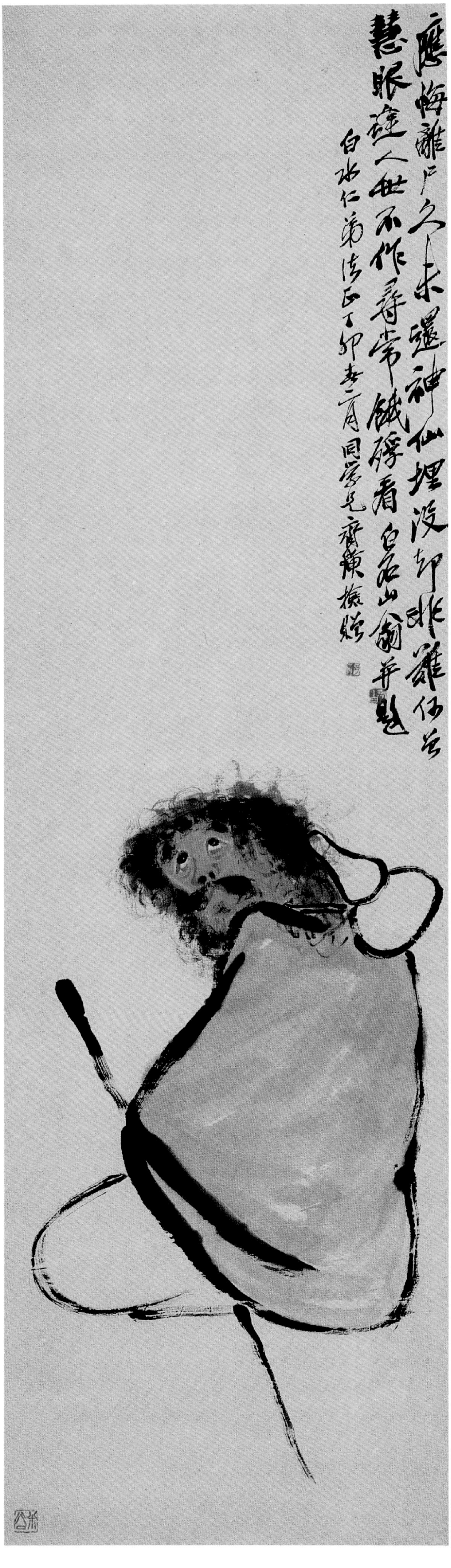

三〇二　鐵拐李　一九二七年　縱一三〇厘米　橫三六厘米

三〇三　蒼松圖　一九二七年　縱一三六厘米　橫三三·五厘米

三〇四　竹霞洞（自臨借山圖册之四）一九二七年　縱二五·五厘米　橫二〇厘米

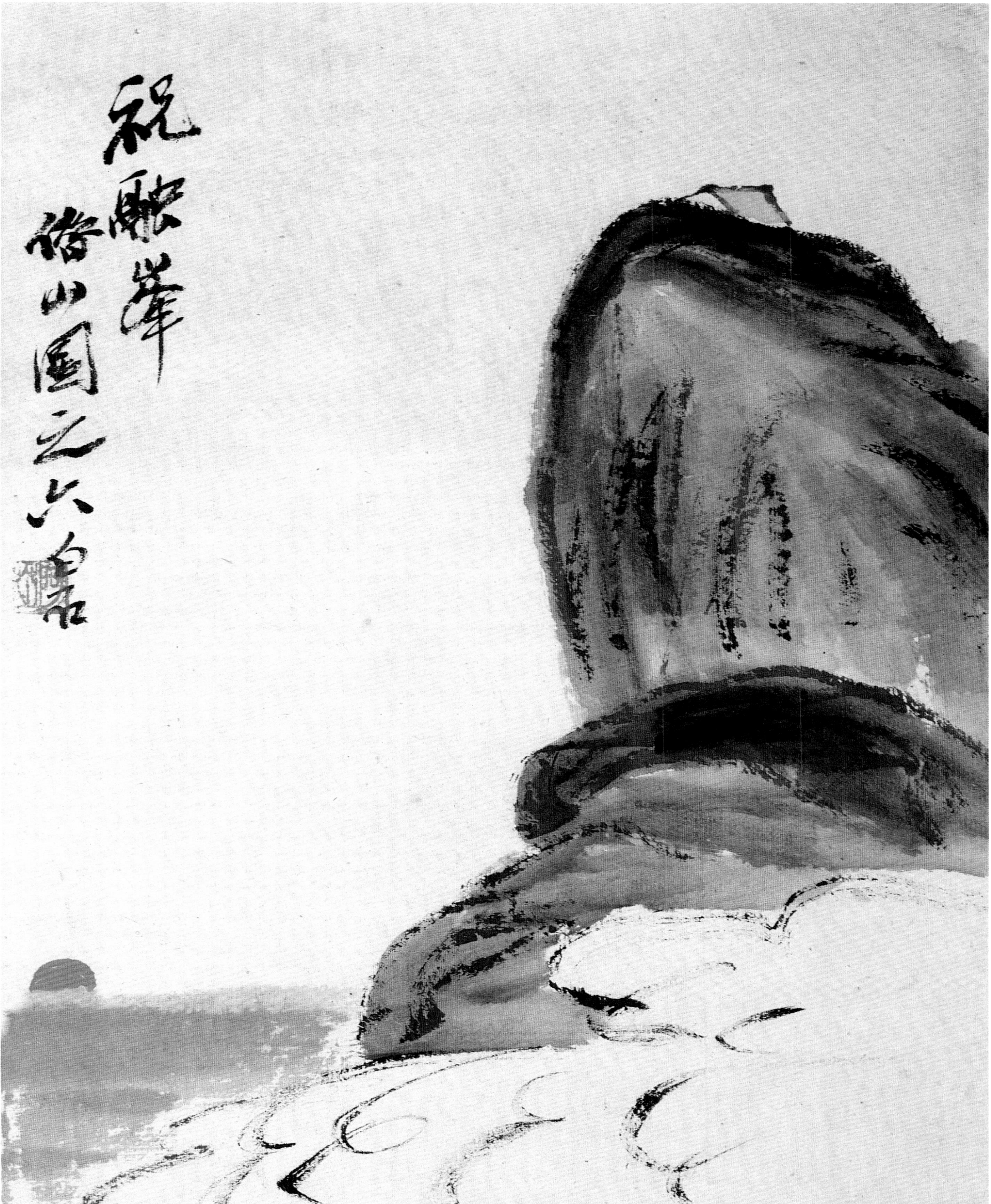

三〇五　祝融峰（自臨借山圖册之六）一九二七年　縱二五·五厘米　橫二〇厘米

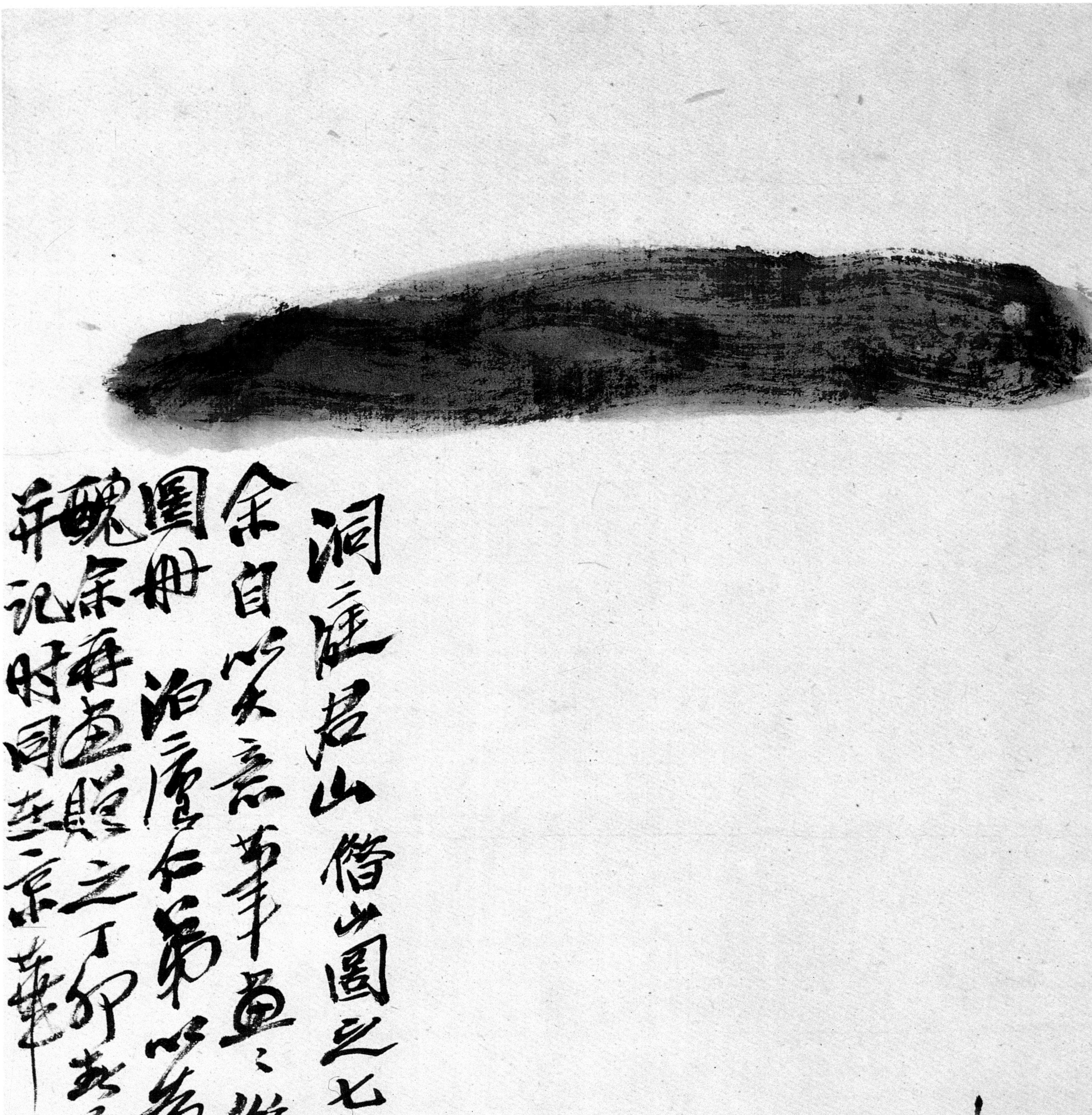

三〇六　洞庭君山（自臨借山圖冊之七）一九二七年　縱二五·五厘米　橫二〇厘米

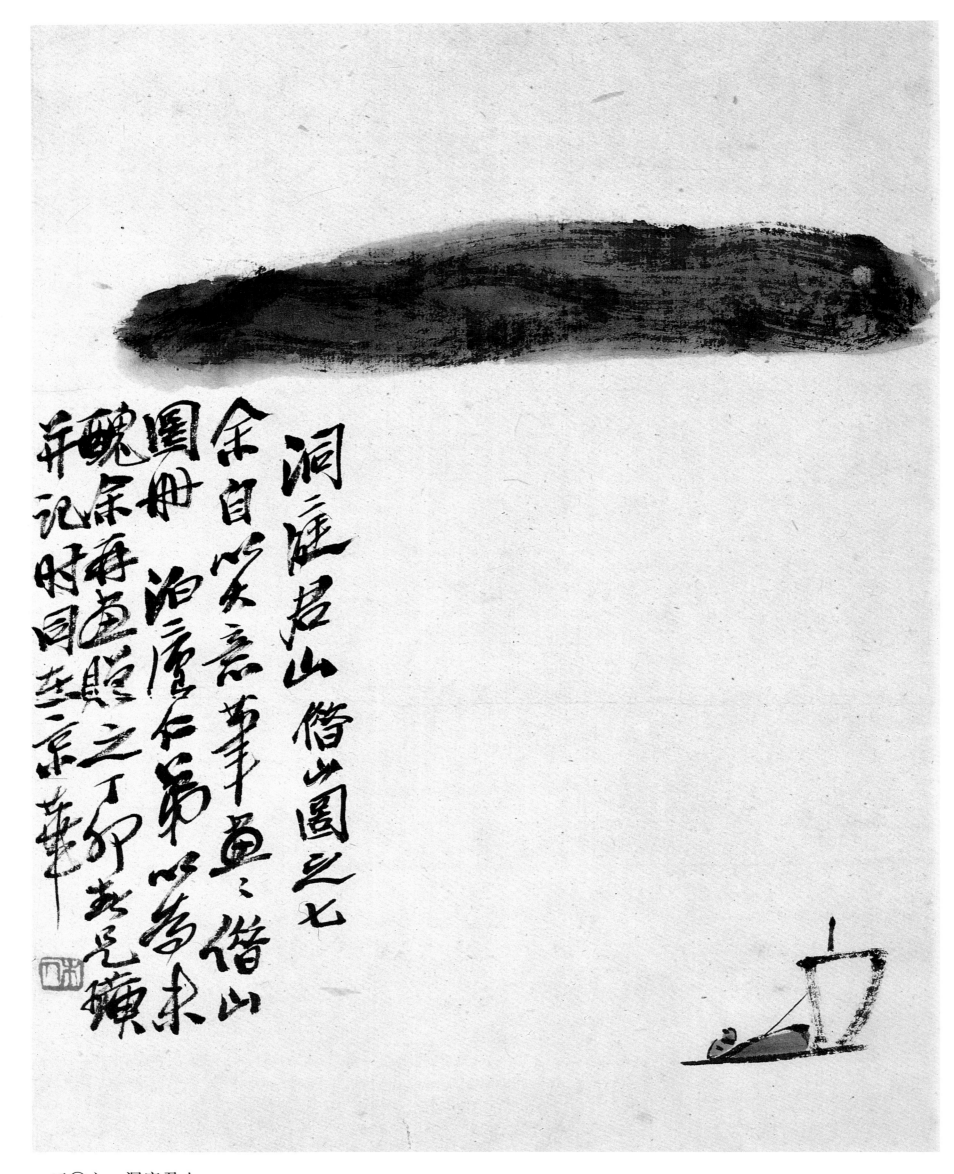

三〇七　華岳三峯（自臨借山圖册之九）　一九二七年　縱二五·五厘米　橫二〇厘米

三〇八　雁塔坡（自臨借山圖册之十一）一九二七年　縱二五·五厘米　横二〇厘米

三〇九　柳園口（自臨借山圖册之十二）一九二七年　縱二五·五厘米　横二〇厘米

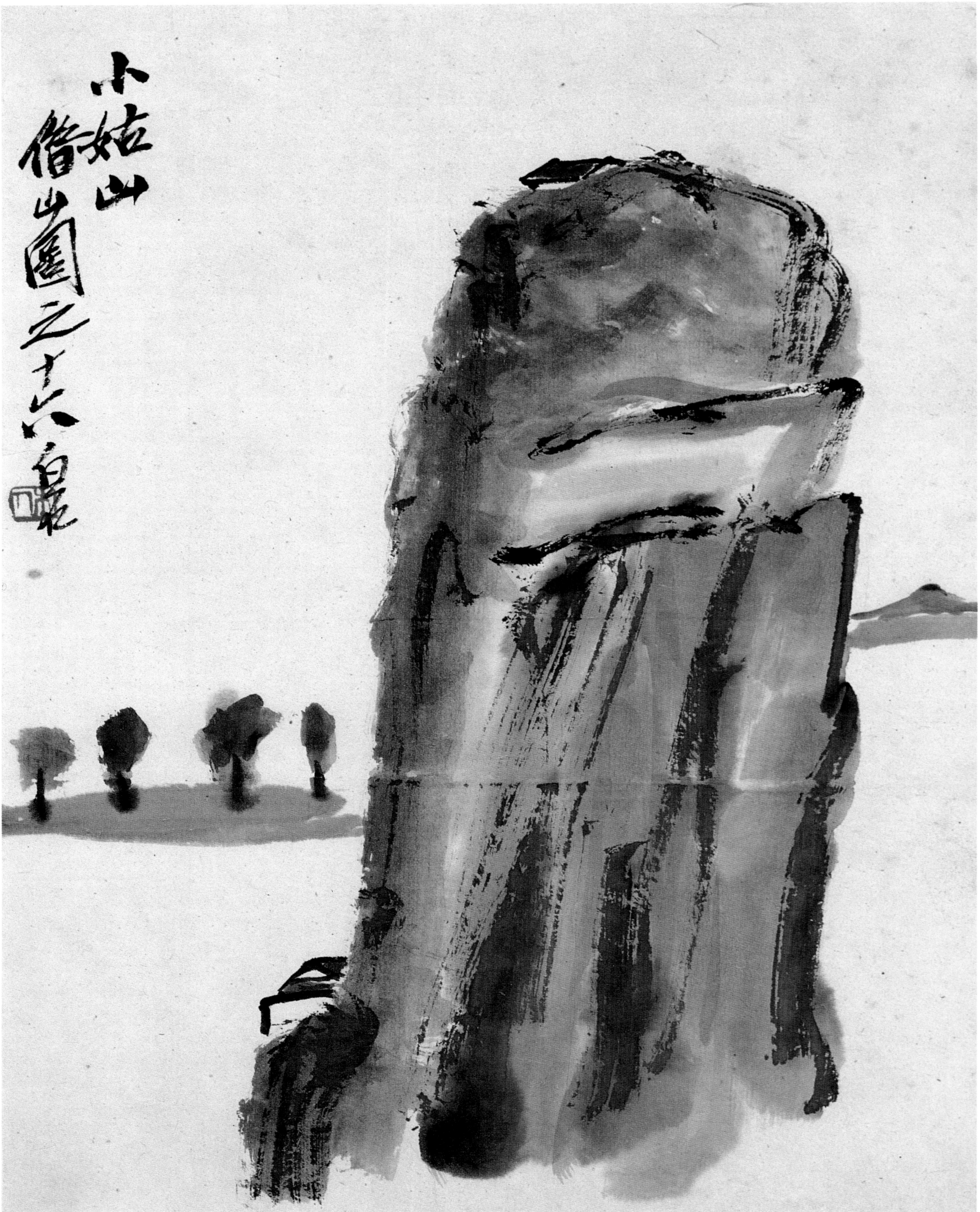

三一〇　小姑山（自臨借山圖册之十六）一九二七年　縱二五·五厘米　横二〇厘米

三一一　獨秀山（自臨借山圖册之十八）一九二七年　縱二五·五厘米　橫二〇厘米

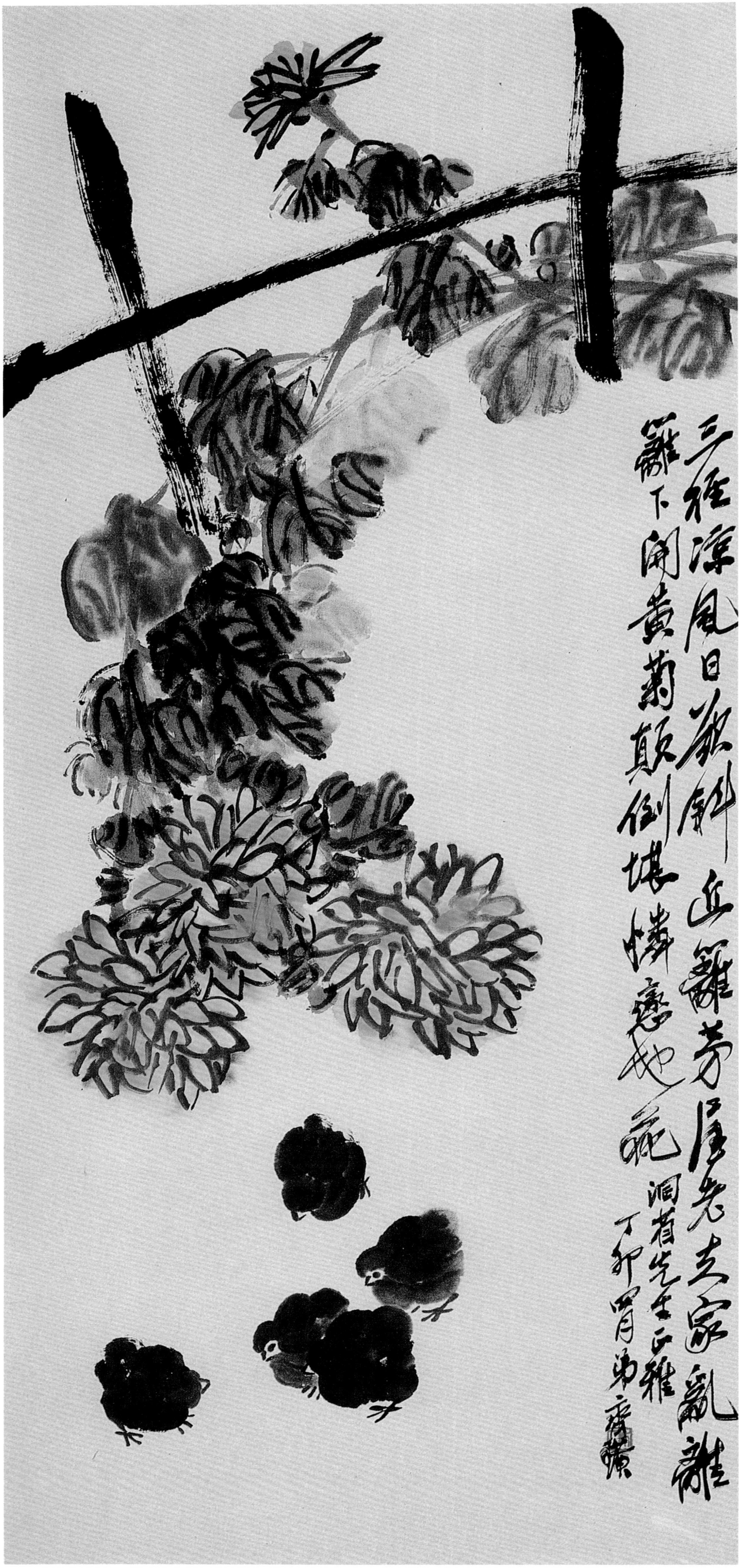

三一二　菊花雛鷄　一九二七年　縱一〇八厘米　横五〇厘米

三一三　八哥　一九二七年　縱六八厘米　橫三二厘米

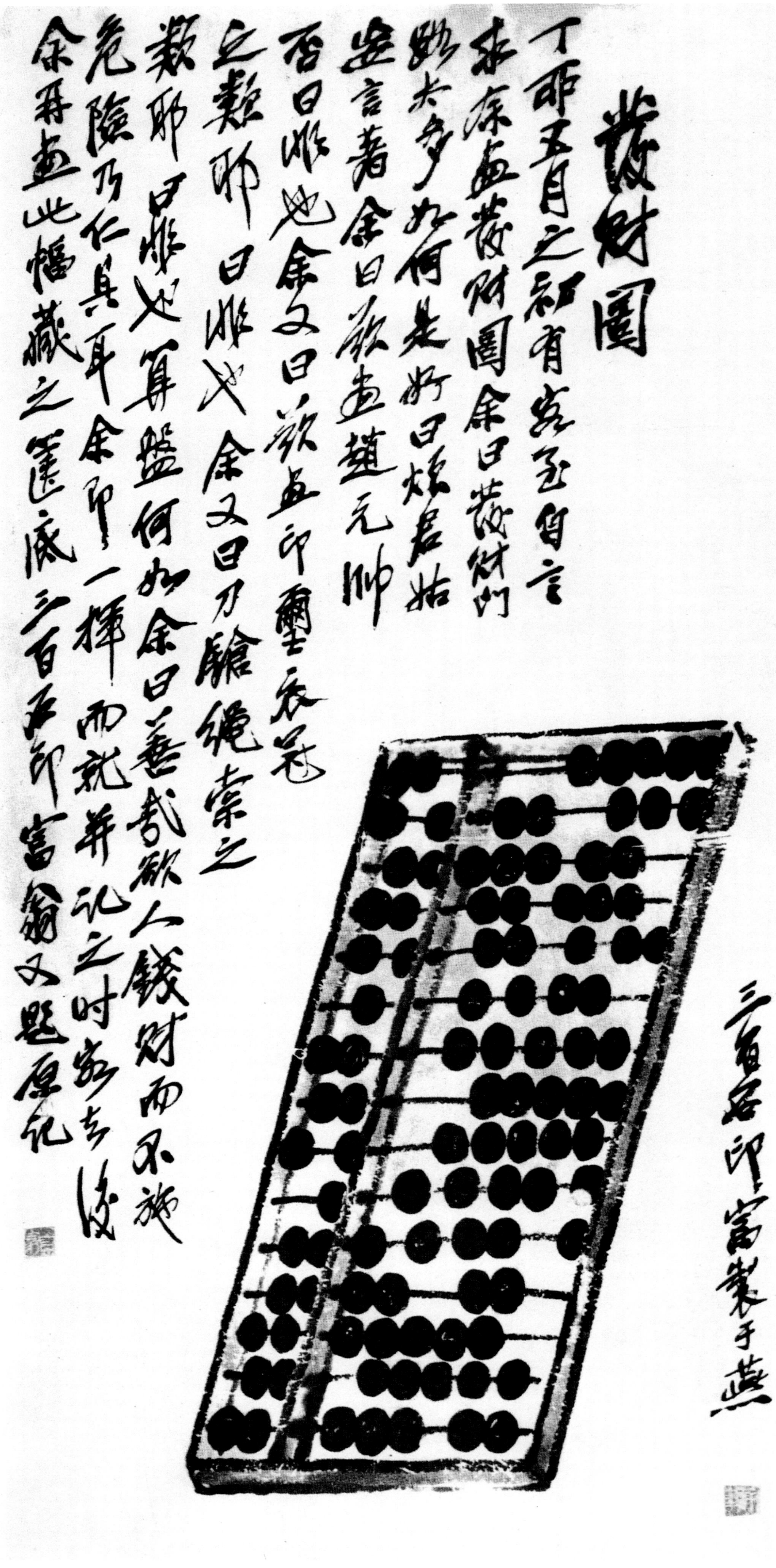
發財圖
丁卯五月之初有客至自言
求余畫發財圖余曰發財門
路太多如何是好曰煩君姑
妄言着余曰欲畫趙元帥
否曰非也余又曰欲畫印璽衣冠
之類耶曰非也余又曰刀槍繩索之
類耶曰非也算盤何如余曰善哉欲人錢財而不施
危險乃仁具耳余即一揮而就并記之時客去後
余再畫此幅藏之篋底三百石印富翁又題原記
三百石印富翁製于燕

三一四

發財圖　一九二七年　縱一一五厘米　橫五二厘米

三一五　寄斯庵製竹圖　一九二七年　縱四九厘米　橫三〇厘米

三一六 風竹圖 一九二七年 縱一五五厘米 橫四三·七厘米

三一七　秋蟬（扇面）一九二七年　縱二一厘米　橫四八厘米

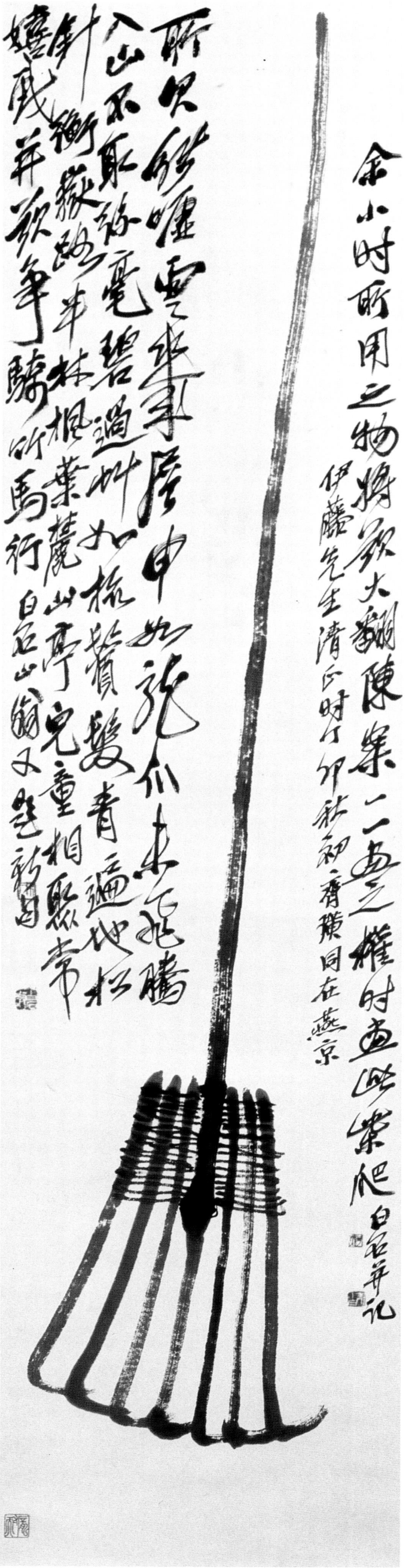

三一八 柴筢 一九二七年 縱一三四厘米 橫三三·六厘米

三一九　柴筢　一九二七年　縱一三三·五厘米　横三四厘米

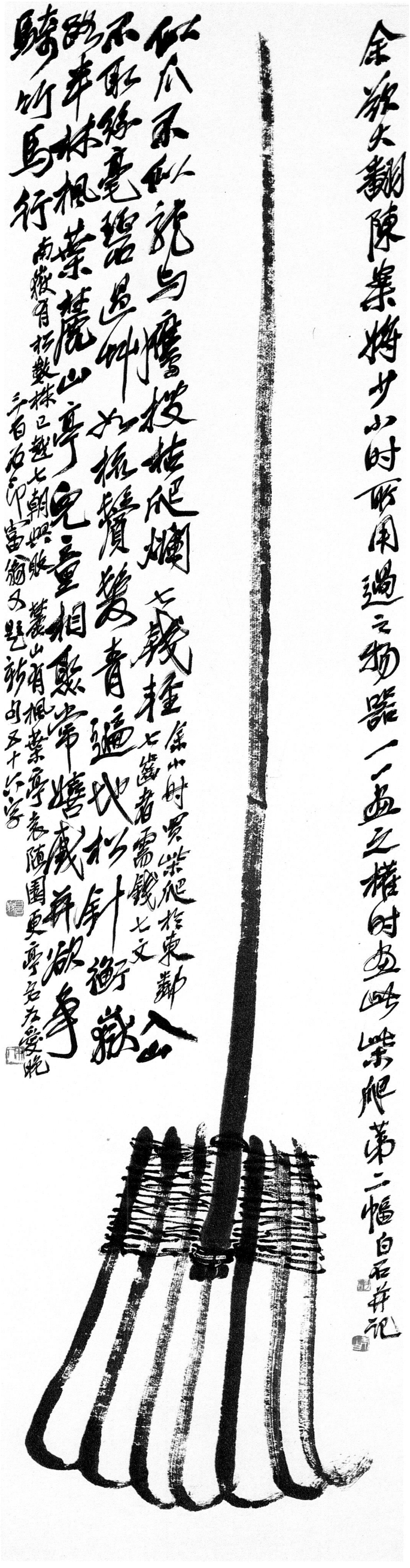

三二〇　群蝦圖　一九二七年　縱一三四厘米　橫三四厘米

三二一　紫藤八哥　一九二七年　縱一三六·五厘米　橫三三·五厘米

三二二　齊以德像　一九二七年　縱五二·五厘米　橫四二·二厘米

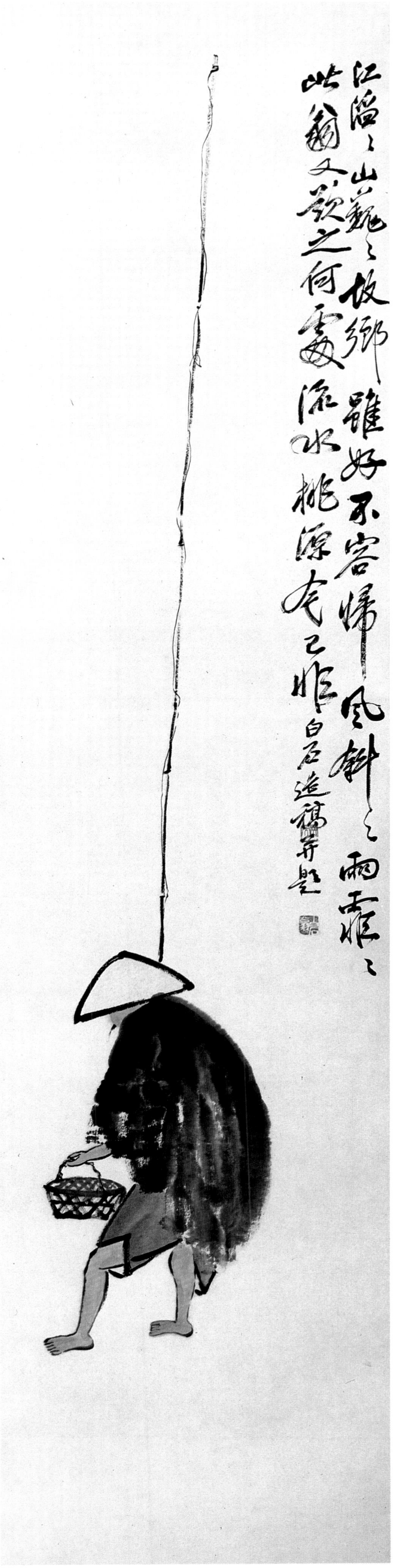

三二一三 漁翁 約一九二七年 縱一三七厘米 横三三·六厘米

三二四　紅柿　約一九二七年　縱二八厘米　橫四五厘米

三二五　天竹　約一九二七年　縱二八厘米　橫四五厘米

三二六　菊花　約一九二七年　縱二八厘米　橫四六厘米

三二七　蝴蝶蘭　約一九二七年　縱二五厘米　橫二三厘米

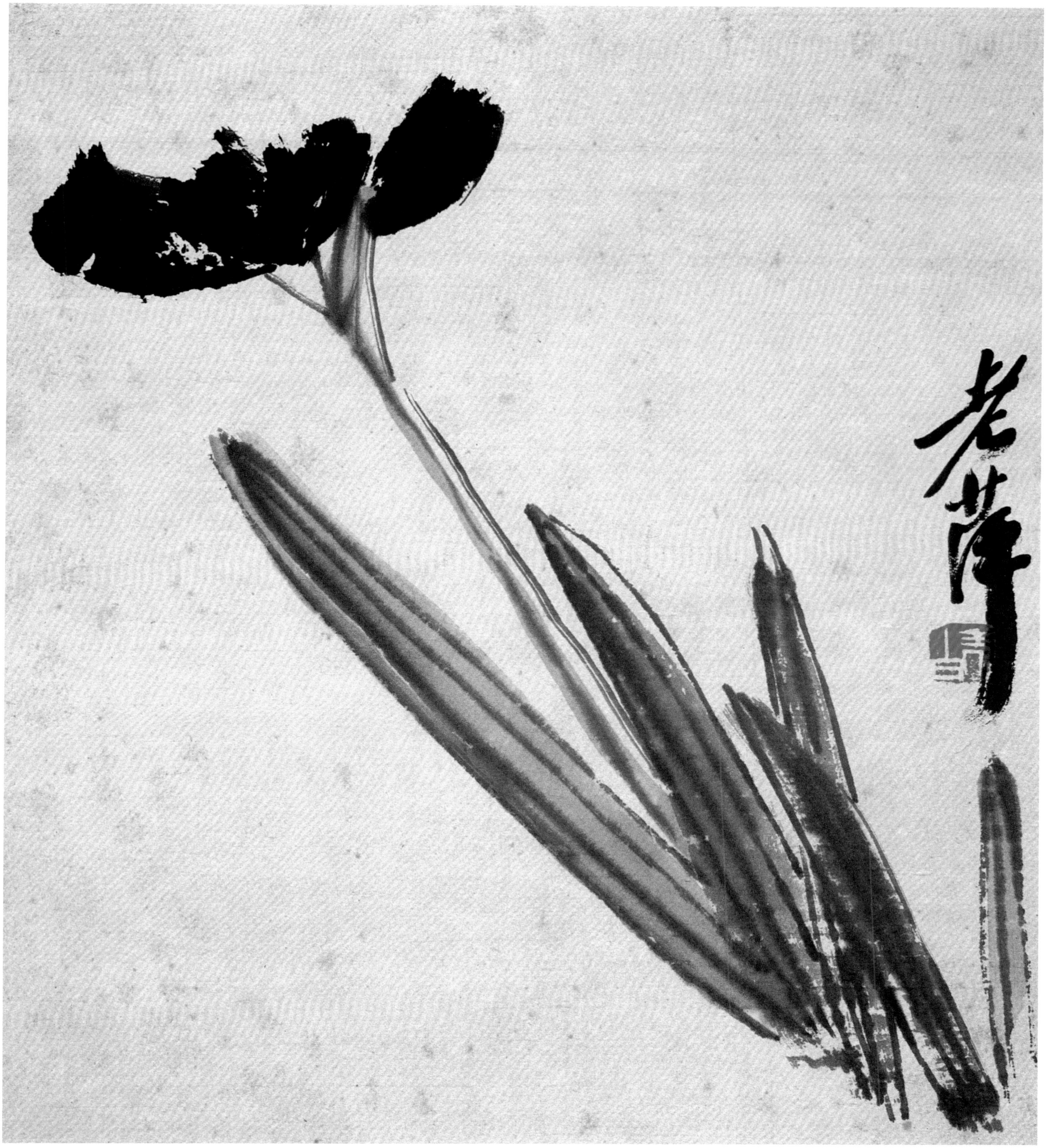

三二八 搔背圖

約一九二七年 縱一三三·五厘米 橫三三厘米

著録・注釋

繪畫

1919—1927

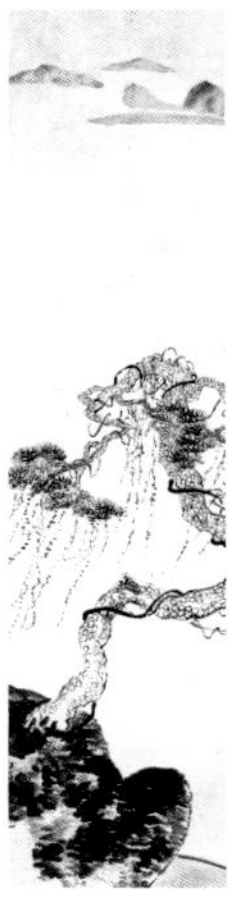

1. 山水・春(四條屏之一)
立軸
紙本水墨設色
131×32cm
1919 年
款題:
白石老人
印章:
齊大(朱文)
收藏:
中央工藝美術學院

2. 山水・夏(四條屏之二)
立軸
紙本水墨
131×32cm
1919 年
款題:
瀕生
印章:
瀕生(朱文)
齊大(朱文)
老苹辛苦(白文)
三百石印富翁(朱文)
收藏:
中央工藝美術學院

3. 山水・秋(四條屏之三)
立軸
紙本水墨設色
131×32cm
1919 年
款題:
老萍
印章:
齊大(朱文)
齊人(朱文)
收藏:
中央工藝美術學院

4. 山水・冬(四條屏之四)
立軸
紙本水墨設色
131×32cm
1919 年
款題:
己未夏五月余三客京華。寄萍法源寺。爲協民同宗六兄製。弟璜。我用我家法也。
印章:
齊大(朱文)
阿芝(朱文)
收藏:
中央工藝美術學院

5. 荔枝圖
立軸
紙本水墨設色
147×40cm
1919 年
款題:
荔頤居士小時頤如荔子之紅。取荔枝木百年而不凋。因以爲號焉。己未客京華復以荔頤名齋。屬余畫此以紀其事。時六月一日。弟齊璜。
印章:
齊人(朱文)
收藏:
中央工藝美術學院
注釋:
常見齊白石畫荔枝的作品,都以洋紅點畫荔枝果實,較少見此幅這樣畫大樹幹、密葉與橘黄色果實者。白石對荔枝的印象主要源自 1909 年廣東欽州之遊。此圖是他畫荔枝較早之作,可洞見其畫荔枝的變化過程。

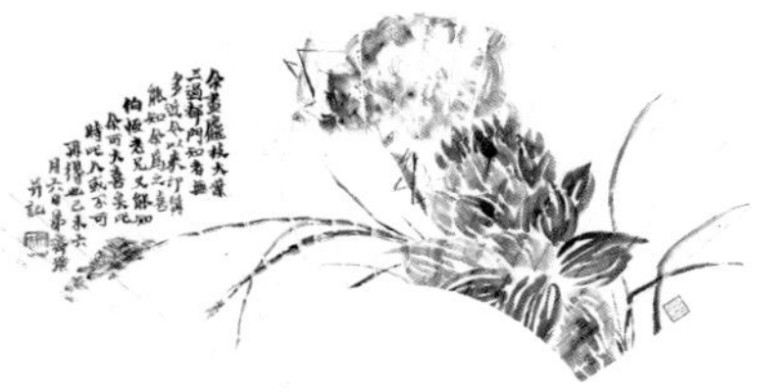

6. 墨花草蟲
扇面
紙本水墨
17.7×52.8cm
1919 年
款題:
余畫粗枝大葉。三過都門。知者無多。近今以來印霄能知。余爲之喜。伯恒老兄又能知。余可大喜矣。此時此人或不可再得也。己未六月六日。弟齊璜并記。
印章:
齊大(朱文)
收藏印:錢君匋(朱文)
收藏:
西安美術學院

7. 山水人物
立軸
紙本水墨
134×59cm
1919 年
款題:
己未秋七月中爲寶臣先生製。湘潭齊璜。
印章:
齊大(朱文)
老苹辛苦(白文)
阿芝(朱文)　三百石印富翁(朱文)
收藏:
私人
著錄:
《翰海'95 春季拍賣會中國繪畫(近現代)》,1995 年,北京。

8. 不倒翁
立軸
紙本水墨設色
59.2×26.7cm
1919 年
款題:
先生不倒
己未七月天日陰涼。昨夜夢遊南嶽(岳)。喜與不倒翁語。平明畫此。十四日事也。白石。
印章:
齊大(朱文)　白石翁(白文)
收藏:
北京市文物公司
著錄:
《齊白石繪畫精萃》,秦公、少楷主編,吉林美術出版社,1994 年,長春。
注釋:
齊白石畫不倒翁,此是目前所見最早的一件。尚未形成後來的丑角贓官模樣——如三角眼、鼻子上點白色等。題跋也未形成後來帶有詼諧、諷刺意味的詩歌等。這也許是最早的不倒翁圖像。

9. 梅花圖

立軸

紙本水墨

70×37cm

1919 年

款題：

此幅本友人彊（强）余代筆之作，故幅左已書再觀題記。并蓋白石曾觀之印。乃余自惜年老不忍以精神如黄金擲於虚牝也。吉皆兄深知余意。勸余添加款識。仍爲己作。余感吉翁之憐余。因贈之。惜吉翁僅能見此一幅也。己未又七月。弟瀕生并記。

如此穿枝出幹。金冬心不能爲也。齊瀕生再看題記。後之來者自知余言不妄耳。

印章：

白石曾觀（朱文）　樂石室（朱文）　木人（朱文）

白石翁（白文）　齊大（朱文）

收藏：

廣州市美術館

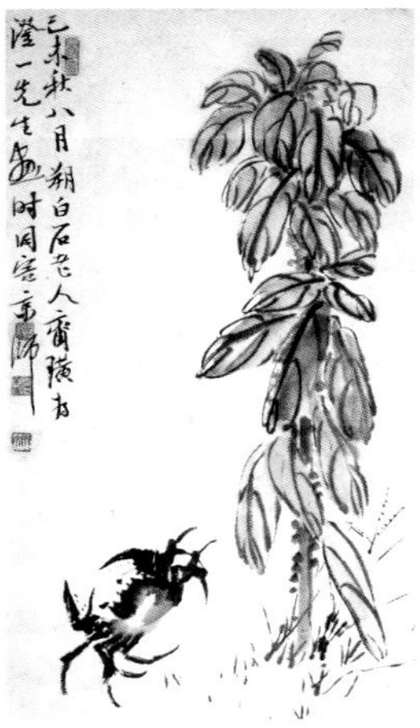

10. 雁來紅螃蟹

立軸

紙本水墨設色

58.5×33cm

1919 年

款題：

己未秋八月朔。白石老人齊璜爲澄一先生畫。時同客京師。

印章：

三百石印齋（朱文）　白石翁（白文）

白石山人（白文）　齊大（朱文）

收藏：

中國藝術研究院美術研究所

11. 洞庭君山

立軸

紙本水墨設色

80.3×34cm

1919 年

款題：

洞庭君山。借山圖之七。老萍十過此湖。時己未秋。三過都門。白石翁。

印章：

齊璜之印（白文）

白石翁（白文）

齊大（朱文）

收藏：

天津人民美術出版社

12. 秋聲（蔬果花鳥條屏之一）

立軸

紙本水墨

52×16.8cm

1919 年

款題：

秋聲

老萍

廬江呂大贈余高麗陳年紙。裁下破爛六小條。燈下一揮即成六屏。倩（請）廠肆清秘閣主人裱褙。裱成。爲南湖見之。喜。清秘主人以十金代余售之。余自以爲不值一錢。南湖以爲一幅百金。時流誰何能畫。余感南湖知畫。補記之。璜。

印章：

阿芝（朱文）　老苹（朱文）

收藏：

天津人民美術出版社

注釋：

齊白石初定居北京的幾年，作品不被北京收藏者與鑒賞家認可。如他所言“賣畫刻印，生涯并不太好。那時物價低廉，勉强還可以維持生計”。“我那時的畫，學的是八大山人冷逸的一路，不爲北京人所喜愛。……我的潤格，一個扇面，定價銀圓二圓，比同時一般畫家的價碼，便宜一半，尚且很少人來問津……我自題花果畫册的詩，有句說：‘冷逸如雪个，遊燕不值錢’……”（《白石老人自傳》第 70—71 頁）。此六條屏，可見出他學八大“冷逸”一路的大貌。六屏在畫店（清秘閣）售十金（即十圓），可見當時白石畫價之低。但當時也有極贊其畫者，此條中所説南湖，即一例。

南湖（1874—1951）乃胡鄂公的號，字新三，湖北江陵人。早年肄業於保定直隸高等農學堂。辛亥革命期間，曾任職於湖北軍政府，後辭職北上，在天津組織“北方革命協會”，自任會長。1912 年入共和黨，創辦《大中華日報》，反對袁世凱。1913 年當選爲第一屆國會衆議院議員。先後任廣東潮循道尹、湖北省政務廳長，1921 年在北京組織馬克思主義研究會，1922 年至 1924 年任教育部次長。抗戰前後任孔祥熙私人顧問，後任上海《時事新報》總經理。1951 年逝於臺灣。胡鄂公是在北京最早以較高的價格和推崇的態度購求齊白石畫的收藏者。

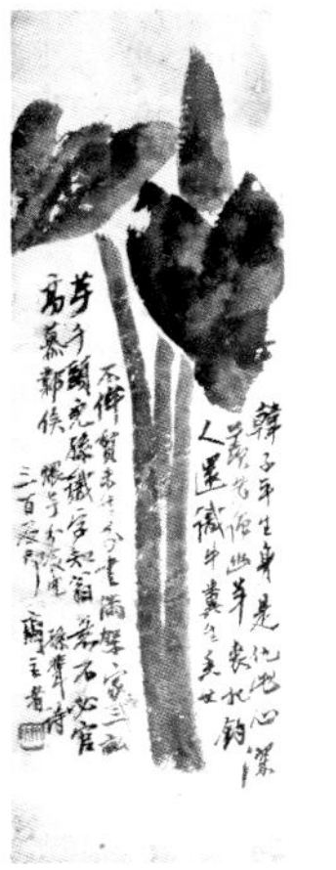

13. 甘貧（蔬果花鳥條屏之二）

立軸

紙本水墨

52×16.8cm

1919 年

款題：

韓子平生身是仇。此心深羡老僧幽。羊裘把釣人還識。牛糞生香世不侔。貧未十分書滿架。家無三畝芋千頭。兒孫識字知翁意。不必官高慕鄴侯。煨芋分食兒孫輩詩。三百石印齋主者。

印章：

齊大（朱文）

收藏：

天津人民美術出版社

14. 清白（蔬果花鳥條屏之三）

立軸

紙本水墨

52×16.8cm

1919 年

款題：

清白

白石老人

印章：

阿芝（朱文）

收藏：

天津人民美術出版社

15. 不如歸去（蔬果花鳥條屏之四）

立軸

紙本水墨

52×16.8cm

1919年

款題：

不如歸去

此杜鵑也。余聞此鳥多愁。越四十年矣。老萍。

印章：

齊大（朱文）

收藏：

天津人民美術出版社

16. 廉直（蔬果花鳥條屏之五）

立軸

紙本水墨

52×16.8cm

1919年

款題：

廉直

老萍

印章：

老苹辛苦（白文）

收藏：

天津人民美術出版社

17. 吉祥聲（蔬果花鳥條屏之六）

立軸

紙本水墨

52×16.8cm

1919年

款題：

吉祥聲

此蟲呼爲紡績娘。亦名紡紗婆。紡紗吉祥聲非古典也。瀕生。己未秋客京華。

印章：

齊大（朱文）

收藏：

天津人民美術出版社

18. 鵪鶉

册頁

紙本水墨

18×21cm

1919年

款題：

己未冬畫示如兒。

印章：

白石翁（白文）

收藏：

遼寧省博物館

著錄：

《齊白石畫册》，遼寧省博物館編，遼寧美術出版社，1961年，瀋陽。

注釋：

《白石老人自傳》第70頁記1919年事時云“冬間”返家鄉。遼寧省博物館藏《紡績娘》跋中有“己未十月於借山館後捕得紡織娘”句，可知十月已在湘潭茹家冲。此畫是給齊子如作示範用的，子如此年在家，至1920年春方隨父到北京，因之此圖作於茹家冲家中無疑。

19. 松樹母鷄

立軸

紙本水墨

157×44cm

約1919年

款題：

弟法家也。能不以余爲怪。余正無家可歸時。將愁付之東流。喜爲弟作此。兄璜并記。

印章：

瀕生（朱文）

九硯樓（白文）

收藏：

中央工藝美術學院

20. 秋梨細腰蜂

册頁

紙本水墨

25×35cm

約1919年

款題：

三百石印富翁

此白石四十後之作。白石與雪個（个）同肝膽。不學而似。此天地鬼神能洞鑒者。後世有聰明人必謂白石非妄語。九十一歲爲稾也記。

印章：

齊大（朱文）　木人（朱文）

收藏：

私人

著錄：

《齊白石繪畫精品集》，人民美術出版社，1991年，北京。

21. 芙蓉游鴨

立軸

紙本水墨設色

83×30.5cm

1920年

款題：

己未冬十二月。湖南雪深尺許。十指尚不知寒。無可消閑。呼兒輩立觀畫此。伯進仁弟雅賞。兄璜老萍。

印章：

□　老苹辛苦（白文）

收藏：

陝西美術家協會

22. 墨牡丹

册頁

紙本水墨

62×52cm

1920年

款題：

余自三遊京華。畫法大變。即能識

畫者多不認爲老萍作也。譬之余與真吾弟三年不相見。一日逢一髮秃齒没之人。不聞其聲幾不認爲真翁矣。真翁聞此言必能知余畫。己未除夕。兄璜老萍記。情園之屬。

印章：

□ 齊璜(朱文)

收藏：

中國美術館

著録：

《齊白石作品集》，董玉龍主編，天津人民美術出版社，1990年，天津。

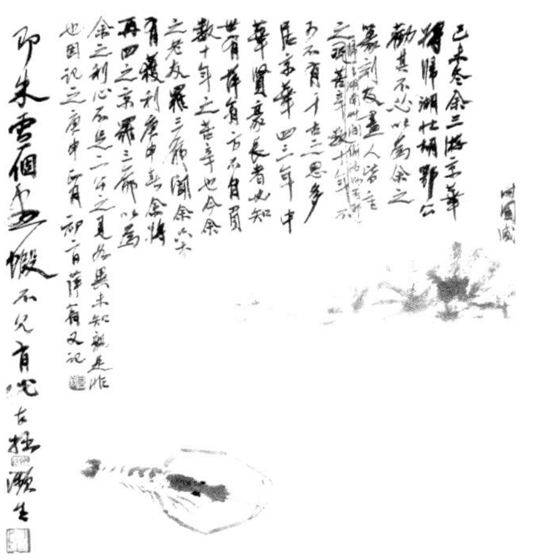

23. 水草·蝦

册頁

紙本水墨

66.5×60cm

1920年

款題：

即朱雪個(个)畫蝦。不見有此古拙。瀕生。

己未冬。余三游京華。將歸，湖北胡鄂公勸其不必。以爲余之篆刻及畫，人皆重之。歸去湖南草間偷活何苦耶。况苦辛數十年。不可不有千古之思。多居京華四三年。中華賢豪長者必知世有萍翁。方不自負數十年之苦辛也。今余之老友羅三爺聞余衹大有獲利。庚申春。余將再四之京。羅三爺以爲余之利心不足。二公之見各异。未知孰是非也。因記之。庚申正月初二日萍翁又記。

時園藏。

印章：

齊大(朱文) 阿芝(朱文)

白石翁(白文)

收藏：

中國美術館

著録：

《齊白石作品集》，董玉龍主編，天津人民美術出版社，1990年，天津。

注釋：

齊白石畫蝦，經歷了很長的過程。此幅作於1920年春(58歲)，自認爲比八大山人還“古拙”，但顯然還處在摹仿前人階段，遠不成熟。他66歲題畫蝦説：“余之畫蝦已經數變，初衹略似，一變畢(逼)真，再變色分深淡……”這一幅應是“初只(知)略似”的階段。

24. 墨荷

册頁

紙本水墨

51×43.5cm

約1920年

款題：

青藤雪個(个)無此畫法。阿芝。

情園之屬。

印章：

齊大(朱文) 老苹辛苦(白文)

收藏：

中國美術館

25. 紫藤螃蟹

册頁

紙本水墨

50.6×46.3cm

約1920年

款題：

此紙不透墨。故不能渾逸。阿芝。

時園藏。

印章：

老苹辛苦(白文) 齊白石(白文)

收藏：

中國美術館

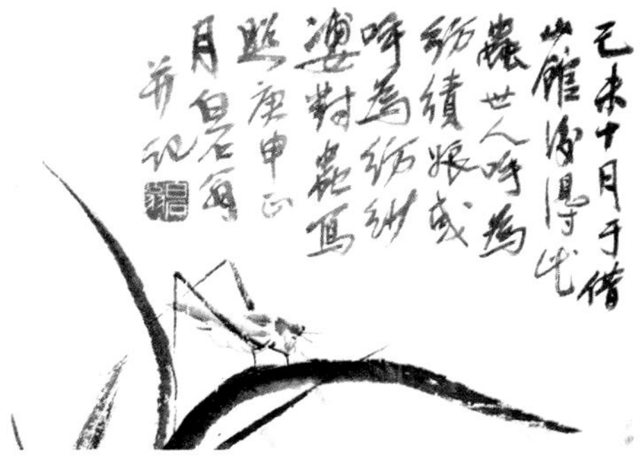

26. 紡織娘

册頁

紙本水墨

15×21cm

1920年

款題：

己未十月於借山館後得此蟲。世人呼爲紡績娘。或呼爲紡紗婆。對蟲寫照。庚申正月。白石翁并記。

印章：

白石翁(白文)

收藏：

遼寧省博物館

著録：

《齊白石畫册》，遼寧省博物館編，遼寧美術出版社，1961年，瀋陽。

注釋：

此圖跋文説己未十月得蟲，落款時是“庚申正月”，并云“白石翁并記”，應是作於庚申即1920年初。

27. 鳶尾蝴蝶(草蟲册頁之一)

册頁

紙本水墨設色

25.5×18.5cm

1920年

印章：

白石(朱文)

收藏：

中國美術館

著錄：

《齊白石作品集》，董玉龍主編，天津人民美術出版社，1990 年，天津。

28. 芙蓉蜜蜂（草蟲册頁之二）

册頁

紙本水墨設色

25.5×18.5cm

1920 年

印章：

白石（朱文）

收藏：

中國美術館

著錄：

《齊白石作品集》，董玉龍主編，天津人民美術出版社，1990 年，天津。

29. 蕉葉秋蟬（草蟲册頁之三）

册頁

紙本水墨設色

25.5×18.5cm

1920 年

印章：

白石（朱文）

收藏：

中國美術館

著錄：

《齊白石作品集》，董玉龍主編，天津人民美術出版社，1990 年，天津。

30. 秋葉孤蝗（草蟲册頁之四）

册頁

紙本水墨設色

25.5×18.5cm

1920 年

款題：

余自少至老不喜畫工緻。以爲匠家作非大葉粗枝糊（胡）塗亂抹不足快意。學畫五十年。惟四十歲時戲捉活蟲寫照。共得七蟲。年將六十。寶辰先生見之。欲余臨。只可供知者一罵。弟璜記。

印章：

老苹（朱文）

收藏：

中國美術館

著錄：

《齊白石作品集》，董玉龍主編，天津人民美術出版社，1990 年，天津。

注釋：

齊白石畫草蟲始於何時，他自己和知情者説法不一。《白石老人自傳》説自己八歲時就畫“蝴蝶、蜻蜓”一類眼前常見之物。又説 27 歲拜師胡沁園後，跟胡氏“學的是工筆花鳥草蟲”。此圖跋稱“惟四十歲時戲捉活蟲寫照，共得七蟲”。黎錦熙《齊白石年譜》壬寅年按云：“辛丑（1901 年——引者注）以前，白石的畫以工筆爲主，草蟲早就傳神。他在家一直養草蟲——紡織娘、蚱蜢、蝗蟲之類……他時常注視其特點，作直接的寫生練習。”“辛丑以前”，是 39 歲以前，所説與白石於此圖跋中所言不符。究竟白石何時始畫草蟲，何時始畫草蟲寫生，還有待進一步的考查與證實。

31. 春（山水四條屏之一）

立軸

紙本水墨設色

137×33cm

1920 年

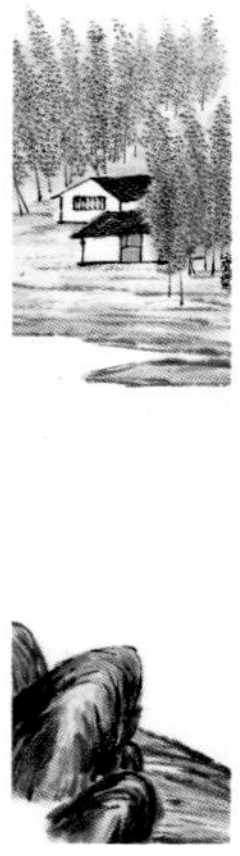

款題：

齊璜

印章：

白石翁（白文）

木居士（白文）

收藏：

私人

32. 夏（山水四條屏之二）

立軸

紙本水墨設色

137×33cm

1920 年

款題：

八硯樓主者

印章：

木居士（白文）

白石翁（白文）

收藏：

私人

33. 秋（山水四條屏之三）

立軸

紙本水墨設色

137×33cm

1920 年

款題：

庚申。白石。

印章：

木居士（白文）

收藏：

私人

34. 冬（山水四條屏之四）

立軸

紙本水墨設色

137×33cm

1920 年

款題：

三百石印富翁製。

印章：

白石翁（白文）

借山翁（白文）

收藏：

私人

35. 墨梅

立軸

紙本水墨

83×64.5cm

1920 年

款題：

季端先生雅論。庚申三月十六日。齊璜四過都門製。

印章：

白石翁(白文) 知我只有梅花(白文)

收藏：

中央美術學院

注釋：

白石在定居北京前後畫墨梅，深受金農影響，此幅勾圈梅花仍似冬心。但枝幹的粗放已預示着脱離金冬心的新變。

36. 凌霄鶺鴒

立軸

紙本水墨設色

176.8×45.5cm

1920 年

款題：

覲侯先生法正。弟齊璜白石山人。時庚申三月四至京華。

印章：

借山主人(朱文)

老萍多事(朱文)

收藏：

楊永德

著錄：

《楊永德藏齊白石書畫》，中國嘉德’95 秋季拍賣會圖錄，303 號，1995 年，北京。

37. 竪石小鳥

立軸

紙本水墨

124.5×32.4cm

1920 年

款題：

伯進先生與余相見於京華。無日或不聚談爲樂。且喜余畫。余怪其既知老萍畫。終不相求。今商之南湖。製此贈之。伯翁正之爲幸。庚申三月。弟齊璜并記。

印章：

齊大(朱文)

阿芝(朱文)

收藏：

楊永德

著錄：

《楊永德藏齊白石書畫》，中國嘉德’95 秋季拍賣會圖錄，192 號，1995 年，北京。

38. 菊花

立軸

紙本水墨設色

100×25cm

1920 年

款題：

嘯麓先生法正。時庚申五月。齊璜白石老人四居京華。

印章：

齊大(朱文)

白石翁(白文)

老苹辛苦(白文)

收藏：

北京榮寶齋

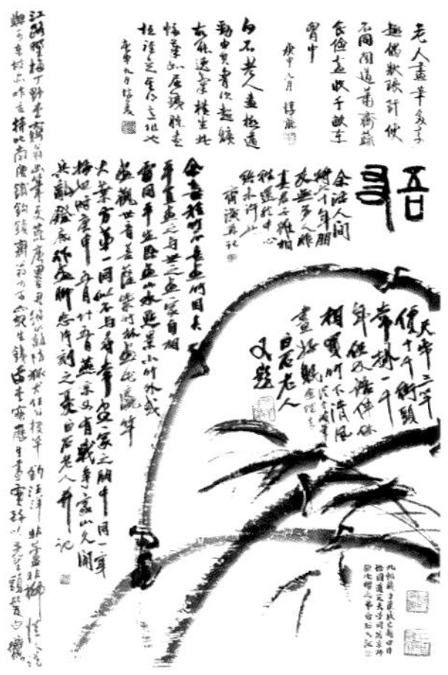

39. 竹

立軸

紙本水墨

70.6×53.6cm

1920 年

款題：

余喜種竹。不喜畫竹。因其平直。畫之與世之畫家自相雷同。平生除畫山水點景小竹外。或畫觀世音菩薩紫竹林。畫此粗竿大葉方第一回。似不與尋常畫家之胸中同一穿插也。時庚申五月廿五日。燕京又有戰爭。家山久聞兵亂。燈底作畫。聊忘片刻之憂。白石老人并記。

尺紙三竿價十千。街頭常挂一千年。從今破筆全埋去。竹下清風畫好眠。白石老人又題。

吾友(篆)。余活人間將六十年。朋友無多人。非真君子雖相往還。然中心終未許也。齊璜再記。

此幅藏於篋底已越四月。悟園道兄夫子同居京師。檢此贈之。弟白石又記。

他人題記：

老人畫筆多奇趣。偶狀琅玕便不同。聞道蕭齋蔬食儉。蓋收千畝在胸中。庚申九月。惇𩣡。(印)

白石老人畫極遒勁。由其胸次超曠。故能逸氣橫生。此幅筆如屈鐵。脱盡恒徑，是其得意之作也。庚申九月惇㬇。(印)

江路野梅丁野堂。齊翁出筆更荒唐。墨君編籬防孤犬。任公投竿釣汪洋。非蘆非柳從人説。與可東坡亦咋舌。持此南唐鐵鉤鎖。齊翁力可窺生鐵。滿堂寂歷生晝寒。醉吟先生頭髮白。衡恪。(印)

印章：

白石翁(白文) 老苹手跡(朱文)

木居士(白文) 芝(朱文)

哀人生之多艱(朱文)

三百石印富翁(朱文)

收藏：

中國美術館

注釋：

齊白石畫竹不多，如他在此圖跋中説“喜種竹，不喜畫竹”。這幅竹是送給朱悟園的(《白石老人自傳》72 頁記 1920 年經歷時云：“……同時我認識了徐悲鴻、賀履之、朱悟園等人”)，作於 1920 年 5 月。同年秋，羅惇𩣡、惇㬇兄弟、陳師曾爲此圖題了詩。羅惇𩣡(1872—1924)，廣東順德人，字掞東，號癭公，曾入康有爲萬木草堂學習。民初，曾任袁世凱總統府秘書、參議、顧問，國務秘書。能詩、工書，尤擅章草，以寫大字法寫小字，著有《太平天國戰記》、《中英滇案交涉始末》等。羅惇㬇(1874—1954)。惇𩣡弟，字照岩、季孺，號敷堪(或寫敷庵)，别號羯蒙老人、風嶺詩人。師承康有爲，清末曾任郵傳部郎中、禮制館第一編纂。民國後歷任教育部、財政部參事、國民政府内政部秘書等。擅書法，愛好詩話。著有《三山簃學詩淺説》、《晚晦堂帖見》、《揭蒙老人隨筆》等。羅氏兄弟是 1917 年與齊白相識的（參見《自傳》第 67 頁）。

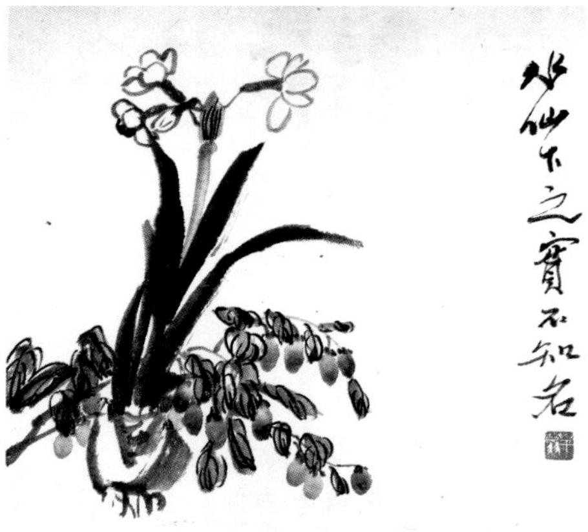

40. 水仙（花卉畫稿之一）

册頁

紙本水墨設色

29.5×32cm

1920 年

款題：

水仙下之實不知名。

印章：

苹翁（白文）

收藏：

中國藝術研究院美術研究所

41. 萬年青・吉祥草（花卉畫稿之二）

册頁

紙本水墨設色

29.5×32cm

1920 年

款題：

萬年青捧直。略似四如意。合成一花。一捧數十花。

吉祥草之菓。紅亦同時。

吉祥草畫得甚醜。子如移孫須知更變。白石。

吉祥草之菓冬深始紅。

其花開在虎耳草之先。

印章：

白石翁（白文）

收藏：

中國藝術研究院美術研究所

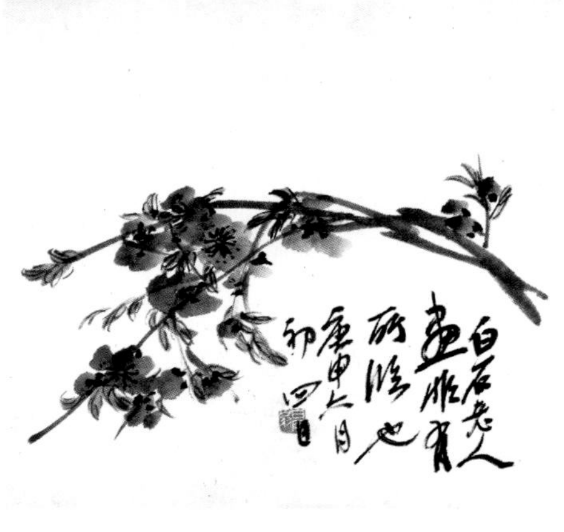

42. 桃花（花卉畫稿之三）

册頁

紙本水墨設色

29.5×32cm

1920 年

款題：

白石老人畫非有所臨也。庚申六月初四日。

印章：

白石翁（白文）

收藏：

中國藝術研究院美術研究所

43. 臘梅山茶（花卉畫稿之四）

册頁

紙本水墨設色

29.5×32cm

1920 年

款題：

二日以來爲兒孫輩照人底手之畫臨之。殊無興。白石。

此幀皆出余己意。頗無流俗氣。庚申六月初二日。老萍記。

印章：

白石翁（白文）　白石翁（白文）

收藏：

中國藝術研究院美術研究所

注釋：

這裏選印的四開花卉，是齊白石花卉畫稿。該册根據友人所藏"舊畫花卉百余種"臨畫，并説是"擇其粗筆者，臨其大意"。其中"有梅菊之類出自己意爲之"。他將此畫稿讓齊子如、齊移孫保存，作爲他們學畫花卉的參考。在這些畫稿中，白石不時發些議論，包括講述花卉的名稱、特色、畫法、生長的時間、枝葉及花朵的結構等等。充分顯示出老人觀察體物之精，以及花卉知識的豐富。

44. 梅花

横幅

紙本水墨

30.8×44.8cm

1920 年

款題：

如兒移孫共玩。庚申六月同居京華。老萍。

印章：

阿芝（朱文）

收藏：

私人

著録：

《齊白石繪畫精品集》，人民美術出版社，1991 年，北京。

45. 菊鳥圖

立軸

紙本水墨

140×39cm

1920 年

款題：

好鳥離巢總苦辛。張弓稀處小棲（栖）身。知機却也三緘口。閉目天涯正斷人。

老萍對菊愧銀鬚。不會求官斗米無。此畫京華人不要。先生三代是農夫。三字上一作人字。庚申秋九月中。友人陳師曾以書來索余畫此以助振（賑）。余自知畫不值錢。師曾之命未可却也。時寄萍象坊橋觀音寺。白石并題記。

印章：

木居士(白文)　齊白石(白文)
一年容易又秋風(朱文)

收藏者：

中央美術學院

注釋：

此圖題詩生動反映了齊白石當年受冷遇時的心情。“好鳥離巢總苦辛，張弓稀處小栖身”，“此畫京華人不要，先生三代是農夫”。北京人不大買他的畫，其實與他的農夫出身關係并不大。十年後仍然是在北京，他有了大名，畫也賣得好了，出身并没變。白石的農夫出身與習慣受過人嘲笑，這從反方向激發了他的自勵自强精神；而畫不受歡迎，則激發了他實行變法的勇氣與力量。

46．扁豆

册頁
紙本水墨
20×30cm
1920 年

款題：

庚申十月。白石翁四出都門歸省。

印章：

木人(朱文、倒施)

收藏：

遼寧省博物館

著錄：

《齊白石畫册》，遼寧省博物館編，遼寧美術出版社，1961 年，瀋陽。

47．石榴

立軸
紙本水墨設色
162.5×42.7cm
1920 年

款題：

余嘗見南樓老人畫此。無脂粉氣。惜枝葉過於太真。無青藤雪個(个)之名貴氣耳。三百石印富翁畫。時庚申冬還家省親。阿芝老矣。

印章：

木居士(白文)

收藏：

中國美術館

48．茄子(瓜果册頁之一)

册頁
紙本水墨
17×19cm
1920 年

款題：

日來畫茄多許。此稍似者。老苹。

印章：

五十八歲以字行(白文)
收藏印：湖南省博物館藏品章(朱文)

收藏：

湖南省博物館

49．芋頭(瓜果册頁之二)

册頁
紙本水墨
17×19cm
1920 年

款題：

阿芝

印章：

齊大(朱文)
收藏印：湖南省博物館藏品章(朱文)

收藏：

湖南省博物館

50．枇杷(花果四條屏之一)

立軸
紙本水墨
51×36cm
約 1920 年

款題：

保生五弟贈余日本所製長穎筆。復倩(請)余試筆作畫第一幅。兄房。

印章：

白石翁(白文)
收藏印：湖南省博物館收藏(朱文)

收藏：

湖南省博物館

51．菊花(花果四條屏之二)

立軸
紙本水墨
51×36cm
約 1920 年

款題：

五月初四夜試筆第二幅。白石。

印章：

齊房(白文)
收藏印：湖南省博物館收藏(朱文)

收藏：

湖南省博物館

52．葫蘆(花果四條屏之三)

立軸
紙本水墨

51×36cm
約 1920 年
款題：
白石老人試筆第三幅。
印章：
阿芝（朱文）
收藏印：湖南省博物館收藏（朱文）
收藏：
湖南省博物館

53. 石榴（花果四條屏之四）
立軸
紙本水墨
51×36cm
約 1920 年
款題：
試筆第四幅。三百石印富翁。
印章：
齊大（朱文）　老苹辛苦（白文）
收藏印：湖南省博物館收藏（朱文）
收藏：
湖南省博物館
注釋：

郭葆生逝世於 1922 年 11 月，此四幅是葆生“倩余試筆”之作，必畫於 1922 年 11 月之前。從 1920 至 1922 年，白石多往來於湘潭、北京之間，其中 1920 年春，在郭家居住數月（見齊佛來《我的祖父白石老人》第 47 頁，西北大學出版社，1988 年），1921 至 1922 年，白石多赴保定與夏午詒往來，與郭葆生相處的時間較少。葆生送他長穎筆并讓他試筆作畫，很可能是在 1920 年 3—5 月間。

54. 牡丹小鳥
立軸
紙本水墨
135×33.5cm
約 1920 年
款題：
作畫之難。難在脱盡畫家習氣。方能使人以爲怪。白石。
印章：
白石翁（白文）
收藏印：仁和沈氏曾藏（朱文）
收藏：
夏衍原藏，現藏浙江省博物館。

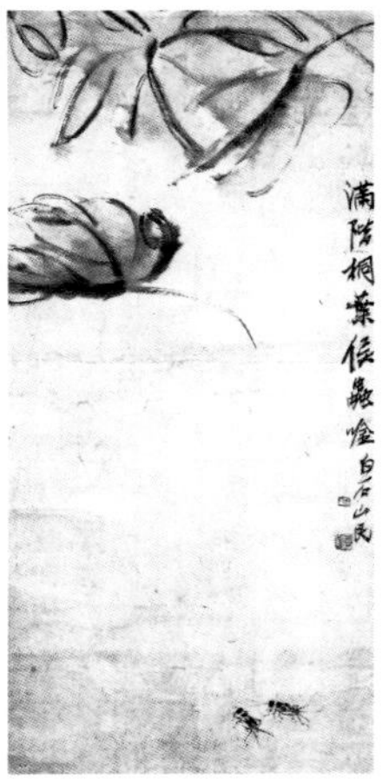

55. 桐葉蟋蟀
立軸
紙本水墨
着色
63×30cm
約 1920 年
款題：
滿階桐葉俟蟲唫。白石山民。
印章：
木人（朱文）
白石翁（白文）
收藏：
遼寧省博物館
著錄：
《齊白石畫册》，遼寧省博物館編，遼寧美術出版社，1961 年，瀋陽。

56. 野藤遊蜂
立軸
紙本水墨設色
51×35.5cm
約 1920 年
款題：
借山館後有此野藤。其花開時遊蜂無數。移孫四歲時爲蜂所逐。今日移孫亦能畫此藤蟲。靜思往事。如在目底。白石記。
印章：
白石（朱文）
收藏：
楊永德
著錄：

《齊白石畫集》，4 開套裝，天津人民美術出版社，1956 年，天津。

《齊白石畫法與欣賞》胡佩衡、胡橐著，人民美術出版社，1959 年，附圖第 22。

《楊永德藏齊白石書畫》中國嘉德’95 秋季拍賣會圖錄，230 號。1995 年，北京。

注釋：

此圖無年款，胡佩衡在書中標爲“58 歲作”，即 1920 年（庚申）。《白石老人自傳》記，移孫（秉靈）於 1920 年春隨白石到北京讀書，入法政學校，并隨白石學畫。1921 年患病，夭折於 1922 年（壬戌）冬。此畫題跋既説“今日移孫亦能畫此”，當是移孫健在之時，即 1922 年冬之前。故此畫創作時間應在 1920—1922 年間。

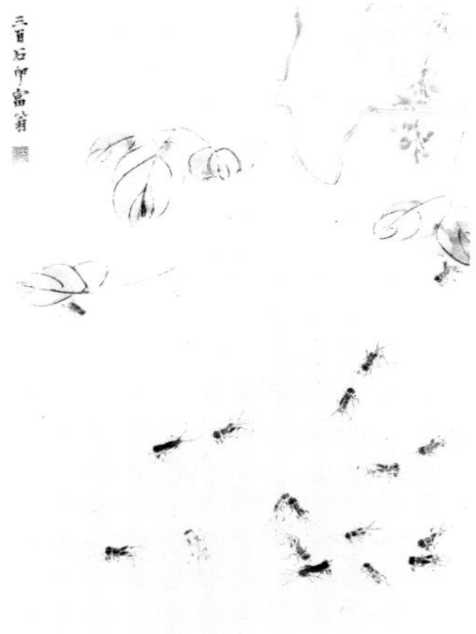

57. 蟋蟀豆角
立軸
紙本水墨設色
50.5×35.8cm
約 1920 年
款題：
三百石印富翁
印章：
木居士（白文）
收藏：
楊永德

著録：

《齊白石畫集》，4 開套裝，天津人民美術出版社，1956 年，天津。

《齊白石畫法與欣賞》，胡佩衡、胡橐著，人民美術出版社，1950 年，附圖 20。

《楊永德藏齊白石書畫》，中國嘉德’95 秋季拍賣會圖錄，231 號。1995 年，北京。

注釋：

此圖與《野藤遊蜂》紙質、尺幅、畫法、款書風格幾乎完全一致，應是同一年所畫。

58. 蔬香圖

横幅
紙本水墨
63×130cm
1921 年

款題：

沛之先生法正。辛酉三月三日。齊璜。

印章：

木居士(白文)　白石翁(白文)
老萍(朱文)

收藏：

廣州市美術館

59. 螞蚱貝葉(廣豳風圖冊之一)

冊頁
絹本工筆設色
25.4×32.5cm
1921 年

款題：

仲珊使帥鈞正。辛酉五月布衣齊璜寫呈。

印章：

芝(朱文)　木人(朱文)
白石翁(白文)

收藏：

王方宇

著録：

《看齊白石畫》，王方宇、許芥昱合著，臺灣藝術圖書公司印行，1979 年，臺北。

注釋：

《廣豳風圖》是根據《詩經・國風》裏的“豳風”而創作的 16 開冊頁。“豳”是周朝一個小國的名稱，“豳風”即出自此小國的民歌。《豳風》分七章，第一章名“七月”，講的是農桑之事，提到諸多草蟲如蜩、蠶、蟋蟀、螽斯等。白石將草蟲冊題爲《廣豳風圖》，表示了他的勸農桑之意。

此冊今由王方宇先生收藏，有“仲珊使帥鈞正”上款。仲珊是曹錕的字。曹錕(1862—1938)，天津人，北洋軍閥，歷任袁世凱部下統制、副都統、北洋軍第三師師長、長江上游警備司令，袁稱帝後封他爲一等伯爵位。後任直隸督軍。1919 年繼馮國璋成爲直系首領，任直、豫、魯巡閱使。1923 年賄選爲總統，1924 年被馮玉祥軟禁，下臺後寓居天津。王方宇説，此冊由曹錕之子持售得來，他告訴方宇“齊白石曾到保定作曹總統的西席”(《看齊白石畫》，48 頁)。

齊白石與曹錕相識，應是夏午詒介紹的。1920 至 1922 年間，白石多次到保定作客，其時夏午詒正擔任曹錕的幕僚。白石爲曹氏作的畫，除這套冊頁外，還有山水、人物、花鳥。

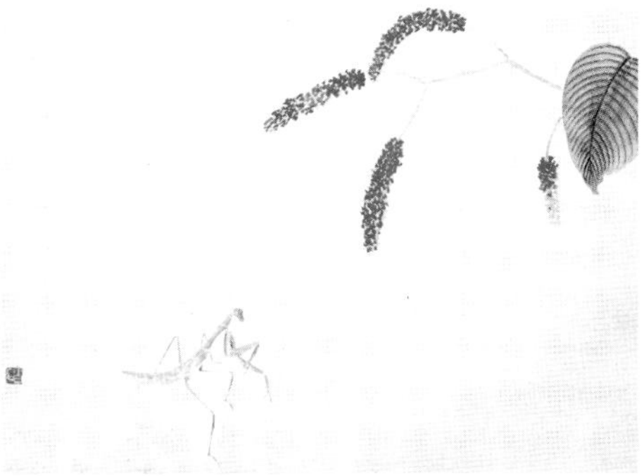

60. 螳螂紅蓼(廣豳風圖冊之二)

冊頁
絹本工筆設色
25.4×32.5cm
1921 年

印章：

白石(白文)

收藏：

王方宇

61. 蜻蜓荷花(廣豳風圖冊之三)

冊頁
絹本工筆設色

25.4×32.5cm
1921 年

印章：

白石(白文)

收藏：

王方宇

62. 墨蝶荷瓣(廣豳風圖冊之四)

冊頁
絹本工筆設色
25.4×32.5cm
1921 年

印章：

老苹(朱文)

收藏：

王方宇

63. 竈螞鹹蛋芫荽(廣豳風圖冊之五)

冊頁
絹本工筆設色
25.4×32.5cm
1921 年

印章：

木人(朱文)

收藏：

王方宇

64. 雙蜂扁豆（廣豳風圖册之六）
册頁
絹本工筆設色
25.4×32.5cm
1921 年
印章：
白石翁（白文）
收藏：
王方宇

65. 甲蟲穀穗（廣豳風圖册之七）
册頁
絹本工筆設色
25.4×32.5cm
1921 年
印章：
阿芝（朱文）
收藏：
王方宇

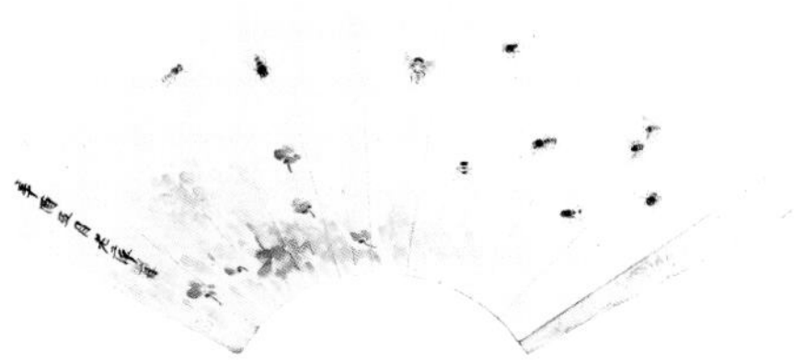

66. 蜂
扇面
紙本水墨設色
57×26cm
1921 年
款題：
辛酉五月老萍□。
印章：
阿芝（朱文）
收藏印：湖南省博物館收藏（朱文）
收藏：
湖南省博物館

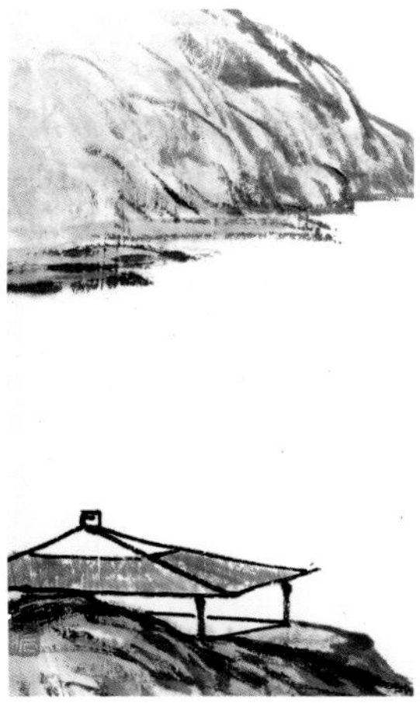

67. 山水（册頁之一）
册頁
紙本水墨設色
27×16cm
1921 年
款題：
璜
印章：
白石翁（白文）
收藏：
私人

68. 山水（册頁之二）
册頁
紙本水墨設色
27×16cm
1921 年
款題：
璜
印章：
白石翁（白）
收藏：
私人

69. 山水（册頁之三）
册頁
紙本水墨設色
27×16cm
1921 年
款題：

白石翁
印章：
白石翁（白文）
收藏：
私人

70. 山水（册頁之四）
册頁
紙本水墨設色
27×16cm
1921 年
款題：
白石
印章：
阿芝（朱文）
收藏：
私人

71. 山水(册頁之五)

册頁

紙本水墨設色

27×16cm

1921 年

款題：

三百石印富翁。

印章：

白石翁(白文)

收藏：

私人

72. 山水(册頁之六)

册頁

紙本水墨設色

27×16cm

1921 年

款題：

阿芝

印章：

白石翁(白文)

收藏：

私人

73. 山水(册頁之七)

册頁

紙本水墨設色

27×16cm

1921 年

款題：

白石老人

印章：

白石翁(白文)

收藏：

私人

74. 山水(册頁之八)

册頁

紙本水墨設色

27×16cm

1921 年

款題：

老苹

印章：

白石翁(白文)

收藏：

私人

75. 山水(册頁之九)

册頁

紙本水墨設色

27×16cm

1921 年

款題：

白石

印章：

木居士(白文)

收藏：

私人

76. 山水(册頁之十)

册頁

紙本水墨設色

27×16cm

1921 年

款題：

白石畫

印章：

木居士(白文)

收藏：

私人

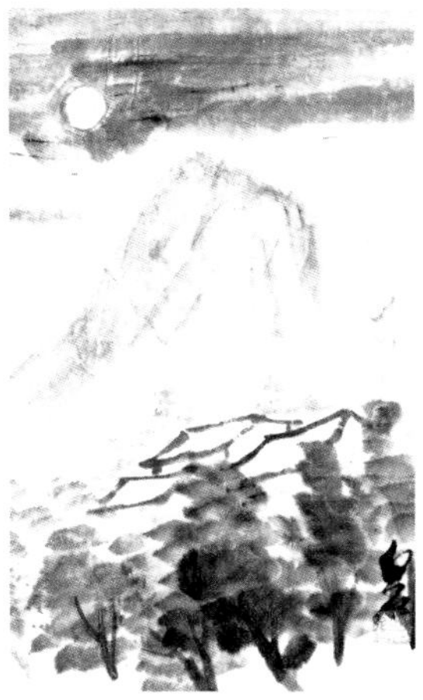

77. 山水(册頁之十一)

册頁

紙本水墨設色

27×16cm

1921 年

款題：

白石

印章：

白石翁(白文)

收藏：

私人

78. 山水(册頁之十二)

册頁

紙本水墨設色

27×16cm

1921 年

款題：

白石畫此十二幅。辛酉。

印章：

白石翁(白文)

收藏：

私人

79. 寶缸荷花圖

立軸

紙本水墨設色

170.2×47.2cm

1921 年

款題：

海濱池底好移根。杯水丸泥可斷魂。有識荷花應欲語。寶缸身世未爲恩。

星塘老屋舊移家。筆硯安排對竹霞。最是晚涼堪眺處。蘆茅蕩裏好蓮花。前首特題此幅。後一首借以補空也。三百石印富翁時居京華。

此幅乃辛酉六月畫。藏至癸亥十二月。撿贈沛之先生雅正。時在燕京。弟齊璜。

印章：

老苹多事(朱文)　齊大(朱文)

收藏：

中國美術館

80. 茶花小鳥

立軸

紙本水墨設色

140×35cm

1921 年

款題：

慎齋大兄託友人來索余畫。可想知畫必不嫌此花粗石大。時辛酉秋七月。齊璜白石翁并記。

印章：

木居士(白文)

老齊郎(朱文)

收藏：

中國美術館

著錄：

《齊白石作品集》，董玉龍主編，天津人民美術出版社，1990 年，北京。

81. 七鷄圖

立軸

紙本水墨設色

176×64cm

1921 年

款題：

辛酉秋八月。借山館齊璜時居京華。

印章：

老木(朱文)

收藏：

中央工藝美術學院

82. 山村平遠圖

立軸

紙本水墨設色

58.5×57.8cm

1921 年

款題：

興公先生正。辛酉齊璜。

印章：

白石翁(白文)

收藏：

北京市文物公司

著錄：

《齊白石繪畫精萃》，秦公、少楷主編，吉林美術出版社，1994 年，長春。

83. 蓮蓬翠鳥

橫幅

紙本水墨設色

24×35.5cm

1921 年

款題：

辛酉冬。中華齊璜。

印章：

白石翁(白文)

收藏：

北京榮寶齋

84. 水牛

立軸

紙本水墨

46×34cm

1921 年

款題：

以小紙畫牛爲半丁携之去。因留其本畫此。白石。

此係大幅裁下者。爲兒孫輩作樣可矣。未可作爲小幅看也。辛酉畫。壬戌裁後補記。白石。

印章：

木居士(白文)　白石翁(白文)

收藏：

遼寧省博物館

著錄：

《齊白石畫册》，遼寧省博物館編，遼寧美術出版社，1961 年，瀋陽。

85. 平野結廬

立軸

紙本水墨設色

56×33cm

1922 年

款題：

平野結廬。四無人徑。老夫願居之。辛酉三十日畫。壬戌初一記也。白石。

印章：

白石(白文)

收藏：

私人

著錄：

《齊白石畫集》，嚴欣强、金岩編，外文出版社，1990 年，北京。

86. 紅杏烟雨

立軸

紙本水墨設色

104×40.5cm

1922 年

款題：

前時春色校(較)今濃。紅杏開花烟雨工。清福無聲尋不見。何人知在此山中。賓丞將軍雅正。齊璜并記。

壬戌春，白石山翁。

印章：

阿芝(朱文)　白石翁(白文)

收藏：

北京市文物公司

著錄：

《齊白石繪畫精萃》，秦公、少楷主編，吉林美術出版社，1994 年，長春。

《齊白石畫集》，北京市文物商店藏畫，人民美術出版社，1986 年，北京。

注釋：

上款之“賓丞”齊白石稱爲“將軍”，可能是居北京的一位北洋軍的軍官，待查。《齊白石書畫集》刊此畫時，印有同時呈送的信函，上寫“示悉。前贈車票已寄回南，寄猶未到，兒輩已電促來京矣。想吾家必寄回京。今又贈車票，甚感。山水畫乃璜得意作，公見之喜，即以奉贈廿五圖壁，還請查收爲幸。今日公來舍，璜已出矣，殊屬歉然。家人稍安順時，當奉謁也。即請偉安於賓臣將軍，齊璜上。兒輩承賜差事，并乞再賜徽章以便乘車。”

1922 年前後，白石及兒輩經常往來於北京、湘潭之間，而路上又時常不安寧，齊白石感激這位將軍的贈票及爲其兒輩安排工作，相贈畫作不少。從 1919 年始，時有上款題“寶丞”“寶辰”“寶臣”之作，疑均爲送此將軍的，“賓丞”是否“寶丞”之誤，待查。

87. 草堂烟雨

横幅

紙本水墨

29.5×39cm

1922 年

款題：

老夫今日不爲歡。彊(强)欲登高著屐難。自過冬天無日暖。草堂烟雨怯山寒。壬戌三日詩。因作畫。白石山人。

墨浸者歡字。

印章：

白石翁(白文)

收藏：

鄒佩珠

著錄：

《齊白石繪畫精品集》，人民美術出版社，1991 年，北京。

88. 山水(四條屏之一)

立軸

紙本水墨設色

158×36cm

1922 年

款題：

壬戌正月。借山吟館主者。

印章：

白石翁(白文)

收藏：

私人

著錄：

《齊白石繪畫精品集》，人民美術出版社，1991 年，北京。

89. 山水(四條屏之二)

立軸

紙本水墨設色

158×36cm

1922 年

款題：

此畫山水法前不見古人。雖大滌子似我。未必有如此奇拙。如有來者。當不笑余言爲妄也。白石老人并記。

印章：

白石翁(白文)

收藏：

私人

著錄：

《齊白石繪畫精品集》，人民美術出版社，1991 年，北京。

90. 山水(四條屏之三)

立軸

紙本水墨設色

158×36cm

1922 年

款題：

三百石印富翁

印章：

白石翁(白文)

收藏：

私人

著錄：

《齊白石繪畫精品集》，人民美術出版社，1991 年，北京。

91. 山水(四條屏之四)

立軸

紙本水墨設色

158×36cm

1922 年

款題：

此四幅照依潤格值價六十二圓四角。秋澄先生多能。他日當卜牛眠報我也。呵呵。弟白石翁。

印章：

白石翁(白文)

收藏：

私人

著錄：

《齊白石繪畫精品集》，人民美術出版社，1991 年，北京。

92. 山水

鏡心

紙本水墨

54×48.5cm

1922 年

款題：

壬戌三月。白石老人。

印章：

白石翁(白文)

收藏：

陝西美術家協會

93. 山水

立軸

紙本水墨

140.1×39.3cm

1922 年

款題：

一代古雅惟直公能知。壬戌三月。齊白石。

印章：

白石翁(白文)

收藏：

中國美術館

94. 絲瓜

立軸

紙本水墨

69×28cm

1922 年

款題：

壬戌三月居長沙。得破紙甚多。最中畫。殊可寶也。白石翁試紙。

印章：

白石翁(白文)

收藏：

遼寧省博物館

著錄：

《齊白石畫册》，遼寧省博物館編，遼寧美術出版社，1961 年，瀋陽。

95. 牡丹雙蝶圖

立軸

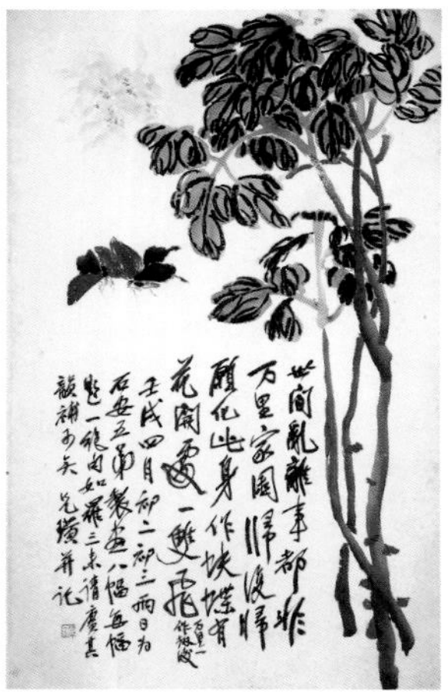

紙本水墨設色

75×47cm

1922 年

款題：

世間亂離事都非。萬里家園歸復歸，願化此身作蝴蝶。有花開處一雙飛。(萬里一作劫後)壬戌四月初二初三兩日。爲石安五弟製畫八幅。每幅題一絶句。如羅三來請賡其韵補可矣。兄璜并記。

印章：

白石翁(白文)

收藏印：湖南省博物館收藏印(朱文)

收藏：

湖南省博物館

注釋：

跋文中之“石安五弟”，應是胡沁園之本家胡石庵，齊白石年輕時的詩友。“羅三”即羅醒吾。

96. 桃源圖

立軸

紙本水墨設色

140×35cm

1922 年

款題：

熙三先生存。壬戌秋。弟齊璜。

印章：

白石翁(白文)

收藏：

私人

97. 鷹石圖

立軸

紙本水墨設色

65×43cm

1922 年

款題：

有禽有禽名爲鷹。出谷居高日有聲。雀羽不吞鷄肋弃。飽之揚翼則飛騰。末句乃白石後人句也。石安五弟正

哂。壬戌四月初五日。兄璜白石翁。時居長沙。

印章：

白石翁(白文)

收藏印：湖南省博物館收藏印(朱文)

收藏：

湖南省博物館

98. 葡萄蝗蟲

立軸

紙本水墨設色

122×77cm

1922 年

款題：

老夫自笑太痴頑。獨立西風上鬢端。食盡蒲(葡)萄不歸去。蟲聲斷續在藤間。壬戌四月。爲斗秋先生畫并題。弟齊璜白石翁。

他人題記：

一架藤蔭滿院涼。年年閒(間)殺好秋光。鳴蟲（一作吟蛩）斷響心先冷。飽食辛酸世味長。斗秋弟正題。石安翁。

印章：

白石翁(白文)

收藏印：石盦(白文)

胡印安慎(白文)

收藏：

私人

著錄：

《齊白石畫集》，嚴欣强、金岩編，外文出版社，1991 年，北京。

99. 芙蓉鴛鴦

帳檐畫　橫幅(殘)

綢水墨設色

37×116cm

1922 年

款題：

壬戌四月白石老人。

印章：

白石翁(白文)

收藏：

湘潭齊白石紀念館

注釋：

在湖南一帶，床上圍帳，帳檐飾畫十分流行。《白石老人自傳》記他 27 歲始爲人畫像謀生時，提到“有些愛貪小便宜的人，往往在畫像之外叫我給他們女眷畫些帳檐、袖套、鞋樣之類……”迄今未見白石早年的帳檐畫。這幅畫於壬戌四月，時年 60 歲，其時白石正在湘潭家中，親朋鄰里請他畫帳檐，是情理中事。

100. 竹林白屋（山水條屏之一）

立軸

紙本水墨設色

149×39cm

1922 年

款題：

借山吟館主者製。

印章：

白石翁(白文)

收藏：

北京市文物公司

著錄：

《齊白石繪畫精萃》，秦公、少楷主編，吉林美術出版社，1994，長春。

101. 入室松風（山水條屏之二）

立軸

紙本水墨

149×39cm

1922 年

款題：

徐徐入室有清風。誰謂詩人到老窮。尤可誇張對朋友。開門長見隔溪松。壬戌年四月白石山翁并題。

印章：

白石翁(白文)

收藏：

北京市文物公司

102. 青山紅樹（山水條屏之三）

立軸

紙本水墨設色

149×39cm

1922 年

款題：

青山紅樹。三百石印富翁。

印章：

白石翁(白文)

收藏：

北京市文物公司

103. 米氏雲山（山水條屏之四）

立軸

紙本水墨

149×39cm

1922 年

款題：

見笪重光臨米家畫後作。虞生二兄先生正之。壬戌弟齊璜。

印章：

木居士(白文)

收藏：

北京市文物公司

著錄：

《齊白石繪畫精萃》，秦公、少楷主編，吉林美術出版社，1994 年，長春。

104. 簍蟹圖

立軸

紙本水墨

88×34cm

1922 年

款題：

壬戌又五月居於保陽。見友人家有此簍。戲畫之。白石。

印章：

白石翁(白文)

收藏印：湖南省中山圖書館珍藏(朱文)

收藏：

湖南省圖書館

105. 茨菇雙鴨

立軸

紙本水墨

135×33.5cm

1922 年

款題：

居於北地者皆言數十年來之熱今年爲最。余揮汗畫此。壬戌。

印章：

白石翁(白文)

木居士(白文)

收藏：

北京榮寶齋

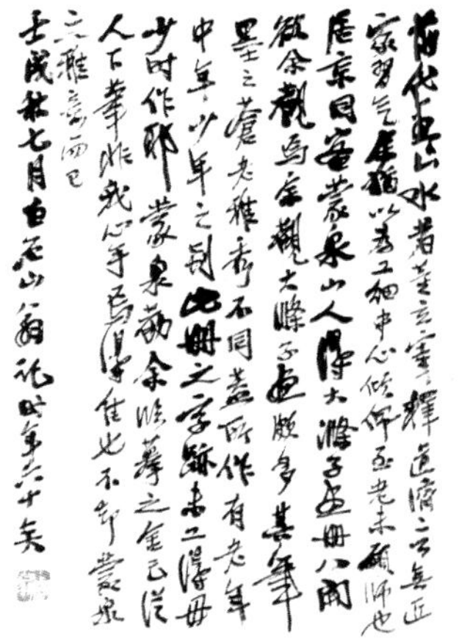

106. 仿石濤山水册題記

册頁

紙本水墨

29.5×23cm

1922 年

款題：

前代畫山水者董玄宰釋道濟二公無匠家習氣。余猶以爲工細。中心傾佩。至老未願師也。居京同客蒙泉山人得大滌子畫册八開。欲余觀焉。余觀大滌子畫頗多。其筆墨之蒼老稚秀不同。蓋所作有老年中年少年之别。此册之字迹未工。得毋少時作耶。蒙泉勸余臨摹之。捨己從人。下筆非我心手。焉得佳也。不却蒙泉之雅意而已。壬戌秋七月。白石山翁記時年六十矣。

印章：

白石翁(白文)

收藏：

私人

著錄：

《中國嘉德’94 秋季拍賣・中國書畫》，1994 年，北京。

107. 仿石濤山水(册頁之一)

册頁

紙本水墨

29.5×23cm

1922 年

款題：

戲臨大滌子八開之一。白石山翁。

印章：

白石翁(白文)

收藏：

私人

著錄：

《中國嘉德'94 秋季拍賣·中國書畫》，1994 年，北京。

108. 仿石濤山水(册頁之二)

册頁

紙本水墨

29.5×23cm

1922 年

款題：

戲臨大滌子八開之二。三百石印富翁。

他人題記：

披圖仿佛如曾見。頗覺至工用意深。乙酉花朝夜半丁老人題。(印)

印章：

木人(朱文)

收藏：

私人

著錄：

《中國嘉德'94 秋季拍賣·中國書畫》，1994 年，北京。

109. 仿石濤山水(册頁之三)

册頁

紙本水墨

29.5×23cm

1922 年

款題：

戲臨大滌子八開之三。借山吟館主者。

印章：

白石翁(白文)

收藏：

私人

著錄：

《中國嘉德'94 秋季拍賣·中國書畫》，1994 年，北京。

110. 仿石濤山水(册頁之四)

册頁

紙本水墨

29.5×23cm

1922 年

款題：

戲臨大滌子八開之四。八硯樓。

印章：

白石翁(白文)

收藏：

私人

著錄：

《中國嘉德'94 秋季拍賣·中國書畫》，1994 年，北京。

111. 仿石濤山水(册頁之五)

册頁

紙本水墨

29.5×23cm

1922 年

款題：

戲臨大滌子八開之五。寄萍堂老人。

印章：

木居士(白文)

收藏：

私人

著錄：

《中國嘉德'94 秋季拍賣·中國書畫》，1994 年，北京。

112. 仿石濤山水(册頁之六)

册頁

紙本水墨

29.5×23cm

1922 年

款題：

戲臨大滌子八開之六。阿芝。

印章：

阿芝(朱文)

收藏：

私人

著錄：

《中國嘉德'94 秋季拍賣·中國書畫》，1994 年，北京。

113. 仿石濤山水(册頁之七)

册頁

紙本水墨

29.5×23cm

1922 年

款題:

戲臨大滌子八開之七。杏子塢老民。

印章:

老苹(朱文)

收藏:

私人

著録:

《中國嘉德'94 秋季拍賣·中國書畫》,1994 年,北京。

114. 仿石濤山水(册頁之八)

册頁

紙本水墨

29.5×23cm

1922 年

款題:

戲臨大滌子八開之八。齊瀕生。

此册所臨之由來已另記之於前。一日蔣將軍見之喜。强之去裱褙成册。後將軍自携來屬余題記。余以爲物得其主。歡然贈之。壬戌八月初七日齊璜。

印章:

木人(朱文)

收藏:

私人

著録:

《中國嘉德'94 秋季拍賣·中國書畫》,1994 年,北京。

115. 萬竹山居圖

立軸

紙本水墨設色

151×57cm

1922 年

款題:

仲孚仁兄清鑒。壬戌秋弟齊璜。

印章:

白石翁(白文)

齊大(朱文)

收藏:

仲孚原藏,現藏炎黄藝術館藝術中心。

著録:

《齊白石畫册》,上海中華書局,中華民國二十年(1931 年),上海。

116. 叢菊幽香

立軸

紙本水墨

着色

133×33cm

1922 年

款題:

齊璜製。

西風何物最清幽。叢菊香時正暮秋。花亦如人知世態。腰折無分學低頭。(折腰兩字誤寫顛倒)。壬戌秋八月白石并題。

劍白仁弟法正。癸亥春正月。兄璜贈。

印章:

白石翁(白文)　白石翁(白文)

齊大(白文)

收藏印:湖南省博物館藏品章(朱文)

收藏:

湖南省博物館

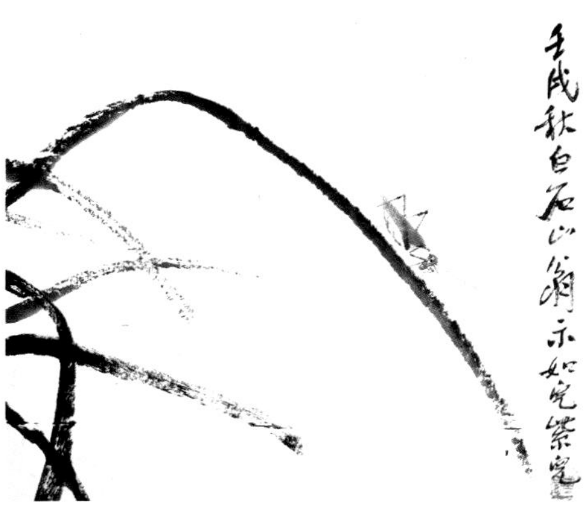

117. 蘆葦昆蟲

斗方

紙本水墨

29×33cm

1922 年

款題:

壬戌秋。白石山翁示如兒紫兒。

印章:

白石翁(白文)

收藏:

遼寧省博物館

著録:

《齊白石畫册》,遼寧省博物館編,遼寧美術出版社,1961 年,瀋陽。

注釋:

題中"如兒、紫兒",係指白石三子齊子如及其妻張紫環。1920 年,白石携 19 歲的齊子如來北京就學,并從他習畫。此圖應是齊子如夫婦摹習的畫稿。

118. 湖石海棠

立軸

紙本水墨設色

134×42cm

1922 年

款題:

紹南仁兄先生正雅。壬戌十月天日大寒。畫此。幸無生硬氣。齊璜。

印章:

白石翁(白文)

收藏:

北京市文物公司

著録:

《齊白石繪畫精萃》,秦公、少楷主編,吉林美術出版社,1994 年,長春。

119. 蟹草圖

立軸

紙本水墨

138.6×34.4cm

1922 年

款題:

多足乘潮何處投。草泥鄉裏合鈎留。秋風行出殘蒲界。自信無腸一輩羞。壬戌冬十月。白石并題。

印章:

白石翁(白文)

收藏印:□

收藏:

中國美術館

120. 山水

立軸

紙本水墨設色

135.2×32.7cm

1922年

款題:

致坡將軍喜余畫山水。以此贈之。壬戌冬十月。弟齊璜白石。

輔臣先生於廠肆見此幅。乃友人羅君之物。以價得之。甚喜。囑予題記。癸未夏。八十三歲白石。

印章:

白石翁(白文)　白石老人(白文)

收藏:

天津人民美術出版社

121. 不倒翁

立軸

紙本水墨設色

123.5×32cm

1922年

款題:

烏紗白扇儼然官，不倒原來泥半團。將汝忽然來打破。通身何處有心肝。壬戌五月小住長沙。畫不倒(翁)題詞。十一月養晦姻兄先生索畫此。余仍書舊題詞補空。齊璜。時同居京華。

印章:

白石(朱文)　齊大(白文)

收藏:

上海朵雲軒

注釋:

這是白石自1919年畫不倒翁之後，所見較早的一件不倒翁圖，已形成後來常畫的基本模式。跋中説"畫不倒(翁)題詞"，又云"仍書舊題詞補空"，表明此詩形成更早，此畫之模式初型亦應更早。

122. 牽牛花

立軸

紙本水墨設色

162.5×43cm

約1922年

款題:

京華伶界梅蘭芳嘗種牽牛花百種。其花大者過於椀(碗)。曾求余寫真藏之。姚華見之以爲怪。誹之。蘭芳出活本與觀。花大過於畫本。姚華大慚。以爲少所見也。白石。

印章:

阿芝(朱文)

收藏:

北京市文物公司

著録:

《齊白石繪畫精萃》，秦公、少楷主编，吉林美術出版社，1994年，長春。

注釋:

此幀無年款。據《白石老人自傳》第72頁記：1920年9月，他通過戲劇理論家齊如山與梅蘭芳相識。那時梅蘭芳住前門外北蘆草園。"他家種了不少的花木，有許多是外間不經見的，光是牽牛花就有百來種樣式，有的開着碗般大的花朵，真是見所未見，從此我也畫上了此花。"

曹克家藏一幀《牽牛花》與此圖大同小异，題曰"壬戌大寒畫此，幸無生硬氣。"可推定此圖畫於1922年，并可看出白石畫牽牛花的最初形態。

123. 刺藤圖

立軸

紙本水墨設色

135×34.5cm

1922年

款題:

不加鋤挖易成陰。倒地垂藤便著根。老子畫時心怕殺。實無可食刺通身。家山多此刺藤。不知爲何名。借山館四圍尤多。既不能近人。又不能禦盜寇。笑天之好生不擇物也。壬戌冬白石山翁并題記。

此幅畫於京華。深藏篋底已越四年。如兒見之以爲工矣。梅兒聞之求賜。即與之。時乙丑夏五月廿又八日。乃翁記。

印章:

木居士(白文)　白石翁(白文)

借山老人(白文)

收藏印:仁和沈氏曾藏(朱文)

收藏:

夏衍原藏，現藏浙江省博物館。

注釋:

跋中所説"梅兒"，乃夫人陳春君所生之次女阿梅。春君共生三男二女，即子良元(子貞)、良芾(子仁)、良昆(子如)，女菊如、阿梅。阿梅嫁符氏，卒於1950年。

124. 山水

立軸

紙本水墨

76×33cm

約1922年

款題:

余重來京師作畫甚多。初不作山水。爲友人始畫四小屏。裴公見之未以爲笑。且委之畫此。畫法從冷逸中覓天趣。似屬索然。即此時居於此地之畫家陳師曾外。不識其中之三昧。非余狂妄也。瀕生記。

印章:

阿芝(白文)　五十歲後(朱文)

小稱意小怪之(朱文)

借山館(朱文)

收藏:

北京市文物公司

著録:

《齊白石繪畫精萃》，秦公、少楷主编，吉林美術出版社，1994年，長春。

125. 山水

立軸

紙本水墨設色

140.9×39.3cm

約1922年

款題:

直支道兄。璜。

印章:

白石翁(白文)

收藏:

中國美術館

126. 山水

立軸

紙本水墨

140.5×39.3cm

約1922年

款題:

三百石印富翁

印章:

白石(白文)

收藏:

中國美術館

著録:

《齊白石繪畫精品選》，董玉龍主编，人民美術出版社，1991年，北京。

127. 關公騎馬圖

立軸
絹本水墨設色
81.5×46cm
約 1921—1922 年

款題：
齊璜恭繪。

印章：
白石翁(白文)

收藏：
天津藝術博物館

128. 宋岳武穆像

立軸
紙本工筆設色
169×95cm
約 1921—1922 年

款題：
宋岳武穆像
虎威上將軍命。齊璜敬摹。

印章：
齊璜之印(白文)

收藏：
天津藝術博物館

注釋：

岳武穆即宋代名將岳飛。岳飛被秦檜害死後，至孝宗時被追謚爲武穆。故後人有時稱其爲岳武穆。款中“摹”乃敬寫之意。

129. 漢關壯繆像

立軸
紙本工筆設色
169×95cm
約 1921—1922 年

款題：
漢關壯繆像
虎威上將軍命。齊璜敬摹。

印章：
齊璜之印(白文)

收藏：
天津藝術博物館

注釋：

《漢關壯繆像》和前面的《宋岳武穆像》，應是同一時期所作。據天津藝術博物館崔錦先生告，兩圖原是曹錕舊藏。款中的“虎威上將軍”即曹錕。齊白石在 1921 年應夏午詒之約到保定(見《白石老人自傳》第 73 頁，齊佛來《我的祖父白石老人》第 49 頁)，識曹錕約在此年。1923 年曹錕賄選總統，白石不大可能稱他爲“上將軍”，1924 年 10 月曹錕被馮玉祥軟囚後，也不大可能“命”畫家作畫了。因此，這兩圖的創作時間，約在 1921—1922 年間。

關羽，三國時蜀名將。他死後，蜀後主景耀三年追謚爲壯繆侯，故後人也稱其爲關壯繆。曹錕要齊白石摹畫關羽、岳飛像，無非是想以古代兩位受人尊崇的將軍自喻。

130. 杏花

立軸
紙本水墨設色
175.7×47.1cm
約 1922 年

款題：
東鄰屋角酒旗風。五十離君六十逢。歡醉太平無再夢。門前辜負杏花紅。齊白石製并題。

印章：
木居士(白文)　白石翁(白文)

收藏：
中國美術館

著録：

《齊白石作品集》，董玉龍主編，天津人民美術出版社，1990 年，天津。

131. 秋葉螞蚱

册頁
紙本水墨設色
23×23cm
約 1922 年

款題：
齊璜製。

印章：
齊大(朱文)

收藏：
齊良遲

132. 葫蘆青蠅

册頁
紙本水墨
20×26cm
約 1922 年

款題：
瀕生

印章：
白石翁(白文)

收藏：
齊良遲

133. 晚霞

鏡片

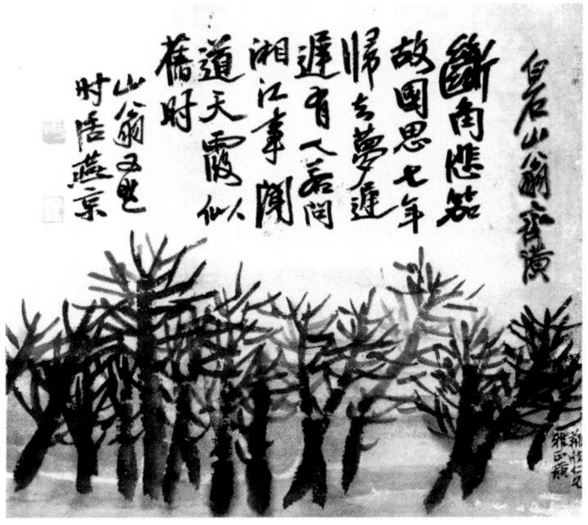

紙本水墨設色

31.5×34.5cm

約 1922 年

款題：

白石山翁齊璜。

斷角悲笳故國思。七年歸去夢遲遲。有人若問湘江事。聞道天霞似舊時。山翁又題。時居燕京。

翔欣仁兄雅正。璜。

印章：

木居士(白文)　白石翁(白文)

老齊(朱文)　阿芝(朱文)

收藏：

北京榮寶齋

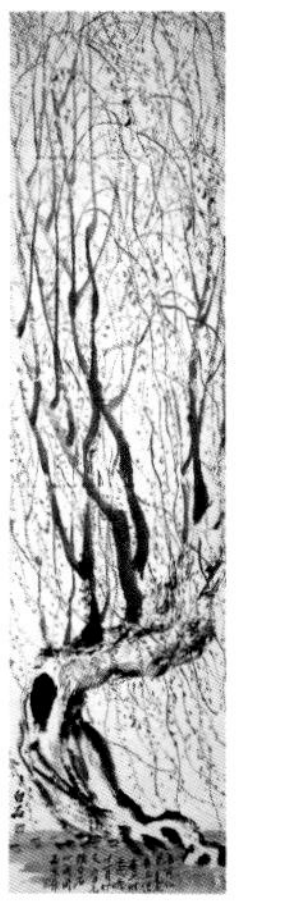

134. 柳樹

立軸

紙本水墨設色

138×34cm

1923 年

款題：

白石。

無岸仁弟見之喜。與價奪之。時壬戌冬十一月廿又五日。兄璜白石山翁同居京華。

印章：

白石翁(白文)　木居士(白文)

收藏：

湖南省博物館

135. 貝葉秋蟬圖

立軸

紙本水墨設色

90×35.8cm

1923 年

款題：

太平年少字情奴。兒女旗亭門唱酬。吟響枝高蟬翅咽。閑心比細葉紋粗。

畫苑前朝勝似麻。多爲利禄出工華。吾今原不因供奉。愧滿衰顔作匠家(前首閑心更爲詩心)。拱北先生委作細緻畫。取其所短苦其所難也。請正之。癸亥三月中齊璜并題記。

印章：

齊大(朱文)　白石翁(白文)

收藏印：仁和沈氏曾藏(朱文)

收藏：

夏衍原藏，現藏浙江省博物館。

注釋：

此畫是送給金拱北的。金拱北(1878—1926)名城，原名紹城。字鞏北，一字拱北，號北樓，又號藕湖。浙江吴興人。幼即嗜畫，習詩書篆刻。青年時代留學英國鏗司大學法律專科，曾考察美、法諸國法治及美術。歸國後，先後任民國衆議院議員、國務院秘書，曾建議籌辦古物陳列所。1919 年，與周肇祥等組辦中國畫學研究會，任會長。善山水、花鳥，長於臨古，主張以工筆爲畫學之本而以寫意爲别體，其“山水宗馬、夏，人物法唐、仇，花鳥近惲壽平”(史樹青《湖社月刊影印版序》，天津市古籍書店，1991 年)，著有《畫學講義》等，在北方有重要影響。齊白石的畫與主張，與金氏有相當距離，但彼此仍有交往。此圖題“拱北先生委作細緻畫”，也反映出金拱北的藝術取向。金城也送畫給齊白石。《齊白石作品集・詩集》第 157 頁有題金拱北所贈菊竹畫幅，和拱北自題詩韵：“黄花翠竹影交枝，風急霜嚴要護持。各有本心忘不得，年年相重歲寒期。”詩對黄花、翠竹“各有本心”又“年年相重”的描述，是深有寓意的。

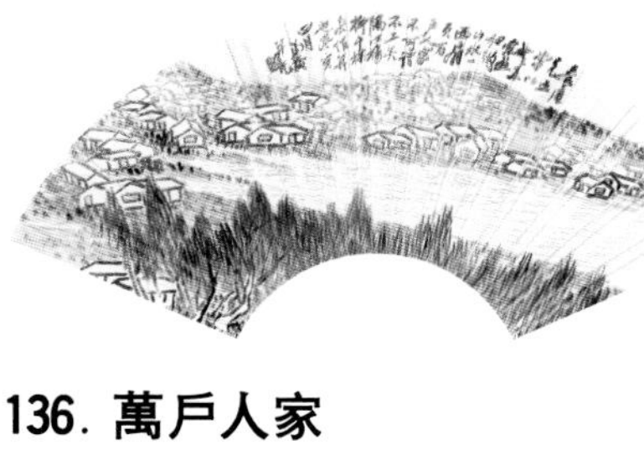

136. 萬戶人家

扇面

紙本水墨設色

23×66cm

1923 年

款題：

養庵先達嘗以書來索畫細緻山水。一面扇頁。萬户人家。不可謂不工矣。隔江楊柳千條未作算也。癸亥四月弟璜并記。

印章：

木居士(白文)

收藏：

中國藝術研究院美術研究所

注釋：

此扇是應周養庵之請作的。周養庵(1880—1954)名肇祥，字嵩靈，號養庵，别號退翁。浙江紹興人。清末舉人，肄業於京師大學堂。民國後歷任四川補用道、奉天勸業道、署理鹽運使、臨時參政院參政、湖南省長、清史館提調、北京古物陳列所所長等。1919 年，與金城等共同組立中國畫學研究會，任副會長。1927 年，重新組織中國畫學研究會并自任會長，次年出版《藝林旬刊》(1930 年改爲《藝林月刊》)。周氏善書畫，精鑒賞，富收藏，多著述，有《琉璃廠雜記》、《東遊日記》、《遊山》等。周肇祥收藏了不少齊白石作品。《齊白石作品集・詩》第 157 頁有《題周養庵畫墨梅》詩：“小鬟磨墨污肌膚，一朵梅花一顆珠。我唤此翁超絶處，畫家習氣一毫無。”詩約作於 20 年代中後期，可見出齊白石對周氏藝術的看重。

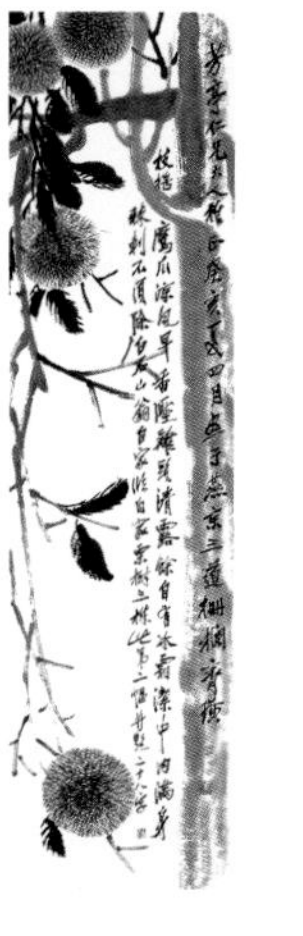

137. 栗樹

立軸

紙本水墨設色

137.5×34cm

1923 年

款題：

芳亭仁兄大人雅正。癸亥夏四月畫於燕京三道柵欄。齊璜。

枝搖鷹爪涼風早。香壓鷄頭清露餘。自有冰霜潔中内。滿身棘刺不須除。白石山翁自家臨自家栗樹三株。此第二幅。并題二十八字。

印章：

阿芝(朱文)　白石翁(白文)

齊人(白文)　木居士(白文)

收藏：

中國美術館

著録：

《齊白石作品集》，董玉龍主編，天津人民美術出版社，1990 年，天津。

注釋：

此圖作於“三道柵欄”。齊佛來《我的祖父白石老人》一書第 50 頁記述：“一九二二年……六月初二日，移居西四牌樓大院胡同内三道柵欄十號程姓房屋。”第 51 頁記“(癸亥)秋冬之間，祖父由西四牌樓三道柵欄，遷居太平橋高岔拉(高華里)一號”。

《白石老人自傳》記遷入三道栅欄是 1920 年，并説是三道栅欄六號，與佛來所述相差甚多。白石自傳是晚年回憶所述，佛來所寫則查過白石日記等文獻，似應以齊佛來所述爲準。迄今未曾見過白石 1920、1921 年作品題作於三道栅欄者，可作爲旁證。

138. 花卉

立軸

紙本水墨設色

89×47cm

1923 年

款題：

癸亥秋八月齊璜白石山翁製。時小住保陽。

印章：

木居士(白文)

收藏：

天津人民美術出版社

139. 秋荷圖

立軸

紙本水墨設色

174×71cm

1923 年

款題：

君彦仁兄先生雅正。癸亥五月初十日。齊璜白石山翁製於京華。

印章：

木居士 (白文)

白石翁(朱文)

收藏：

陝西美術家協會

140. 藤蘿

横幅

紙本水墨設色

66×92cm

1923 年

款題：

雲章先生雅正。癸亥冬十一月十又八日。齊璜白石山人製於京華。

印章：

木居士(白文)　白石翁(白文)

收藏：

中國美術館

著録：

《齊白石作品集》，董玉龍主編，天津人民美術出版社，1990 年，天津。

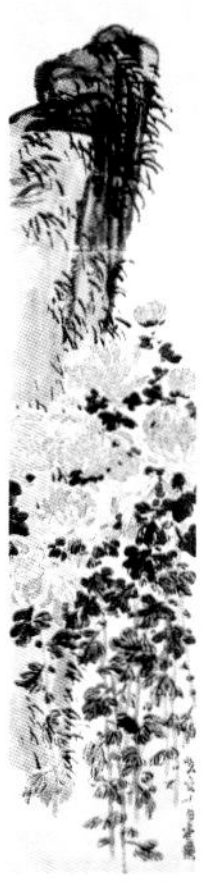

141. 菊石圖

立軸

紙本水墨設色

219×45.5cm

1923 年

款題：

癸亥十月。齊璜。

印章：

木居士(白文)

白石翁(白文)

收藏：

北京榮寶齋

142. 不倒翁

立軸

紙本水墨設色

135×33.3cm

約 20 年代初期

款題：

村老不知城市物。初看此漢認爲神。置之堂上加香供。忙殺(煞)鄰家求福人。白石山翁造不倒翁并題。

印章：

木居士(白文)　白石翁(白文)

收藏：

天津楊柳青書畫社

143. 懸崖小屋

立軸

紙本水墨設色

140×43cm

約 20 年代初期

款題：

釋戡三兄之雅。齊璜。

印章：

白石翁(白文)

收藏：

私人

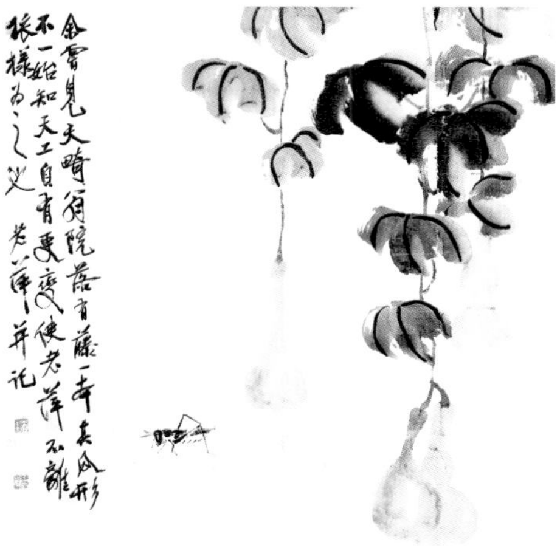

144. 葫蘆蝗蟲

鏡心

紙本水墨設色

57.5×56.5cm

約 20 年代初期

款題：

余曾見天畸翁院落有藤一本。其瓜形不一。始知天工自有更變。使老萍不離依樣爲之也。老萍并記。

印章：

木居士(白文)　白石翁(白文)

收藏：

中國美術館

著録：

《齊白石作品集》，董玉龍主編，天津人民美術出版社，1990 年，天津。

145. 草・蟲

册頁

紙本水墨設色

30×35cm
約 20 年代初期
款題:
白石。
印章:
老白(白文)　古潭州人(白文)
收藏:
中央美術學院

146. 鍾馗讀書圖
立軸
紙本水墨設色
135×34.5cm
約 20 年代初期
款題:
鍾馗讀書。見金冬心先生畫鍾馗跋語。璜畫此幅成。焚香再拜。願天常生此人。元函先生供奉。弟璜。
印章:
木居士(白文)
收藏印:仁和沈氏曾藏(朱文)
收藏:
夏衍原藏,現藏浙江省博物館。

147. 蝴蝶雁來紅
立軸
紙本水墨設色
95.3×33cm
約 20 年代初期
款題:
白石
印章:
湘上老農(白文)
白石(朱文)
收藏:
中國美術館

148. 南瓜
立軸
紙本水墨設色
148×40cm
約 20 年代初期
款題:
杏子隖老民畫此今之妙品也。呵呵。白石。
印章:
借山老人(白文)
收藏印:湖南省博物館藏品章(朱文)
湖南省文物管理委員會收藏(朱文)
收藏:
湖南省博物館

149. 雀
立軸
紙本水墨設色
115×15.5cm
約 20 年代初期
款題:
有雀有雀。北啄南剝。我屋既穿。誰謂汝無角。白石山翁并題。
印章:
老木(朱文)　白石翁(白文)
收藏:
上海美術家協會

150. 枇杷
立軸
紙本水墨設色
135×33cm
約 20 年代初期
款題:
三百石印富翁試筆。
印章:
齊大(朱文)
收藏印:湖南省博物館藏品章(朱文)
收藏:
湖南省博物館

151. 棕樹公鷄
立軸
紙本水墨設色
236.5×58cm
約 20 年代初期
款題:
三百石印富翁
印章:
白石(白文)　□□
收藏:
天津楊柳青書畫社

152. 水仙
立軸
紙本水墨設色
135×64cm
約 20 年代初期
款題:
畫水仙之盛。無過此幅。齊璜製。時南簷日暖。
印章:
老齊(朱文)　白石翁(白文)

收藏:
私人
著錄:
《齊白石畫集》,嚴欣强、金岩編,外文出版社,1990 年,北京。

153. 水草游蝦
立軸
紙本水墨
135.4×33cm
約 20 年代初期
款題:
色色蝦蟲美惡兼。
好生天意亦堪憐。
青蝦安得盈河海。
化盡飛蝗喜見天。
蝗化爲蝦見後漢循吏傳。白石山翁。
印章:
木居士(白文)　白石翁(白文)
收藏:
臺北故宮博物院

154. 海棠
立軸
紙本水墨設色
65×33cm
約 20 年代初期
款題:
三百石印富翁製。
印章:
齊大(朱文)　白石翁(白文)
收藏:
北京市文物公司
著錄:

《齊白石繪畫精萃》，秦公、少楷主編，吉林美術出版社，1994 年，長春。

155. 棕樹母鷄

立軸

紙本水墨設色

137.2×35.5cm

約 20 年代初期

款題：

甑屋四壁皆懸畫。有雛鷄一幅爲友人携去。復畫此補足之。白石并記。

印章：

木居士(白文)

收藏：

首都博物館

156. 葡萄

立軸

紙本水墨設色

179×46.4cm

約 20 年代初期

款題：

三百石印富翁

印章：

白石翁(白文)

收藏：

北京故宮博物院

157. 荷花

立軸

紙本水墨設色

104×66cm

約 20 年代初期

款題：

荷花瓣瓣大如船。
荷葉青青傘樣圓。
看盡中華南北地。
民家無此好肥蓮。
白石山民并題。

印章：

木居士(白文)

收藏：

北京故宮博物院

158. 荷花

立軸

紙本水墨設色

130×35cm

約 20 年代初期

款題：

三百石印富翁

印章：

白石翁(白文)

收藏：

私人

著錄：

《齊白石繪畫精品集》，人民美術出版社，1991 年，北京。

159. 荷花蓮蓬

立軸

紙本水墨設色

182×56cm

約 20 年代初期

款題：

白石山翁齊璜畫。
看花常記坐池亭。
容易秋風冷不勝。
生就不供中婦用。
那時荷葉尚青青。
白石又題。

印章：

老齊(朱文)　齊璜之印(白文)
木居士(白文)　白石翁(白文)
收藏印：□

收藏：

西安美術學院

160. 荷花

立軸

紙本水墨

95×46cm

約 20 年代初 期

款題：

一花一葉掃凡胎。墨海靈光五色開。修到華嚴清靜福。有人三世夢如來。用譚荔仙老人句補空。三百石印富翁。

印章：

木居士(白文)

收藏：

北京市文物公司

著錄：

《齊白石繪畫精萃》，秦公、少楷主編，吉林美術出版社，1994 年，長春。

161. 白菜

立軸

紙本水墨

137.5×33.5cm

約 20 年代初期

款題：

四十離鄉還復還。
此根仰事喜加餐。
老親含笑問余道。
果否朱門肉似山。
白石山翁并題。

印章：

白石翁(白文)

收藏：

首都博物館

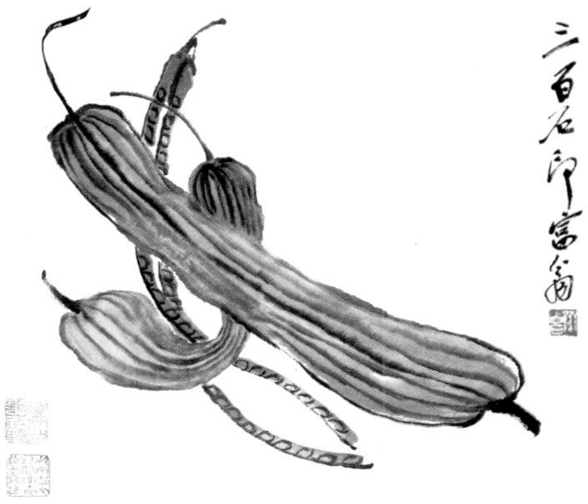

162. 絲瓜

斗方

紙本水墨設色

39×42cm

約 20 年代初期

款題：

三百石印富翁

印章：

齊白石(白文)

收藏印：湖南省博物館藏品章(朱文)

湖南省文物管理委員會收藏(朱文)

收藏：

湖南省博物館

163. 笋

斗方

紙本水墨設色

39×42cm

約 20 年代初期

款題：

白石山翁

印章：

木居士(白文)

收藏：

湖南省博物館

164. 白玉蘭

立軸

紙本水墨設色

139×34.5cm

約 20 年代初期

款題：

白石山翁製於京華。

印章：

木居士(白文)

白石翁(白文)

收藏：

中央美術學院附中

165. 蘆雁

立軸

紙本水墨設色

130.5×47cm

約 20 年代初期

款題：

容易又秋風。年年別後逢。雁鳴休笑我。身世與君同。余年來嘗居燕京。春往秋歸。畫此慨然題句。斗秋先生雅意。請兩正之。弟璜。

印章：

白石翁(白文)

收藏：

中國美術館

著錄：

《齊白石畫集》，嚴欣强、金岩編，外文出版社，1990 年，北京。

166. 荔枝天牛

立軸

紙本水墨設色

66.7×13.8cm

約 20 年代初期

款題：

齊璜

印章：

白石(白文)

收藏：

中國美術館

著錄：

《齊白石繪畫精品選》，董玉龍主編，人民美術出版社，1991 年，北京。

167. 風竹山鷄

立軸

紙本水墨設色

132×32.5cm

約 20 年代初期

款題：

啄餘無事亦能啼。竹裏清風且息栖。天也祇教隨汝懶。司晨盡意有栖(一作家)鷄。齊白石製并題。

余畫風竹山鷄。既歸外人。再畫又爲友人得去。此再三作也。白石又記。

印章：

白石翁(白文)　木居士(白文)

收藏：

上海市文物商店

168. 山水

立軸

紙本水墨設色

97×41cm

約 20 年代初期

款題：

湘潭齊璜畫此爲燮元先生八十壽。

印章：

白石翁(白文)

收藏：

北京市文物公司

著錄：

《齊白石畫集》，嚴欣强、金岩編，外文出版社，1990 年，北京；《齊白石繪畫精萃》，秦公、少楷主編，吉林美術出版社，1994 年，長春。

169. 山水

立軸

紙本水墨設色

178×47cm

約 20 年代初期

款題：

老萍

印章：

白石翁(白文)

收藏：

湖南省博物館

170. 荷花鴛鴦圖

立軸

紙本水墨設色

93.4×33.7cm

1924 年

款題：

甲子二月齊璜。

印章：

老齊(朱文)

收藏：

香港佳士得拍賣行

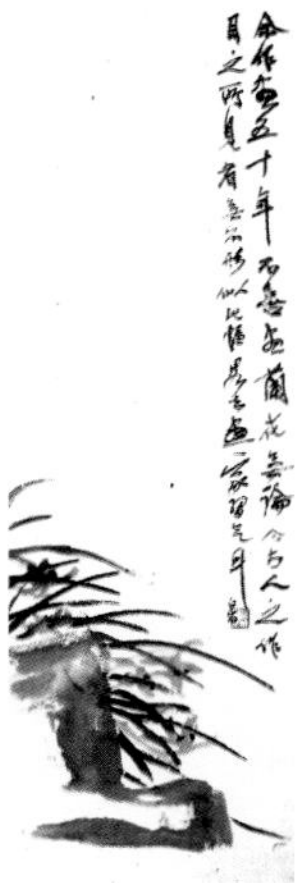

171. 蘭花

立軸

紙本水墨設色

120×40cm

約 20 年代初期

款題：

余作畫五十年。不善畫蘭花。無論今古人之作。目之所見者無不形似。此幅略去畫家習氣耳。白石。

印章：

阿芝(朱文)

收藏：

四川美術學院

172. 梅花蝴蝶(花鳥蟲魚册頁之一)

册頁

紙本水墨

22.5×33.5cm

1924 年

款題：

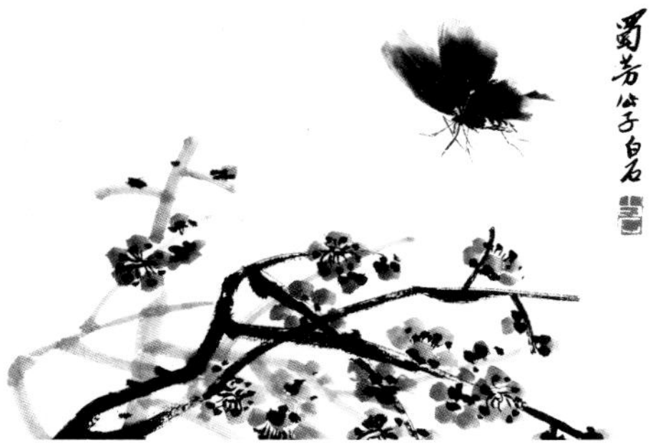

蜀芳公子。白石。

印章：

白石(白文)

收藏：

霍宗傑

著錄：

《齊白石畫海外藏珍》，王大山主編，榮寶齋(香港)有限公司，1994年，香港。

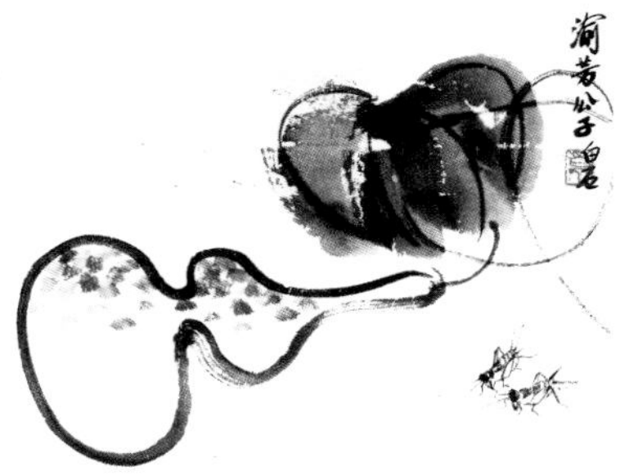

173. 葫蘆蟋蟀(花鳥蟲魚册頁之二)

册頁

紙本水墨

22.5×33.5cm

1924年

款題：

渝芳公子。白石。

印章：

老齊(白文)

收藏：

霍宗傑

174. 群魚戲水(花鳥蟲魚册頁之三)

册頁

紙本水墨

22.5×33.5cm

1924年

款題：

魯芳公子。白石。

印章：

白石翁(白文)

收藏：

霍宗傑

175. 桑葉蠶蟲(花鳥蟲魚册頁之四)

册頁

紙本水墨

22.5×33.5cm

1924年

款題：

燕芳公子。白石。

印章：

木居士(白文)

收藏：

霍宗傑

176. 水草螃蟹(花鳥蟲魚册頁之五)

册頁

紙本水墨

22.5×33.5cm

1924年

款題：

寧芳公子。白石。

印章：

阿芝(朱文)

收藏：

霍宗傑

177. 蝶花飛蜂(花鳥蟲魚册頁之六)

册頁

紙本水墨

22.5×33.5cm

1924年

款題：

梅芳公子。白石。

印章：

木人(朱文)

收藏：

霍宗傑

178. 竹林鷄雛(花鳥蟲魚册頁之七)

册頁

紙本水墨

22.5×33.5cm

1924年

款題：

桂芳公子。白石。

印章：

白石(白文)

收藏：

霍宗傑

179. 藤枝小鳥(花鳥蟲魚册頁之八)

册頁

紙本水墨

22.5×33.5cm

1924年

款題：

漢芳公子。白石。

印章：

白石翁(白文)

收藏：

霍宗傑

180. 絲瓜蜜蜂（花鳥蟲魚册頁之九）

册頁

紙本水墨

22.5×33.5cm

1924 年

款題：

白石

印章：

木人（朱文）

收藏：

霍宗傑

181. 秋葉蝗蟲（花鳥蟲魚册頁之十）

册頁

紙本水墨

22.5×33.5cm

1924 年

款題：

白石

印章：

木居士（白文）

收藏：

霍宗傑

182. 剪刀草游鴨（花鳥蟲魚册頁之十一）

册頁

紙本水墨

22.5×33.5cm

1924 年

款題：

白石

印章：

老齊（朱文）

收藏：

霍宗傑

183. 蘆草游蝦（花鳥蟲魚册頁之十二）

册頁

紙本水墨

22.5×33.5cm

1924 年

款題：

慶芳公子。白石。

南湖弟多兒女。余戲贈畫册各一幀。已得九數。尚餘三幀。留待他日添兒補款也。呵呵。時癸亥冬十二月初八日。兄齊璜并記。

印章：

阿芝（朱文）　白石翁（白文）

收藏：

霍宗傑

184. 桂林山

立軸

紙本水墨設色

86.2×43.1cm

1924 年

款題：

逢人耻聽説荆關。宗派誇能却汗顔。自有心胸甲天下。老夫看熟桂林山。甲子春三月。爲匯川先生畫并題。齊璜白石山翁。

印章：

阿芝（朱文）　木居士（白文）

收藏：

北京故宫博物院

注釋：

齊白石的山水畫，因爲風格簡放，注重現實感受，自創一格，經常受到一些有宗派觀念、講究畫法來歷者的嘲笑。這種情況，在 20 年代前期尤甚。他在此畫上的題詩，既有抒發宣泄不平之意，也表達了他的主張與見解。他 70 歲時（1932 年）談及自己的山水畫，特别引用了“逢人耻聽説荆關，宗派誇能却汗顔”這兩句詩，説“我向來反對宗派拘束……也反對死臨摹。”（《白石老人自傳》第 85 頁）“老夫看熟桂林山”一句，後來改爲“老夫看慣桂林山”。

齊白石晚年的山水，多描繪獨立的山峰，而極少描繪崇山叠嶂，與他得自桂林等地山水的印象極有關。

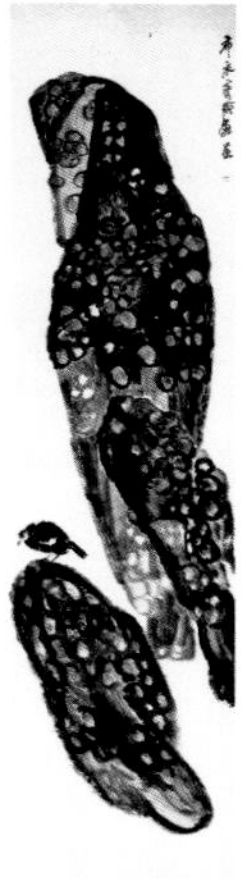

185. 巨石鳥魚屏（四條屏之一）

立軸

紙本水墨設色

262.5×70.5cm

1924 年

款題：

布衣齊璜畫呈。

印章：

齊大（朱文）

收藏：

天津市文物公司

186. 巨石鳥魚屏（四條屏之二）

立軸

紙本水墨

262.5×70.5cm

1924 年

款題：

甲子春三月布衣齊璜呈。

印章：

木居士（白文）

齊白石（白文）

收藏：

天津市文物公司

187. 巨石鳥魚屏（四條屏之三）

立軸

紙本水墨設色

262.5×70.5cm

1924 年

款題：

布衣齊璜製呈。時甲子三月十又二日。

印章：

木居士(白文)

白石翁(白文)

收藏：

天津市文物公司

188. 巨石鳥魚屏(四條屏之四)

立軸

紙本水墨設色

262.5×70.5cm

1924 年

款題：

甲子春草衣齊璜製於京華。

印章：

木居士(白文)

白石翁(白文)

收藏：

天津市文物公司

189. 紫藤

立軸

紙本水墨設色

177.5×48cm

1924 年

款題：

借山館藏。齊白石啓。

伯言先生雅正。甲子春三月畫。秋七月添記。時居京華鴨子廟側。齊璜。

印章：

老齊(朱文)　木居士(白文)

老夫也在皮毛類(白文)

白石翁(白文)

收藏：

天津人民美術出版社

190. 佛手昆蟲

立軸

紙本水墨設色

118×60cm

1924 年

款題：

甲子夏五月布衣齊璜呈。

印章：

白石(白文)

齊璜之印(白文)

收藏：

中國美術館

著錄：

《齊白石作品集》，董玉龍主編，天津人民美術出版社，1990 年，天津。

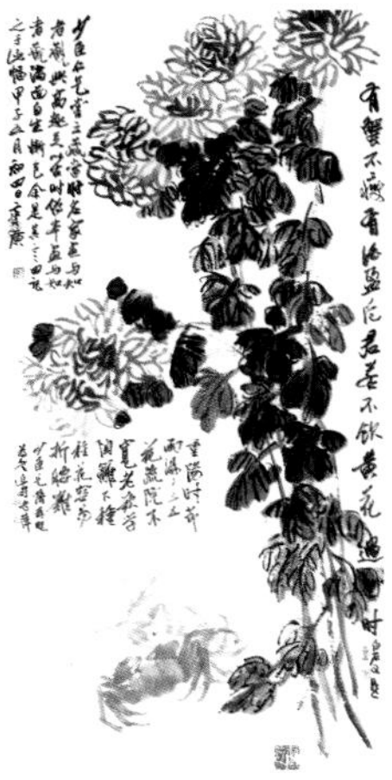

191. 菊花螃蟹

立軸

紙本水墨設色

96.5×46.2cm

1924 年

款題：

少臣仁兄嘗云。藏當時名家畫與知者觀。興高趣足。以古時僞本畫與知者觀。滿面自生慚色。余是其言。因記之於此幅。甲子五月初四日。齊璜。

有蟹不瘦。有酒盈卮。君若不飲。黄花過時。白石又題。

重陽時節雨瀟瀟。三五花蔬院不寬。老欲學陶籬下種。種花容易折腰難。少臣兄囑再題。爲書近句。老萍。

印章：

借山老人(白文)　木居士(白文)

齊白石(白文)　阿芝(朱文)

老萍(朱文)　白石(白文)

畫迂(白文)

收藏：

中國美術館

著錄：

《齊白石繪畫精品選》，董玉龍主編，人民美術出版社，1991 年，北京。

192. 延壽(花卉草蟲四條屏之一)

立軸

瓷青紙單色

60×30cm

1924 年

款題：

延壽

齊璜

印章：

老齊(朱文)

收藏：

北京榮寶齋

193. 晚色猶佳(花卉草蟲四條屏之二)

立軸

瓷青紙單色

60×30cm

1924 年

款題：

晚色猶佳

齊璜

印章：

木居士(白文)

收藏：

北京榮寶齋

194. 居高聲遠(花卉草蟲四條屏之三)

立軸

瓷青紙單色

60×30cm

1924 年

款題：

居高聲遠

甲子夏五月布衣齊璜呈。

印章：

齊璜之印(白文)

收藏：

北京榮寶齋

195. 色潔香清(花卉草蟲四條屏之四)

立軸

瓷青紙單色

60×30cm

1924 年

款題：

色潔香清

齊璜

印章：

白石翁(白文)

收藏：

北京榮寶齋

注釋：

此四條屏以金色繪於瓷青紙，工整嚴謹。從所題“居高聲遠”、“延壽”、“晚色猶佳”、“色潔香清”和“布衣齊璜呈”下款來推測，應是贈一位年紀較大，有相當政治地位之人的。“布衣齊璜呈”幾字，祇在齊白石給曹錕的幾件作品上采用過。

作此畫的 1924 年 5 月，曹錕正在做“賄選總統”。

196. 天牛（草蟲册頁之一）

册頁

紙本墨筆設色

13×18.8cm

1924 年

款題：

璜製。

此册乃甲子年所畫。故有楷書璜製二字。戊辰秋補記之。白石。

印章：

木人（朱文）　老苹（朱文）

收藏：

北京畫院

197. 蜜蜂（草蟲册頁之二）

册頁

紙本水墨設色

13×18.8cm

1924 年

款題：

寄萍堂上老人作。

印章：

老苹（朱文）

收藏：

北京畫院

198. 青蛾（草蟲册頁之三）

册頁

紙本水墨設色

13×18.8cm

1924 年

款題：

老萍。

印章：

木人（朱文）

收藏：

北京畫院

199. 蟋蟀（草蟲册頁之四）

册頁

紙本墨筆設色

13×18.8cm

1924 年

款題：

阿芝。

印章：

阿芝（朱文）

收藏：

北京畫院

200. 蝗蟲（草蟲册頁之五）

册頁

紙本墨筆設色

13×18.8cm

1924 年

款題：

富貴花落成春泥。不若野草餘秋色。

白石。

印章：

芝（朱文）

收藏：

北京畫院

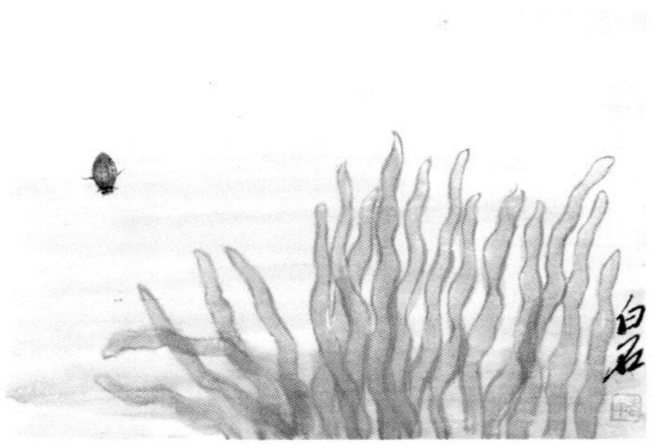

201. 甲蟲（草蟲册頁之六）

册頁

紙本水墨設色

13×18.8cm

1924 年

款題：

白石。

印章：

老苹（朱文）

收藏：

北京畫院

202. 天牛（草蟲册頁之七）

册頁

紙本水墨設色

13×18.8cm

1924 年

款題：

杏子隖老民寫。

印章：

芝（朱文）

收藏：

北京畫院

203. 蜂（草蟲册頁之八）

册頁

紙本水墨設色
13×18.8cm
1924 年

款題：
白石

印章：
木人(朱文)

收藏：
北京畫院

204. 蝗蟲(草蟲册頁之九)
册頁
紙本水墨設色
13×18.8cm
1924 年

款題：
此册之蟲爲蟲寫工緻照者。故工。存寫意本者。故寫意也。三百石印富翁記。

印章：
木人(朱文)

收藏：
北京畫院

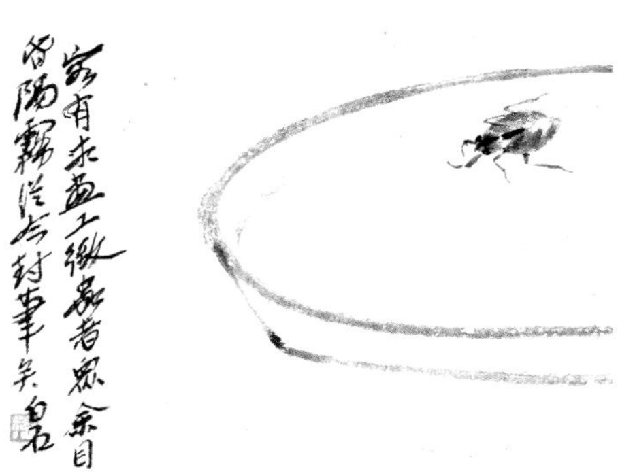

205. 甲蟲(草蟲册頁之十)
册頁
紙本水墨
13×18.8cm
1924 年

款題：
客有求畫工緻蟲者衆。余目昏隔霧。從今封筆矣。白石。

印章：
老苹(朱文)

收藏：
北京畫院

206. 白蕉書屋
立軸
紙本水墨設色
134×32.6cm
1924 年

款題：
幼甫先生清正。甲子五月十又二日。齊璜製。

印章：
木居士(白文)
白石翁(白文)

收藏：
楊永德

著錄：
《楊永德藏齊白石書畫》，中國嘉德’95 秋季拍賣會圖錄 218 號，1995 年，北京。

207. 老少年
立軸
紙本水墨設色
121.5×33.5cm
1924 年

款題：
甲子八月。昨日中秋。齊璜製於燕京。

印章：
老齊(朱文)

收藏：
中央工藝美術學院

208. 芋葉公鷄(花鳥四條屏之一)
立軸
紙本水墨設色
165.5×58cm
1924 年

款題：
齊璜製。

印章：
白石翁(白文)

收藏：
天津楊柳青書畫社

209. 梅花鷹石(花鳥四條屏之二)
立軸
紙本水墨設色
165.5×58cm
1924 年

款題：
齊璜製。

印章：
阿芝(朱文)
木居士(白文)

收藏：
天津楊柳青書畫社

210. 菊石八哥(花鳥四條屏之三)
立軸
紙本水墨設色
165.5×58cm
1924 年

款題：
甲子秋九月初八日齊璜製於京華。奉呈。

印章：
木居士 (白文)
白石翁(白文)

收藏：
天津楊柳青書畫社

211. 荷花鴛鴦(花鳥四條屏之四)
立軸
紙本水墨設色
165.5×58cm
1924 年

款題：
甲子秋八月初八日齊璜製。

印章：
木居士 (白文)
白石翁(白文)

收藏：
天津楊柳青書畫社

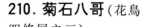

212. 桑葉蠶蟲(草蟲册頁之一)

册頁

紙本水墨設色

33.5×34cm

1924 年

印章：

齊大(朱文)

收藏：

中央美術學院

213. 蝴蝶青蛾(草蟲册頁之二)

册頁

紙本水墨設色

33.5×34cm

1924 年

印章：

齊大(朱文)

收藏：

中央美術學院

214. 蘭花碧蛾(草蟲册頁之三)

册頁

紙本水墨設色

33.5×34cm

1924 年

印章：

阿芝(朱文)　　白石翁(白文)

收藏：

中央美術學院

215. 秋葉蜻蜓(草蟲册頁之四)

册頁

紙本水墨設色

33.5×34cm

1924 年

印章：

阿芝(朱文)

收藏：

中央美術學院

216. 叢草蚱蜢(草蟲册頁之五)

册頁

紙本水墨設色

33.5×34cm

1924 年

印章：

白石翁(白文)

收藏：

中央美術學院

217. 稻葉螞蚱(草蟲册頁之六)

册頁

紙本水墨設色

33.5×34cm

1924 年

印章：

白石翁(白文)

收藏：

中央美術學院

218. 菊花螞蚱(草蟲册頁之七)

册頁

紙本水墨設色

33.5×34cm

1924 年

印章：

阿芝(朱文)

收藏：

中央美術學院

219. 芋頭蟋蟀(草蟲册頁之八)

册頁

紙本水墨設色

33.5×34cm

1924 年

印章：

白石翁(白文)

收藏：

中央美術學院

220. 杏花蜂蟲(草蟲册頁之九)

册頁
紙本水墨設色
33.5×34cm
1924年

印章:
木居士(白文)

收藏:
中央美術學院

221. 葫蘆蠅蟲(草蟲册頁之十)

册頁
紙本水墨設色
33.5×34cm
1924年

印章:
白石翁(白文)　　齊大(朱文)

收藏:
中央美術學院

222. 菊花螳螂(草蟲册頁之十一)

册頁
紙本水墨設色
33.5×34cm
1924年

收藏:
中央美術學院

223. 皂莢秋蟬(草蟲册頁之十二)

册頁
紙本水墨設色
33.5×34cm
1924年

款題:
甲子秋九月布衣齊璜呈。

印章:
木人(朱文)　　木居士(白文)
收藏印:□

收藏:
中央美術學院

注釋:
此畫下款與前瓷青紙四條屏相同,所呈贈的對象,也許是同一人。

224. 黃蜂(草蟲册頁之一)

册頁
紙本水墨設色
12.8×18.3cm
1924年

款題:
杏子隖老民。

印章:
木居士(白文)

收藏:
中國美術館

著録:
《齊白石繪畫精品選》, 董玉龍主編,人民美術出版社,1991年,北京。

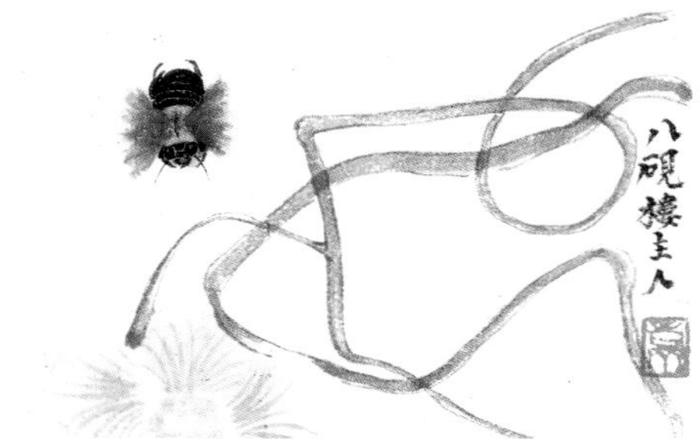

225. 蜜蜂(草蟲册頁之二)

册頁
紙本水墨設色
12.8×18.3cm
1924年

款題:
八硯樓主人

印章:
老齊(朱文)

收藏:
中國美術館

226. 秋蛾(草蟲册頁之三)

册頁
紙本水墨設色
12.8×18.3cm
1924年

款題:
寄萍堂主人

印章:
芝(朱文)

收藏:
中國美術館

227. 螞蚱(草蟲册頁之四)

册頁
紙本水墨設色
12.8×18.3cm
1924年

款題:
齊大

印章：

老齊(朱文)

收藏：

中國美術館

228. 蝈蝈(草蟲册頁之五)

册頁

紙本水墨設色

12.8×18.5cm

1924 年

款題：

寄萍堂主人

印章：

芝(朱文)

收藏：

中國美術館

229. 綠蛾(草蟲册頁之六)

册頁

紙本水墨設色

12.8×18.5cm

1924 年

款題：

瀕生

印章：

芝(朱文)

收藏：

中國美術館

230. 黃蛾(草蟲册頁之七)

册頁

紙本水墨設色

12.8×18.5cm

1924 年

款題：

三百石印富翁

印章：

木居士(白文)

收藏：

中國美術館

231. 青蛾(草蟲册頁之八)

册頁

紙本水墨設色

12.8×18.5cm

1924 年

款題：

甲子冬白石山翁。

印章：

齊大(朱文)　　老齊(朱文)

收藏印：王鵬琦曾考藏(朱文)

收藏：

中國美術館

232. 向日葵

立軸

紙本水墨設色

136×34cm

1924 年

款題：

齊白石居京師第八年畫。

茅檐矮矮長葵齊。
雨打風搖損葉稀。
乾旱猶思晴暢好。
傾心應向日東西。

白石山翁燈昏又題。

印章：

木居士(白文)　白石翁(白文)

收藏：

香港佳士得拍賣行

233. 紫藤

立軸

紙本水墨設色

172×46.5cm

1924 年畫藤

1943 年補蟲

款題：

齊璜白石山翁。

此蟲乃甲子後廿年所補。白石。

此畫乃予初來京華時所作。回頭廿年。校(較)而今之白石所作。已成天壤。白石記。

印章：

木居士(白文)　白石翁(白文)

齊大(白文)

行年八十三矣(白文)

收藏：

上海市文物商店

234. 萬松山居圖

立軸

紙本水墨設色

140×34.5cm

1924 年

款題：

筆端生趣故鄉風。柴火無寒布幕紅。我欲爲公作雙壽。添山數叠萬株松。甲子冬璜。

印章：

阿芝(朱文)

木居士(白文)

收藏：

上海美術家協會

235. 江上千帆圖

立軸

紙本水墨設色

140×52.5cm

約 1924 年

款題：

白石製。

印章：

木居士(白文)

收藏：

中國美術館

236. 山水

立軸

紙本水墨設色

67×36cm

約 1924 年

印章:

白石(白文)

收藏印:湖南省博物館藏品章(朱文)

湖南省文物管理委員會收藏(朱文)

收藏:

湖南省博物館

237. 垂藤雛鷄

立軸

紙本水墨

123×33cm

約 1924 年

款題:

三百石印富翁製於燕京鴨子廟側。

印章:

木居士(白文)

木人(朱文)

收藏:

北京榮寶齋

238. 多荔圖

立軸

紙本水墨設色

136×34.5cm

1924 年底—1925 年初

款題:

善仲先生清正。甲子十又二月齊璜製。

印章:

木居士(白文)

白石翁(白文)

收藏:

北京市文物公司

著錄:

《翰海'95 春季拍賣會中國繪畫(近現代)》,1995 年,北京。

239. 鱗橋烟柳圖

立軸

紙本水墨設色

101.5×38.7cm

1924 年底—1925 年初

款題:

鱗橋烟柳圖

甲子冬十二月齊璜。

印章:

齊白石(白文) 接木移花手段(白文)

收藏:

中國美術館

著錄:

《齊白石畫集》,嚴欣强、金岩編,外文出版社,1991 年,北京。

《齊白石繪畫精品選》,董玉龍主編,人民美術出版社,1991 年,北京。

240. 雨後山光圖

立軸

紙本水墨設色

98×49cm

1925 年

款題:

雨後山光

三百八十二甲子齊璜居京華第九年製。

雨初過去山如染。破屋無塵任倒斜。丁巳以前多此地。無灾無害住仙家。乙丑正月白石山翁又題。

少臣仁弟清論。齊璜。

印章:

阿芝(朱文) 白石(白文)

木居士(白文) 老齊(朱文)

老苹(朱文) 樂石居(朱文)

收藏:

北京市文物公司

著錄:

《齊白石繪畫精萃》,秦公、少楷主編,吉林美術出版社,1994 年,長春。

241. 松樹青山

立軸

紙本水墨設色

141.8×37.8cm

1925 年

款題:

天之長。地之久。松之年。山之壽。乙丑花朝。介福先生賢夫婦壽。齊璜。

印章:

三百石印齋(朱文)

白石山翁(白文)

收藏印:□

收藏:

中國美術館

著錄:

《齊白石作品集》,董玉龍主編,天津人民美術出版社,1990 年,天津。

242. 螃蟹圖

扇面

紙本水墨

24×52cm

1925 年

款題:

乙丑夏四月。紉秋先生法正。弟璜製。

印章:

借山老人(白文)

收藏:

長沙市博物館

243. 蘭花

扇面

紙本水墨

24×52cm

1925 年

款題：

紉秋仁兄之雅。乙丑齊璜。

印章：

借山老人(白文)

收藏：

長沙市博物館

244. 蘭石圖

立軸

紙本水墨設色

166×41cm

1925 年

款題：

乙丑又四月。齊璜由京華還家作。

印章：

白石翁(白文)

收藏：

中央美術學院

245. 孤帆圖

立軸

紙本水墨設色

178×47cm

1925 年

款題：

乙丑夏五月。齊璜爲乙垣仁先生製。

印章：

借山老人(白文)

白石翁(白文)

收藏印：湖南省博物館收藏印(朱文)

收藏：

湖南省博物館

246. 鳳仙花

立軸

紙本水墨設色

79×40cm

1925 年

款題：

養源六弟正寫。乙丑五月兄齊璜。

印章：

白石翁(白文) □

收藏印:湖南省博物館收藏印(朱文)

收藏：

湖南省博物館

247. 達摩像

立軸

紙本水墨設色

138×77cm

1925 年

款題：

澤昺供奉。齊璜恭繪。乙丑六月廿又六日。

印章：

借山老人(白文) 白石翁(白文)

收藏：

天津藝術博物館

248. 蘭石圖

立軸

紙本水墨設色

148×40cm

1925 年

款題：

玉相仁兄正寫。乙丑秋初畫於湘潭城之南。齊璜。

印章：

白石翁(白文)

收藏印：湖南省博物馆收藏印(朱文)

收藏：

湖南省博物館

249. 老少清白圖

立軸

紙本水墨設色

97×33cm

1925 年

款題：

春浦仁兄之屬。乙丑夏齊璜製。

印章：

借山老人(白文)

收藏：

湖南省博物館

250. 松居圖

扇面

紙本水墨設色

21×48cm

1925 年

款題：

乙丑秋八月朔。齊璜爲藸庵仁兄畫於京華。

印章：

阿芝(朱文)

收藏：

私人

251. 栗樹

立軸

紙本水墨設色

176.8×47cm

約 1925 年

款題：

丁巳前過南鄰子小園。南鄰女子能上梯折栗子贈余。栗刺傷指見血痕

猶無怨態。此好夢不覺忽忽九年矣。白石記。

印章：

木居士(白文)

收藏：

中國美術館

著錄：

《齊白石繪畫精品選》，董玉龍主編，人民美術出版社，1991年，北京。

252. 其奈魚何

立軸

紙本水墨設色

142×42cm

1925年

款題：

善寫意者專言其神。工寫生者衹重其形。要寫生而後寫意。寫意而後復寫生。自能神形俱見。非偶然可得也。白石山翁製并記。

草野之貍。雲天之鵝。水邊雛鷄。其奈魚何。三百八十二甲子老萍又題。

印章：

木居士(白文)　木人(朱文)

寄萍堂(白文)　借山老人(白文)

收藏：

北京畫院

253. 蕉屋圖

立軸

紙本水墨設色

140×45cm

1925年

款題：

乙丑中秋後作。老萍。

印章：

木居士(白文)

白石翁(白文)

收藏：

私人

254. 棕樹小鷄

立軸

紙本水墨設色

148×40cm

1925年

款題：

老萍

泊廬仁弟法正。乙丑冬兄璜。

印章：

白石翁(白文)

木居士(白文)

白石翁(白文)

收藏：

陝西美術家協會

255. 松鷹

立軸

紙本水墨設色

129.5×62.3cm

1925年

款題：

齊璜畫於京華西城之西。時乙丑季冬。

印章：

白石翁(白文)

木居士(白文)

收藏：

北京故宮博物院

256. 老少年

立軸

紙本水墨設色

135×34cm

1925年

款題：

著苗原不類蓬根。喜得能贏不老身。曾見夭桃開頃刻。又逢芍藥謝殘春。半天紅雨魂無着。滿地香泥夢有痕。經過東風全寂寞。艷嬌消受幾黄昏。乙丑冬。天日不寒。余得七言五十六字。白石。

印章：

木居士(白文)

收藏：

遼寧省博物館

著錄：

《齊白石畫册》，遼寧省博物館編，遼寧美術出版社，1961年，瀋陽。

257. 好山依屋圖

立軸

紙本水墨設色

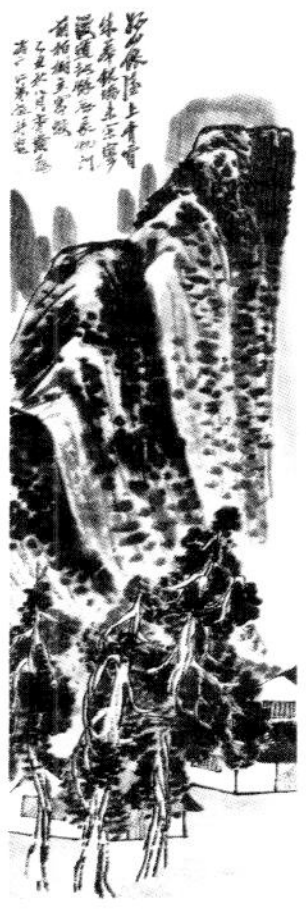

120×42cm

1925年

款題：

好山依屋上青霄。朱幕銀牆未寂寥。漫道劫餘無長物。門前柏樹立寒蛟。乙丑秋八月齊璜爲冷庵仁弟畫并題。

印章：

阿芝（朱文）

木居士(白文)

收藏：

私人

著錄：

《齊白石繪畫精品集》，人民美術出版社，1991年，北京。

注釋：

此圖是畫給北京畫家胡佩衡的。胡佩衡（1892－1965年）名錫銓，字佩衡，號冷庵，河北涿縣人，居北京。師清末民初畫家姜筠等，曾鑽研摹習王石谷畫。後上溯宋元，風格蒼茫深秀，被稱作"在仲圭、黄鶴之間"。20年代初，曾擔任北京大學畫法研究會導師，恰好陳師曾也擔任此會導師，便通過陳師曾的關係認識了白石（參見胡佩衡、胡橐《齊白石畫法與欣賞》20頁，人民美術出版社，1959年，北京）。胡很敬佩白石的藝術，一生與老人交好，其子胡橐拜齊白石爲師學習繪畫。在與白石相熟的畫家中，胡氏父子所藏白石畫不僅數量多，精品也多。此圖即20年代中期齊白石山水畫的代表作之一。

258. 芭蕉書屋圖

立軸

紙本水墨設色

133.5×66cm

約1925年

款題：

三丈芭蕉一萬株。人間此景却非無。立身悮墮皮毛類。恨不移家老讀書。大滌子呈石頭畫題云。書畫名傳品類高。先生高出衆皮毛。老夫也在皮毛類。一笑題成迅綵毫。白石山翁畫并題記。

印章：

木居士(白文)　白石翁(白文)

老夫也在皮毛類(白文)

收藏：

首都博物館

注釋：

齊白石畫芭蕉書屋，有時稱“白蕉書屋”、“綠天過客”等，大體以白描手法畫芭蕉，蕉林中有屋或樓居。此類同一母式之作多見。他最早畫此，是在1907年遠遊越南之後。《白石老人自傳》58頁記1907年事曰：“欽州轄界，跟越南接壤，那年邊境不靖，兵備道是要派兵巡邏的。我趁此機會，隨軍到達東興。這東興在北崙河北岸，對面是越南的芒街，過了鐵橋，到了北崙河南岸，遊覽越南山水。野蕉數百株，映得滿天都成碧色。我畫了一張《綠天過客圖》，收入借山圖卷之內。”

259. 綠天野屋圖

立軸

紙本水墨

着色

142×67cm

1925年

款題：

綠天野屋

玉相法家正。

乙丑秋畫。璜。

印章：

老木(朱文)

收藏：

王大山原藏，現藏炎黃藝術館藝術中心。

260. 荷塘水榭（山水十二條屏之一）

立軸

紙本水墨設色

191×50cm

1925年

款題：

少時戲語總難忘。欲構凉窗坐板塘。難得那人含笑約。隔年消息聽荷香。乙丑中秋後。製畫十二幅之十二并題。老萍。

子林仁兄先生清鑒。弟齊璜老眼。

印章：

木人(朱文)　木居士(白文)

白石翁(白文)

收藏印：□□

收藏：

郭秀儀

著錄：

《齊白石作品集·繪畫》，人民美術出版社，1963年，北京。

注釋：

1925年爲子林所作山水十二屏，是齊白石中期繪畫尤其山水畫的主要代表作。它們是《柏樹森森》、《紅樹白泉》、《松林白屋》(以上刊《齊白石作品集·繪畫》)《遠樹餘霞》、《杏花草堂》、《杉樹樓臺》、《烟深帆影》、《山中春雨》(以上刊《齊白石畫選》，人民美術出版社，1980年)，《江上人家》、《石岩雙影》、《板橋孤帆》、《荷塘水榭》等。齊白石衰年變法以寫意花鳥爲主要對象，間及山水人物等，這套條屏標志着其山水風格變革的成熟。

261. 不倒翁

立軸

紙本水墨設色

134.5×32cm

1925年

款題：

秋扇搖搖兩面白。官袍楚楚通身黑。笑君不肯打倒來。自信胸中無點墨。此詩新作。題不倒翁第一回也。子美仁兄鑒。乙丑秋九月。齊璜并題記。

印章：

木居士(白文)

白石翁(白文)

收藏：

北京榮寶齋

262. 茶花天牛

扇面

紙本水墨設色

22×48cm

1926年

款題：

乙丑冬十二月齊璜。

印章：

木居士(白文)

收藏：

天津人民美術出版社

263. 魚龍不見蝦蟹多

立軸

紙本水墨

133×34cm

1926年

款題：

魚龍不見。蝦蟹偏多。草没泥渾奈汝何。丙寅春正月畫於京華寄萍堂。白石山翁。

古今教授九十七歲。白石。

印章：

老齊(朱文)　白石翁(白文)

借山翁(朱文)

收藏：

北京市文物公司

著錄：

《齊白石繪畫精萃》，秦公、少楷主編，吉林美術出版社，1994年，長春。

注釋：

齊白石畫蝦，經歷了長期的探索。胡橐在《談白石老人畫蝦》一文中説：“六十三歲左右畫的蝦，外形很像，但蝦的透明感還表現不出來。蝦的頭胸還不分濃淡，腹部少姿態，長臂鉗也欠挺而有力，腹部小腿十隻也未省略，長鬚平擺六條，呈放射狀，看不出正在不停地搖動開合。”此説與這幅64歲畫的蝦大體一致，表明白石畫蝦尚不成熟。

264. 蛙戲圖

斗方

紙本水墨

31.5×24.5cm

1926年

款題：

丙寅春正月齊璜。

印章：

木人(朱文)　白石翁(白文)

收藏：

私人

著錄：

《齊白石繪畫精品集》，人民美術出版社，1991 年，北京。

注釋：

齊白石何時開始畫蛙，已無考。此幅作於 1926 年 64 歲時，即衰年變法後期，這一年他畫的蝦尚不成熟（見前圖注），但畫蛙已經完全成熟——有了自己的筆墨程式，蛙的外形既像又生動活潑，完全超越了古人。胡佩衡、胡橐《齊白石畫法與欣賞》一書談及白石畫蛙時說：“白石老人原來很少畫蛙，多畫蝦、蟹、魚，但舊社會的習慣總喜四條屏，必然要再有一種水中小動物相配，於是畫蛙的作品就較多地出現了。起初畫的蛙也不能表達出質感。……經過長時間的研究與練習，并且不斷觀察蛙的跳躍和在水中游泳等姿態，前腿與後腿的區別，最後，終於用筆墨畫出生動活潑的青蛙來了。”

265. 梅蝶圖

立軸

紙本墨筆設色

68.8×41.7cm

1926 年

款題：

子林仁兄先生清正。丙寅春二月。弟齊璜。

印章：

阿芝（朱文）

收藏印：子林（白文）　□

收藏：

中國美術館

266. 西城三怪圖

立軸

紙本水墨設色

60.9×45.1cm

1926 年

款題：

西城三怪圖

余客京師。門人雪庵和尚常言。前朝同光間趙撝叔德硯香諸君爲西城三怪。吾曰。然則吾與汝亦西城今日之怪也。惜無多人。雪庵尋思曰。白庵亦居西城。可成三怪矣。一日白庵來借山館。余白其事。明日又來。出紙索畫是圖。雪庵見之亦索再畫。余并題二絶句（第六行之字下有兩字）。閉户孤藏老病身。那堪身外更逢君。扪心何有稀奇筆。恐見西山冷笑人。幻緣塵夢總雲曇。夢裏阿長醒雪庵。不以拈花作模樣。果然能與佛同龕。雪庵和尚笑存。丙寅春二月齊璜。

印章：

老白（白文）

收藏：

中國美術館

注釋：

“西城三怪”指白石、雪庵和尚與白庵三人。雪庵即瑞光（1878—1932），北京阜城門外衍法寺的和尚，於 1917 年齊白石第二次來京時相識，擅畫，後拜齊白石爲師（見《白石老人自傳》68 頁），彼此往來甚多。《白石老人自傳》83—84 頁記述 70 歲經歷時，把瑞光的死作爲第一件大事：“正月初五日，驚悉我的得意門人瑞光和尚死了，他是光緒四年戊寅正月初八日生的，享年五十五歲。他的畫，一生專摹大滌子，拜我爲師後，常來和我談畫，自稱學我的筆法，才能畫出大滌子的精意。我題他的畫，有句說：‘畫山勾水用意同，老僧自道學萍翁。’我對於大滌子，本也生平最所欽服的……我們兩人的見解，原本并不相背的。他死了，我覺得可惜得很，到蓮花寺裏去哭了他一場，回來仍是鬱鬱不樂……”白庵，名馮白，以字行，湖南衡陽人，畫家，工花卉、松竹、翎毛，粗枝大葉，隨意揮寫，饒有生意。20 年代前期，曾任教於北京美術專科學校（見俞劍華編《中國美術家名人辭典》）。《齊白石作品集·詩》第111 頁有《馮白庵遺畫詞》：“與君同跋方生畫，畫手能詩未易尋。三怪圖中偏剩我，老夫留作哭君人。”又有《馮白去後五年，陳梓嘉得馮畫，寄燕求題》詩：“多少經營畫得成，故人心力太分明。寄言湘上龍山主，羡汝挑燈賞鑒情。”

267. 臨沈周岱廟圖

立軸

紙本水墨設色

86.6×36.3cm

1926 年

款題：

石田翁岱廟圖

丙寅二月中。齊璜臨。奉季端四兄清論。

印章：

木居士（白文）

老齊（朱文）

收藏印：仁和沈氏曾藏（朱文）

收藏：

夏衍原藏，現藏浙江省博物館。

注釋：

齊白石曾畫過不少岱廟圖，雖各不相同，却出自同一母式。此圖是所見較早的一幅。張安治《齊白石先生的山水畫》一文，說白石“六十四歲還有一幅《臨石田岱廟圖》，但用色强烈鮮艷，和沈周不同”（《中國畫》1958 年 5 月）。此圖正是六十四歲所作，不知是否即張先生所說者。《齊白石作品集·詩》第 156 頁有《背臨石田翁岱廟圖》一首：“二十年前喜此圖，豈將能事作吾雛。今朝畫此頭全白，猶喜逢人說沈周。”根據詩集編者的年代編排，應是 20 年代即 60 歲前後之作即與此圖創作時間相近。

268. 松山畫屋圖

立軸

紙本水墨

35×29.5cm

1926 年

款題：

户外清陰長綠苔。名花嬌媚不須

栽。山頭山脚蒼松樹。任汝風吹四面來。丙寅秋九月中。余爲泊廬仁弟畫松山畫屋圖。復爲題句書於此紙。兄璜。

白石山翁

印章：

老白(白文)　　老白(白文)

收藏：

楊永德

著錄：

《楊永德藏齊白石書畫》，中國嘉德’95秋季拍賣會圖錄，224號，北京。

269.大富貴亦壽考

立軸

紙本水墨

設色

162.5×74.5cm

1926年

款題：

大富貴亦壽考

丙寅年齊璜製。時居京華第十春也。

印章：

齊白石(白文)

木人(朱文)

收藏：

廣州市美術館

270.芋魁圖

立軸

紙本水墨

133.5×33cm

1926年

款題：

三百石印富翁無昔人法度。時居燕京第十年。

芋魁南地如瓜大。一丈青苗香滿園。宰相既無纔幹絶。老僧分食與何人。此詩乃白石山翁舊作也。書補此畫。白石又題記。

印章：

木居士(白文)　老白(白文)

木人(木人)

收藏：

天津人民美術出版社

注釋：

此圖跋語“三百石印富翁無昔人法度，時居京華第十年”。白石1917年春第二次赴京，當年回湘。這次來京是因家兵亂，受詩人樊增祥之勸而成行的，但并未完全決定久居。1918年，他全年在家鄉避躲兵匪之劫，苦不堪言，纔決定移居北京，如《自傳》69頁記述1918年經歷後所說“到此地步，纔知道家鄉雖好，不是安居之所……打算從明年起，往北京定居，到老死也不再回家鄉來住了。”不過，白石雖然是1919年正式定居北京，但他後來計算居京時間時，總是以1917年爲界，他稱自己的“衰年變法”“十載關門始變更”，是從哪年算起呢？有時從1917年算，如此圖之跋，説自己居京華第十年時已無“昔人法度”。有時從1919年算，如五十七歲(1919年)曾自記：“余作畫數十年，未稱己意，從此決定大變，不欲人知，即餓死京華，公等勿憐……”(見《齊白石談藝錄》，王振德、李天庥編，河南人民出版社，1984年，第30頁)。因此，衰年變法起止時間，衹能作大致的判斷。

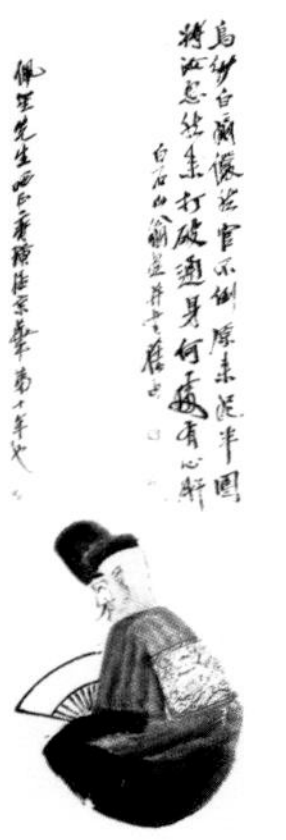

271.不倒翁

立軸

紙本水墨設色

128×33cm

1926年

款題：

烏紗白扇儼然官。不倒原來泥半團。將汝忽然來打破。通身何處有心肝。白石山翁畫并書舊句。

佩笙先生哂正。齊璜居京華第十年也。

印章：

木人(朱文)　借山老人(白文)

老白(白文)

收藏：

上海中國畫院

272.晴波揚帆

立軸

紙本水墨

135.5×33cm

約20年代中期

款題：

一日晴波山萬重。柳條難繫故人篷。勸君莫到無邊岸。也恐回頭是此風。宋若夫人法正。齊璜白石山翁畫并題。

印章：

木居士(白文)　白石翁(白文)

收藏：

北京市文物公司

著錄：

《齊白石繪畫精萃》，秦公、少楷主編，吉林美術出版社，1994年，長春。

273.風柳圖

立軸

紙本水墨

148×60cm

約20年代中期

款題：

白石山翁畫。

印章：

木居士(白文)

收藏：

北京畫院

著錄：

《齊白石作品集・第一集・繪畫》，人民美術出版社，1963年，北京。

《齊白石繪畫精品選》，董玉龍主編，人民美術出版社，1991年，北京。

274.天竹

立軸

紙本水墨設色

102×50cm

約20年代中期

款題：

八硯樓老人齊璜製。

印章：

木居士（白文）

白石翁(白文)

收藏：

私人

著錄：

《齊白石繪畫精品集》，人民美術出版社，1991年，北京。

275.芋葉游蝦

立軸

紙本水墨

126×33cm

約20年代中期

款題：

白石山翁製。

印章：

木居士(白文)

白石翁(白文)

收藏：

湖南省博物館

276. 山水(四條屏之一)

立軸

紙本水墨設色

178×47cm

約 20 年代中期

款題：

杏子隖老民製。

印章：

白石翁(白文)

收藏印：湖南省博物館收藏印(朱文)

收藏：

湖南省博物館

277. 山水(四條屏之二)

立軸

紙本水墨設色

178×47cm

約 20 年代中期

款題：

三百石印富翁

印章：

白石翁(白文)

收藏印：湖南省博物館收藏印(朱文)

收藏：

湖南省博物館

278. 山水(四條屏之三)

立軸

紙本水墨設色

178×47cm

約 20 年代中期

款題：

白石

印章：

白石翁(白文)

收藏印：湖南省博物館收藏印(朱文)

收藏：

湖南省博物館

279. 山水(四條屏之四)

立軸

紙本水墨設色

178×47cm

約 20 年代中期

款題：

借山吟館主者

印章：

白石翁(白文)

收藏印：湖南省博物館收藏印(朱文)

收藏：

湖南省博物館

280. 羅漢(册頁之一)

册頁

瓷青紙單色

27.5×31cm

約 20 年代中期

印章：

白石翁(白文)

收藏：

中國美術館

281. 羅漢(册頁之二)

册頁

瓷青紙單色

27.5×31cm

約 20 年代中期

印章：

白石翁(白文)

收藏：

中國美術館

282. 羅漢(册頁之三)

册頁

瓷青紙單色

27.5×31cm

約 20 年代中期

印章：

白石翁(白文)

收藏：

中國美術館

283. 羅漢(册頁之四)

册頁

瓷青紙單色

27.5×31cm

約 20 年代中期

款題：

元丞先生供奉。齊璜恭繪。

印章：

白石翁(白文)

收藏：

中國美術館

284. 拈花佛

立軸

紙本水墨設色

64×32.4cm

約 20 年代中期

款題：

不爲貪愛走天涯。損道嗔痴悞出家。今識虚空身即佛。 半加趺坐笑拈花。齊璜并題。

印章：

阿芝(朱文)　白石造本(白文)

收藏：

北京市文物公司

著録：

《齊白石繪畫精萃》，秦公、少楷主編，吉林美術出版社，1994 年，長春。

285. 佛

立軸

紙本水墨設色

125×52cm

約 20 年代中期

款題：

無我如來座。

休同彌勒龕。

解尋寂寥境。

到眼即雲曇。

心出家僧齊璜

製此供奉。

印章：

白石翁（白文）

木人（朱文）

收藏：

仲孚原藏，現藏炎黄藝術館藝術中心。

著錄：

《齊白石畫册》，上海中華書局，中華民國二十年（1931），上海。

286. 三友圖

立軸

紙本水墨設色

140×35.5cm

約 20 年代中期

款題：

松竹梅爲天下人謂爲三友。此幅乃白石山翁之友也。白石製并記。

印章：

木居士（白文）

收藏：

北京市文物公司

著錄：

《齊白石繪畫精萃》，秦公、少楷主編，吉林美術出版社，1994 年，長春。

287. 山茶花

鏡心

紙本水墨設色

76×47cm

約 20 年代中期

款題：

亞枝叠葉勝天工。

幾點硃砂花便紅。

不獨萍公老多事。

猶逢求（求字圈去）貪畫石安翁。

萍公并題。

印章：

白石翁（白文）

收藏印：湖南省博物館收藏印（朱文）

收藏：

湖南省博物館

288. 蘆蟹雛鷄

立軸

紙本水墨

136.5×33cm

約 20 年代中期

款題：

草莽吞聲。食忘所好。肥蟹嫩鷄。見之尚笑。可惜骨頭丢。因牙搖掉。三百石印富翁畫并題舊句。

印章：

齊大（朱文）　木人（朱文）

收藏：

中央工藝美術學院

289. 釣蝦

立軸

紙本水墨設色

109.5×33cm

約 20 年代中期

款題：

從來未聞有釣蝦者。始自白石。白石并記。

印章：

老白（白文）

木居士（白文）

收藏：

中央美術學院附中

290. 南瓜

立軸

紙本水墨設色

133.4×32.8cm

約 20 年代中期

款題：

今日得家書中心喜樂。挑燈畫此幅。白石山翁并記。

印章：

老白（白文）

木人（朱文）

收藏：

中國美術館

291. 荷花螃蟹

立軸

紙本水墨設色

176.6×46.6cm

約 20 年代中期

款題：

老萍畫荷今日得三幅。此幅先畫者白石。

印章：

木人（朱文）

收藏：

中國美術館

292. 荷花

立軸

紙本 水墨設色

93×41cm

約 20年代中期

款題：

齊璜。

印章：

白石翁（白文）

收藏印：湖南省博物館藏品章（朱文）

收藏：

湖南省博物馆

293. 月季

立軸

紙本水墨設色

141.7×35.8cm

約 20 年代中期

款題

作畫貴能而不能。此幅將不能也。白石山翁并題記。

印章：

老齊（朱文）

收藏：

天津人民美術出版社

294. 竹

立軸

紙本　水墨

120×50cm

約20年代中期

款題：

齊璜

收藏：

夏衍原藏，現藏浙江省博物館。

295. 鵪鶉稻穗

立軸

紙本水墨設色

56.5×17.8cm

約20年代中期

款題：

三百石印富翁製。

當萬夫勇。著百結衣。取之毛羽。何如錦鶉。白石又題。

此四小幅乃爲運明女士畫。未款。截今補題之。齊璜。

印章：

老苹(朱文)　借山老人(白文)

老苹(朱文)　借山老人(白文)

繞屋衡峰七十二(朱文)

收藏：

北京故宫博物院

296. 荔枝

立軸

紙本水墨設色

157×36cm

約20年代中期

款題：

論園買夏鶴頭丹。風味雖殊痂嗜難。人世幾逢開口笑。塵埃一騎到長安。白石山翁并題。

印章：

木居士(白文)

白石翁(白文)

收藏：

私人

著錄：

《齊白石繪畫精品集》，人民美術出版社，1991年，北京。

297. 蘆雁圖

立軸

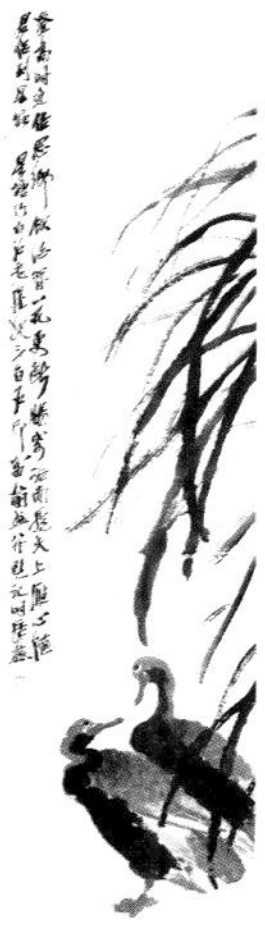

紙本水墨着色

171.8×46.2cm

約20年代中期

款題：

登高時近倍思鄉。飲酒簪花更斷腸。寄語南飛天上雁。心隨君侶到星塘。星塘乃白石老屋也。三百石印富翁畫并題記。時居燕。

印章：

木居士(白文)

白石翁(白文)

收藏：

中國美術館

298. 葫蘆雙鳥

立軸

紙本水墨設色

137×33cm

約20年代中期

款題：

白石山翁製。

印章：

白石翁(白文)

收藏：

遼寧省博物館

著錄：

《齊白石畫册》，遼寧省博物館編，遼寧美術出版社，1961年，瀋陽。

299. 梅花

立軸

紙本水墨設色

130.9×44.6cm

約20年代中期

款題：

借山吟館主者匆匆揮汗。

印章：

白石翁(白文)

收藏：

中國美術館

300. 鐵拐李

立軸

紙本水墨設色

105.5×32.5cm

1927年

款題：

丁卯正月造稿畫此第二回也。應逸軒仁兄之請。齊璜白石山翁。

印章：

木人(朱文)

收藏：

私人

著錄：

《齊白石繪畫精萃》，秦公、少楷主編，吉林美術出版社，1994年，長春。

《翰海'95春季拍賣會・中國繪畫》，1995年，北京。

301. 鐵拐李

立軸

紙本水墨設色

137×37.5cm

1927年

款題：

丁卯第一日爲廠肆作畫。意造此稿。一峰山人見之以爲好矣。索余重畫。時買鐙日也。白石山翁并記。

印章：

木人(朱文)

白石翁(白文)

收藏：

私人

著錄：

《中國嘉德'95秋季拍賣・中國書畫》，第409號；1995年，北京。

302. 鐵拐李

立軸

紙本水墨設色

130×36cm

約1927年

款題：

應悔離尸久未還。神仙埋没却非難。何曾慧眼逢人世。不作尋常餓殍看。白石山翁并題。

白水仁弟法正。丁卯春二月同學兄齊璜撿贈。

印章：

老白(白文)

阿芝(朱文)

收藏：

私人

著錄：

《齊白石繪畫精品集》，人民美術出版社，1991年，北京。

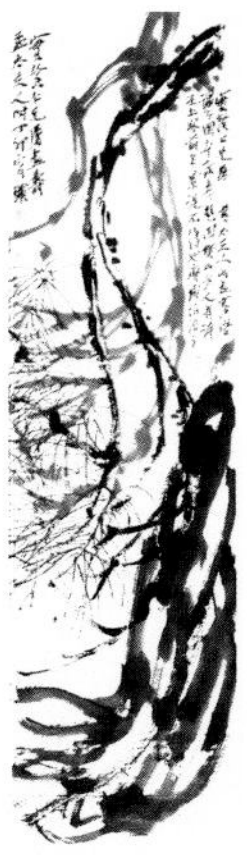

303. 蒼松圖

立軸

紙本水墨

136×33.5cm

1927 年

款題：

實馨仁兄屬畫壽孟太夫人。時丁卯正月。璜。

實馨仁兄爲尊太夫人所畫寒鐙課子圖。本欲奉題。因樊山老人有詩在上。眼前有景說不得也。齊璜請諒之。

印章：

木居士(白文)　木人(朱文)

收藏印：西安美術學院藏(朱文)

收藏：

西安美術學院

304. 竹霞洞(自臨借山圖册之四)

册頁

紙本水墨設色

25.5×20cm

1927 年

款題：

竹霞洞

借山圖之四。白石。

印章：

老苹(朱文)

收藏者：

中國藝術研究院美術研究所

305. 祝融峰(自臨借山圖册之六)

册頁

紙本水墨設色

25.5×20cm

1927 年

款題：

祝融峰

借山圖之六。白石。

印章：

阿芝(朱文)

收藏：

中國藝術研究院美術研究所

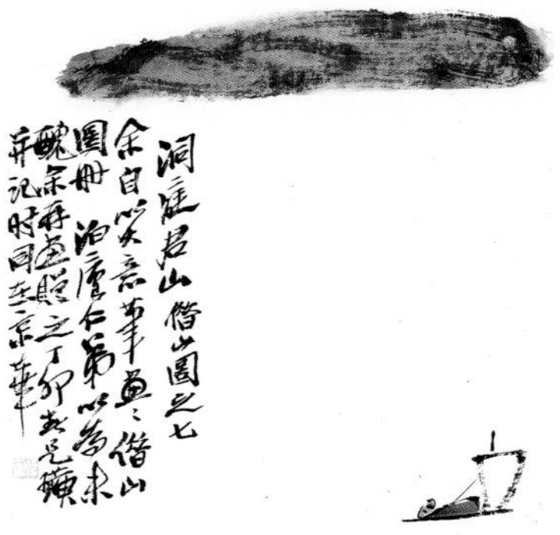

306. 洞庭君山(自臨借山圖册之七)

册頁

紙本水墨設色

25.5×20cm

1927 年

款題：

洞庭君山。借山圖之七。余自以大意筆畫借山圖册。泊廬仁弟以爲未丑。余再畫贈之。丁卯春兄璜并記。時同在京華。

印章：

木人(朱文)

收藏：

中國藝術研究院美術研究所

著錄：

《齊白石繪畫精品選》，董玉龍主編，人民美術出版社，1991 年，北京。

307. 華岳三峰(自臨借山圖册之九)

册頁

紙本水墨

25.5×20cm

1927 年

款題：

華岳三峰

借山圖之九。白石。

印章：

老苹(朱文)

收藏：

中國藝術研究院美術研究所

308. 雁塔坡(自臨借山圖册之十一)

册頁

紙本水墨設色

25.5×20cm

1927 年

款題：

雁塔坡

借山圖之十一。白石。

印章：

阿芝(朱文)

收藏：

中國藝術研究院美術研究所

309. 柳園口(自臨借山圖册之十二)

册頁

紙本水墨設色

25.5×20cm

1927 年

款題：

柳園口

借山圖之十二。白石。

印章：

阿芝(朱文)

收藏：

中國藝術研究院美術研究所

著錄：

《齊白石繪畫精品選》，董玉龍主編，人民美術出版社，1991 年，北京。

310. 小姑山(自臨借山圖册之十六)

册頁

紙本水墨設色

25.5×20cm

1927 年

款題：

小姑山

借山圖之十六。白石。

印章：

木人(朱文)

收藏：

中國藝術研究院美術研究所

311. 獨秀山(自臨借山圖册之十八)

册頁

紙本水墨設色

25.5×20cm

1927 年

款題：

獨秀山

借山圖之十八。白石。

印章：

木人(朱文)

收藏：

中國藝術研究院美術研究所

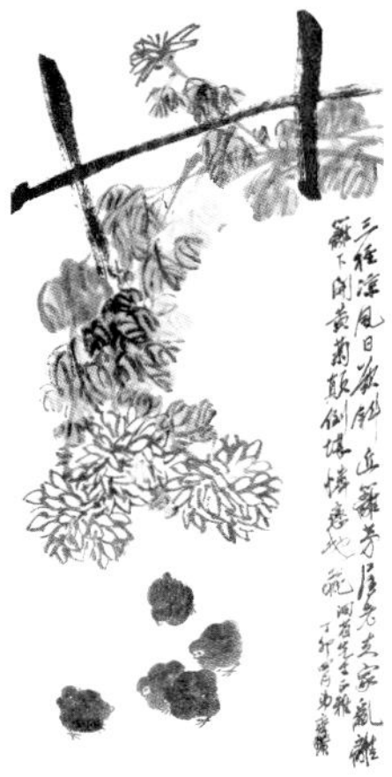

312. 菊花雛鷄

立軸

紙本水墨設色

108×50cm

1927 年

款題：

三徑涼風日欲斜。近籬茅屋老夫家。亂離籬下開黄菊。顛倒堪憐戀地花。洞省先生正雅。丁卯四月弟齊璜。

印章：

木人(朱文)

收藏：

中國美術館

著錄：

《齊白石作品集》，董玉龍主編，天津人民美術出版社，1990 年，天津。

313. 八哥

立軸

紙本水墨設色

68×32cm

1927 年

款題：

丁卯春畫示璧城弟。齊璜白石老翁。

印章：

木人(朱文)

收藏：

湖南省博物館

314. 發財圖

立軸

紙本水墨

115×52cm

1927 年

款題：

發財圖

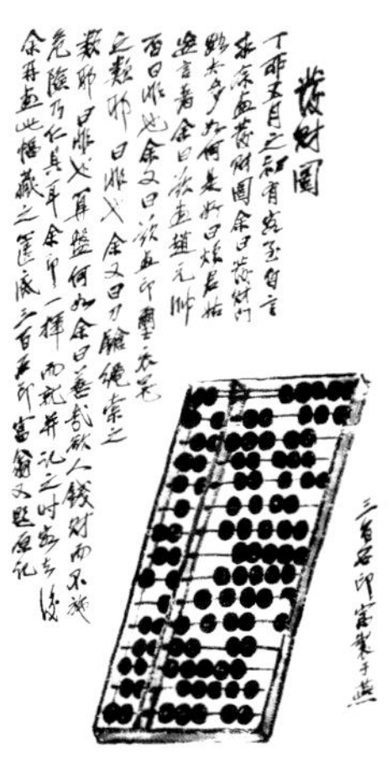

丁卯五月之初。有客至。自言求余畫發財圖。余曰發財門路太多。如何是好。曰煩君姑妄言著。余曰欲畫趙元帥否。曰非也。余又曰欲畫印璽衣冠之類耶。曰非也。余又曰刀槍繩索之類耶。曰非也。算盤何如。余曰善哉。欲人錢財而不施危險。乃仁具耳。余即一揮而就并記之。時客去後。余再畫此幅藏之篋底。三百石印富翁又題原記。

三百石印富翁製於燕。

印章：

萍翁(白文)　白石翁(白文)

收藏：

私人

著錄：

《齊白石作品集・繪畫》，人民美術出版社，1963 年，北京。

《齊白石畫集》，外文出版社，1991 年，北京。

315. 寄斯庵製竹圖

立軸

紙本水墨設色

49×30cm

1927 年

款題：

寄斯庵製竹圖

瘦梅仁兄刊竹名冠一時。曾刊白竹扇器贈余。工極。余畫此答之。時丁卯六月居燕第十一年。齊璜。

印章：

木人(朱文)　阿芝(朱文)

收藏：

北京市文物公司

著錄：

《齊白石繪畫精萃》，秦公、少楷主編，吉林美術出版社，1994 年，長春。

注釋：

寄斯庵，姓張名志魚，字瘦梅，以治印、刻竹聞名，創留青刻法。此畫曾入選 1958 年白石遺作展。

316. 風竹圖

立軸

紙本水墨

155×43.7cm

1927 年

款題：

胡老伯母七十又八。畫此爲壽。丁卯九月廿又一日。齊璜。

印章：

老齊(朱文)

木人(朱文)

白石翁(白文)

遇員因方(朱文)

收藏：

中國美術館

317. 秋蟬

扇面

紙本水墨設色

21×48cm

1927 年

款題：

嗣巖先生清正。

丁卯六月。齊璜老眼。

印章：

木人(朱文)

收藏：

天津人民美術出版社

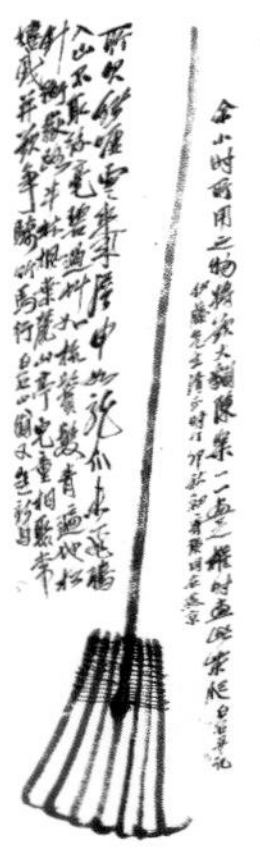

318. 柴筢

立軸

紙本水墨

134×33.6cm

1927 年

款題：

余小時所用之物。將欲大翻陳案。一一畫之。權時畫此柴爬(筢)。白石并記。伊藤先生清正。時丁卯秋初。齊璜同在燕京。

所欠能噓雲幾層。申如龍爪未飛騰。入山不取絲毫碧。過草如梳鬢髮青。遍地松針衡嶽(岳)路。半林楓葉麓山亭。兒童相聚常嬉戲。并欲爭騎竹馬行。白石山翁又題新句。

印章：

阿芝(朱文)

老白(白文)

木人(朱文)　白石翁(白文)

收藏印：龐耐(朱文)

收藏：

楊永德

著錄：

《楊永德藏齊白石書畫》，中國嘉德’95 秋季拍賣會圖錄，188 號，1995 年，北京。

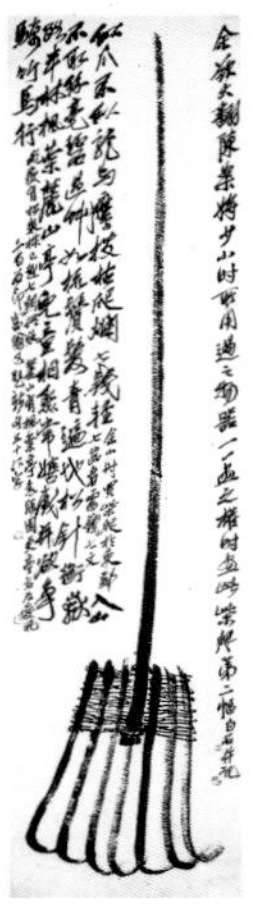

319. 柴筢

立軸

紙本水墨

133.5×34cm

約 1927 年

款題：

余欲大翻陳案。將少小時所用過之物器一一畫之。權時畫此柴爬(筢)第二幅。白石并記。

似爪不似龍與鷹。搜枯爬(筢)爛七錢輕(余小時買柴爬(筢)於東鄰。七齒者需錢七文)。入山不取絲毫碧。過草如梳鬢髮青。遍地松針衡嶽(岳)路。半林楓葉麓山亭。兒童相聚常嬉戲。并欲爭騎竹馬行。

南嶽(岳)有松數株。已越七朝興敗。麓山有楓葉亭。袁隨園更亭名爲愛晚。三百石印富翁又題新句五十六字。

印章：

白石翁(白文)　木人(朱文)

阿芝(朱文)　老白(白文)

收藏：

北京畫院

著錄：

《齊白石作品集・第一集・繪畫》，人民美術出版社，1963 年版，北京。〔注：在該書的目錄中注明此圖作於“70 歲左右”(1932 年 70 歲)，誤，與丁卯圖相較，應屬同時期之作。〕

320. 群蝦圖

立軸

紙本水墨

134×34cm

1927 年

款題：

余畫此幅。友人曰君何得似至此。答曰家園有池。多大蝦。秋水澄清。嘗見蝦游，深得蝦游之變動。不獨專似其形。故余既畫。以後人亦畫有之。未畫以前故未有也。子畏仁兄法正。丁卯齊璜。白石山翁。

他人題記：

寵錫鄉先生在外抗戰八年餘，今值得勝歸來。興奮之極。相見敘故樂何如之。特將齊師前所贈此幅加題轉贈。以作紀念。乙酉冬月。李世英。

印章：

阿芝(朱文)

收藏印：世英之印(白文)

收藏：

私人

著錄：

《齊白石畫集》，嚴欣强、金岩編，外文出版社，1990 年，北京。

321. 紫藤八哥

立軸

紙本水墨設色

136.5×33.5cm

1927 年

款題：

居三道栅欄後五年畫。

印章：

老白(白文)

要知天道酬勤(朱文)

收藏：

天津人民美術出版社

注釋：

齊佛來《我的祖父白石老人》據白石日記認定，齊白石遷居西四三道栅是在 1922 年農曆六月二日，按此推算，此畫當作於 1927 年。

322. 齊以德像

鏡心

紙本擦炭設墨

52.5×42.2cm

1927 年

收藏：

湘潭齊白石紀念館

注釋：

齊以德（1838—1926），名貫政，以字行，齊白石之父。生六子二女，白石爲長子。此圖是根據照片繪製的，炭粉加淡墨，畫在很綿的宣紙上。與照片相比，眉、眼、唇、髮等處的灰色調失去了，不如照片生動，但外形很準。畫鬍鬚没用白粉（在1910年前後畫的胡沁園像，是用白粉勾鬚的）。總的看，炭粉氣息很濃，墨痕不明顯。所據照片的尺寸是8.3×6cm，未見打格放大的痕迹。齊白石在照片上題：“父親八十九歲遺像，丙寅春照，丁卯八月睡不成寐，三十日此像片寄到。父靈先到也。”同時還有白石母親周太君照片，上題：“母親八十三歲遺像，男璜跪題。”這就是説，齊以德在逝世那年（1926）的春天照一像，第二年家人將照片寄給齊白石，纔畫成了此像。1926年白石父母病重及逝世，因京漢鐵路綫有戰事，不能成行，是白石最感痛苦和悔恨的事（參見《自傳》）。盡管此時他已65歲，早已不畫人像，還是親手爲父親畫了此肖像。

323. 漁翁

立軸

紙本水墨設色

137×33.6cm

約1926—1928年

款題：

江滔滔。山巍巍。故鄉雖好不容歸。風斜斜。雨霏霏。此翁又欲知何處。流水桃源今已非。

白石造稿并題。

印章：

齊大（朱文）　白石翁（白文）

收藏：

王方宇

著錄：

《看齊白石畫》，王方宇、許芥昱合著，藝術圖書公司，1979年，臺北。

注釋：

此圖和有戊辰（1928年）款的漁翁圖立意、構圖相一致，應是出自同一母式。從款題與畫法判斷，此圖當略早。

324. 紅柿

小横幅

紙本水墨設色

28×45cm

約1927年

款題：

借山吟館主者

印章：

白石翁（白文）

收藏：

齊良遲

325. 天竹

小横幅

紙本水墨設色

28×45cm

約1927年

款題：

白石山翁

印章：

木居士（白文）

收藏：

齊良遲

326. 菊花

小横幅

紙本水墨設色

28×46cm

約1927年

款題：

白石

印章：

老齊（朱文）

收藏：

齊良遲

327. 蝴蝶蘭

册頁

紙本水墨淡設色

25×23cm

約1927年

款題：

老萍

印章：

老白（白文）

收藏：

齊良遲

328. 搔背圖

立軸

紙本水墨設色

133.5×33cm

約1927年

款題：

白石山翁。略用八大小册本。

印章：

阿芝（朱文）

老白（白文）

收藏：

北京畫院

著錄：

《齊白石畫集》，嚴欣强、金岩編，外文出版社，1990年，北京。

本卷承蒙下列單位與個人的熱情支持與大力協助。特此致謝!

中國美術館
湖南省博物館
北京市文物公司
中國藝術研究院美術研究所
天津人民美術出版社
中央美術學院
北京畫院
北京榮寶齋
中央工藝美術學院
遼寧省博物館
浙江省博物館
北京故宮博物院
天津楊柳青書畫社
陝西美術家協會
天津市文物公司
廣州市美術館
炎黄藝術館藝術中心
天津藝術博物館
首都博物館
西安美術學院
湘潭齊白石紀念館
上海美術家協會
上海市文物商店
香港佳士得拍賣行
長沙市博物館
湖南省圖書館
上海朵雲軒
臺北故宮博物院
中央美術學院附中
四川美術學院
上海中國畫院
北京畫院
霍宗傑先生
王方宇先生
楊永德先生
齊良遲先生
鄒佩珠先生
郭秀儀先生

(按所收作品數量順序排列)

總策劃：郭天民　蕭沛蒼
總編輯：郭天民
總監製：蕭沛蒼

齊白石全集編輯委員會

主　　編：郎紹君　郭天民
編　　委：李松濤　王振德　羅隨祖　舒俊傑
郎紹君　郭天民　蕭沛蒼　李小山
徐　改　敖普安

本卷主編：郎紹君
責任編輯：李小山
圖版攝影：孫智和
著　　錄：徐　改　敖普安　李小山
黎　丹　章小林　姚陽光
注　　釋：郎紹君　徐　改
英文翻譯：張少雄
責任校對：李奇志
總體設計：戈　巴

齊白石全集　第二卷

出版發行：湖南美術出版社
(長沙市人民中路103號)
經　　銷：全國各地新華書店
印　　製：深圳華新彩印製版有限公司
一九九六年十月第一版　第一次印刷

ISBN7—5356—0888—4/J·813